ROTBUCH KRIMI

Mark Timlin, geboren 1950, begleitete jahrelang *T. Rex* und *The Who* als Tour-Manager, lebt seit 1988 als Krimiautor in London. In mittlerweile neun Kriminalromanen schlägt sich Nick Sharman durch den Süden von London. *Die Frau im Rollstuhl* ist sein erster in deutscher Sprache erscheinender Krimi.

Es gibt ihn also doch, den zeitgenössischen europäischen harten Privatdetektiv aus der amerikanischen Schule von Chandler und Hammet. Der Engländer Mark Timlin hat ihn erfunden. Er heißt Nick Sharman, ist gefeuerter Ex-Bulle und war ein bißchen korrupt und kokainsüchtig. Jetzt säuft er nur noch und hat sein Büro in Londons wildem Süden.
Der Fall, den er untersuchen soll, ist alt und alle Spuren erkaltet. Nur sein chronisch abgeräumtes Konto bewegt Nick Sharman dazu, ein Schrotflintenmassaker zu untersuchen. Obendrein muß er den Wochenend-Papi für seine Tochter spielen. Bis auf beide ein Anschlag verübt wird. Jetzt kommt Nick Sharman in Schwung.
Doch in der Glitzerwelt von Mayfair und auf den heruntergekommenen Straßen von Südlondon geht ihm allerhand verloren. Unter anderem die Frau seines Lebens, aber es wäre ohnehin nicht die erste gewesen.

MARK TIMLIN

DIE FRAU IM ROLLSTUHL

Aus dem Englischen von
Jürgen Bürger

Rotbuch Verlag

Wir leben in einem traurigen Land
in dem nur die Geister gut sind

Dieses Buch ist Patrick Timlin gewidmet

1. Auflage 1993

Orginaltitel: The Turnaround

Umschlagmotiv von Hector Navarrete
Satzbearbeitung von Satzinform Berlin
Gedruckt und gebunden von
der Druckerei Wagner in Nördlingen
Printed in Germany

ISBN 3-88022-103-0

I

Ich saß in meinem Büro und verfolgte das Vormittagsprogramm auf einem kleinen, tragbaren Schwarzweißfernseher mit 8-cm-Bildschirm und der Tonqualität einer Blechbüchse. Meine Füße lagen auf dem Schreibtisch, ich kaute lustlos auf einem Rosinenbrötchen und trank dazu eine Tasse Tee. Es lief gerade eine dieser Magazinsendungen, in denen wohlmeinende Leute mit dem großen Durchblick uns unbedeutenden Sterblichen verklickern, wie wir unser Leben zu meistern und die perfekte Sauce Bolognese zu machen haben. Dieser spezielle Experte war ein verkniffener Bursche mit einer blonden Tolle, die ihm so beiläufig zerzaust in die Stirn fiel, daß der Maskenbildner dafür wahrscheinlich eine ganze Stunde gebraucht hatte. Der Experte klärte mich und vermutlich eine halbe Million andere Hausfrauen und Arbeitslose darüber auf, wie das Beste aus unserer Hormonaustausch-Therapie herauszuholen war. Ich machte mir im Geiste ein paar Notizen.

Nach ungefähr einer Minute tauchte – nur für den Fall, daß wir *couch potatoes*, die wir auch tagsüber vor der Glotze hingen, uns langweilten und womöglich zum Schulfernsehen auf BBC 2 umschalteten – das widerlich cleane und glücklich verheiratete Moderatorenpärchen der Sendung auf. Sie teilten uns mit, daß gleich nach der kurzen Unterbrechung für die Werbung ein fünfzigjähriger, nach eigenem Bekunden im Zölibat lebender, aber mutmaßlich schwuler Pop-Star, der erst neulich bei einer Zeremonie am Strand von St. Lucia eine sechzehnjährige Ex-Klosterschülerin geheiratet hatte, auf einen Kaffee zu uns kommen würde, um diese ungeheuer wichtige Lebensumstellung in der Blüte seiner Jahre näher zu erläutern. Seine aufschlußreichen Ausführungen erreichten mich nie. Während eines Spots für Slipeinlagen ging die Tür meines Büros auf. Ein Mann von vielleicht Mitte vierzig mit schütterem, braunem Haar, dunkler Sonnenbrille, gebrochener Boxernase und einem teuren Trenchcoat blieb auf der Schwelle stehen. Er sah mich an. Ich sah ihn an, behielt die Füße auf dem Schreibtisch und kaute auf einer Rosine.

»Viel zu tun?« fragte er.

»Geht so«, erwiderte ich.

»Kein schlechter Job, wenn man Aufträge hat.« Er sprach mit einem Südlondoner Akzent. Scharf und hart.
Ich schluckte die Rosine, setzte meine Hacken auf den schmutzigen Teppich unter dem Schreibtisch, schaltete den Fernseher aus, wischte Krümel von meiner Jeans und sagte: »Kann ich Ihnen irgendwie behilflich sein oder sind Sie nur auf der Durchreise?« Ungebetenen Besuchern gegenüber gebe ich mir heutzutage nicht mal mehr den Anschein von Höflichkeit.
»Sie sind Sharman?«
»Genau der.«
»Gut. Ich möchte, daß Sie mir helfen.«
Meinte der Kerl das im Ernst? Ich hatte schon meine Schwierigkeiten bei einem warmen Büfett. Was glaubte er denn, was ich für ihn tun könnte? »Tatsache?« fragte ich.
»Ja.«
»Weiß ja nicht«, meinte ich.
»Ist es nicht Ihr Job? Menschen helfen.«
»Nicht jeder sieht das so«, erwiderte ich. »Jedenfalls nicht, wenn alles vorbei ist.«
»Das werde ich dann selbst beurteilen.«
Ich schwieg.
»Was ist denn nun?« fragte er.
»Weiß ja nicht«, sagte ich wieder und warf einen sehnsüchtigen Blick auf den Fernseher. »Ich hab im Moment ein paar Sachen laufen.«
»Sicherlich«, erwiderte er. »Man sieht ja, wie Ihr Geschäft floriert.«
»Sie sind gerade Zeuge eines ruhigen Augenblickes in einem ansonsten vielbeschäftigten Leben.«
»Jede Wette.« Er nahm die Brille ab. Da war irgendwas in seinen Augen. Etwas, das ich nicht sehen wollte. »Und?« fragte er.
Ich gab nach. Es war dieser Ausdruck in seinen Augen, der das bewirkt hatte. »Setzen Sie sich.«
Er zog den Mantel aus und hing ihn an einen Haken an der Wand. Er rückte sich einen Stuhl ran und nahm Platz. Aus der Nähe betrachtet sah er nicht so besonders aus. Unter seinem teuren Mantel trug er einen teuren Anzug, doch der schlabberte um seine Knochen, als hätte er erst kürzlich eine Menge Gewicht verloren. Und der Hemdkragen warf Falten, wo er die Krawatte fest zugezogen hatte, um die Tatsache zu überspielen,

daß es mindestens eine halbe Nummer zu groß war. Dunkle Ringe lagen unter seinen tiefliegenden Augen. Seine Haut war grau, und ich konnte die Poren um seine Nase zählen.

Ich steckte mir eine *Silk Cut* an und trank meinen Tee aus. Ihm bot ich keine Tasse an. Falls er interessant war – der Pub auf der anderen Straßenseite hatte gerade aufgemacht. Wenn nicht, dann war's ein sinnlos vergeudeter Teebeutel. »Was kann ich für Sie tun?« wollte ich wissen.

»Finden Sie heraus, wer meine Schwester ermordet hat.«

»Ihre Schwester?«

»Und ihre Familie.«

Das ließ ich mir erst mal eine Sekunde durch den Kopf gehen. »Sie sollten mir vielleicht erst mal erzählen, was genau passiert ist«, sagte ich dann.

Er schloß die Augen und massierte zwischen Zeigefinger und Daumen der rechten Hand den Rücken seiner gebrochenen Nase. Er seufzte tief und fing an. »Vor etwas mehr als einem Jahr – um genau zu sein, am achtundzwanzigsten März letzten Jahres – wurden meine Schwester, ihr Mann und ihre zwei Söhne in ihrem Haus in Crown Point ermordet. Sie wurden kaltblütig erschossen.«

»Ja, ich erinnere mich an die Sache«, sagte ich. »Die Hellermann-Familie.«

»Kellerman«, korrigierte er.

»Genau«, sagte ich. »Hat die Polizei den Täter nicht gefunden?«

»Die Polizei!« Er spuckte die Worte beinahe aus. »Nach zwölf Monaten war das Sonderdezernat, das den Mord untersucht hat, auf einen Detective Sergeant und einen weiblichen Police Constable zusammengeschrumpft. Und jetzt ist der Superintendent, der die Ermittlung geleitet hat, in Rente gegangen und nach Südirland gezogen, und das Sonderdezernat wurde ganz aufgelöst. Seit gestern ist die offizielle Untersuchung abgeschlossen.«

»Morduntersuchungen sind niemals abgeschlossen.«

»Diese hier ist es aber de facto. In der Woche, nachdem es passiert ist, haben vierzig Leute an dem Fall gearbeitet, und heute kein einziger mehr.«

»Zuwenig Personal«, sagte ich.

»Zuwenig Personal, meine Fresse.«

Ich hatte das Gefühl, daß wir so nicht weiterkamen. »Was kann ich tun, das die Polizei nicht tun kann?« fragte ich. Kam mir wie eine ganz vernünftige Frage vor.
»Herausfinden, wer Sandy umgebracht hat.«
»Sandy?«
»Sandra. So hieß meiner Schwester.«
»Mr. ...?« sagte ich mit einer deutlichen Frage in der Stimme.
»Webb. James Webb. Nennen Sie mich einfach Jim oder Jimmy.«
»Mr. Webb«, sagte ich. »Der Fall hat doch eine Menge Staub aufgewirbelt, oder? Wenn ich mich recht entsinne, haben sie es sogar in *Crimewatch* gebracht.«
Er nickte.
»Wenn es der Polizei mit – was sagten Sie gleich, wie viele waren es? Vierzig Leute?« Er nickte wieder. »Mit vierzig Leuten und Unterstützung der BBC nicht gelungen ist, etwas herauszufinden, was könnte ich da Neues entdecken? Und außerdem ist es jetzt schon fast vierzehn Monate her.«
»Sharman«, sagte James Webb, »Sie haben hier in der Gegend einen guten Namen. Sie haben gute Arbeit geleistet. Die Leute sagen, wenn überhaupt einer etwas ausgraben kann, dann sind Sie es.«
Ich fühlte mich geschmeichelt. Aber auch wieder nicht zu sehr.
»Hören Sie, Mr. Webb«, sagte ich. »Ich glaube wirklich nicht, daß ich Ihnen weiterhelfen kann. Außerdem kommt mir die Sache irgendwie gefährlich vor.«
»Haben Sie Angst?«
Ich nickte. »Jeden einzelnen Tag meines Lebens.«
»Könnten Sie es nicht wenigstens versuchen?« fragte er.
»Ich bin teuer.«
»Ich auch, Mr. Sharman. Meine Schwester war alles, was ich an Familie hatte. Natürlich abgesehen von meiner Frau«, schob er nach. »Aber wir haben keine Kinder. Sandra und David und die Jungs waren meine Familie. Ich habe ein Foto dabei.« Aus seiner Brieftasche zog er ein postkartengroßes Foto. Er gab es mir. Es war ein typischer Urlaubsschnappschuß. Nicht gestellt. Vier Menschen an einem Pool. Zwei Erwachsene und zwei Kinder. Alle vier hockten auf der Kante eines Liegestuhles, der jeden Augenblick zusammenzubrechen drohte. Der Mann sah wie ein harter Bursche aus. Er bekam eine Glatze, hatte aber eine dich-

te Körperbehaarung. Die Frau sah James Webb ähnlich genug, daß man erkennen konnte, sie waren verwandt. Aber sie war hübsch. Blond und hübsch. Zum Glück kamen die beiden Kinder nach ihr. Nicht, daß das jetzt noch eine große Rolle spielte. Sie waren blond und kräftig, und beide wirkten, als hätten sie bis vor einer Sekunde noch gelacht oder würden jeden Augenblick prustend losplatzen. Was Traurigeres hatte ich selten gesehen.

»Tut mir leid«, sagte ich.

»Wirklich?« Er schien überrascht.

»Ja. Ich habe selbst eine Tochter, nicht viel älter als die zwei hier. Ich weiß, wie ich mich fühlen würde.«

»Dann behalten Sie das Foto und finden Sie raus, wer sie umgebracht hat. Ich bin mit meinem Latein am Ende. Ich weiß nicht, wo ich weitermachen soll. Ich hätte alles für sie getan. Und jetzt, nachdem sie nicht mehr da sind, habe ich nur noch meine Firma. Aber die bedeutet mir nichts mehr. Ich bin bereit, einen Haufen Geld auszugeben, um zu erfahren, wer sie ermordet hat.«

»Ich könnte doch einfach Ihr Geld nehmen und nichts tun.«

Ich will nicht sagen, daß er gelacht hat. Was immer das Geräusch bedeuten mochte – man hörte jedenfalls keinen Funken Humor heraus. »Da ist noch etwas, das die Leute über Sie sagen. Sie sind ehrlich zu Ihren Klienten.«

»Das bin ich«, sagte ich.

»Das genügt mir. Wieviel?«

»Zweihundert pro Tag plus Spesen. Und es könnte gut sein, daß ich mit ein paar Scheinchen wedeln muß. Ist schon komisch, daß manche Leute nicht mit der Polizei reden wollen, aber angesichts des Bildes der Queen auf zwei, drei Fünfzig-Pfund-Scheinen äußerst gesprächig werden.«

»Tun Sie, was Sie tun müssen.«

»Ich fürchte allerdings, dafür wird es keine Quittungen geben. Die gleichen Leute können sich die meiste Zeit nicht mal an ihre Namen erinnern.«

»Das ist mir egal.«

Ich legte das Foto, das er mir gegeben hatte, sorgfältig auf den Schreibtisch. »In Ordnung, Mr. Webb, ich werd's versuchen. Ich will sehn, was ich tun kann, allerdings unter einer Bedingung.«

»Und die wäre?«
»Wenn es sinnlos ist, mache ich Schluß. Ich werde weder Ihr Geld noch meine Zeit verschwenden.«
»Das klingt fair.«
»Gut«, sagte ich. »Sie sollten mir jetzt vielleicht sämtliche Einzelheiten erzählen. Sie haben nicht zufälligerweise Lust auf einen Drink?«

2

Er hatte nichts gegen einen Drink, und wir gingen rüber in den Pub. Er zahlte. Ich bestellte mir eine Flasche Lager. Er nahm einen Orangensaft. Wir setzten uns an einen ruhigen Tisch in der Ecke. Ich steckte mir eine Zigarette an. Er hätte schon vor Jahren mit dem Rauchen aufgehört, sagte er. Hatte ich auch, meinte ich, schon ein paarmal.
Er trank einen Schluck von seinem Saft, und ich sagte: »Sie wollten erzählen, was passiert ist.«
»Ja«, erwiderte er. Er warf einen sehnsüchtigen Blick auf meine Zigaretten und fing an: »Meinem Schwager gehörten zwei Teppichhäuser außerhalb von London. Eines in Croydon, das andere in der Nähe von Gatwick. Seine Firma hieß *The International Carpet Company*. Sie haben vielleicht schon davon gehört.« Ich hatte nicht, sagte aber nichts. »Es schien ihm geschäftlich ganz gut zu gehen. Er hatte Pläne, an der Küste zwei, drei weitere Geschäfte zu eröffnen. Dann machte sich die Rezession bemerkbar, und er legte die Pläne vorerst auf Eis. Trotzdem schien es ihm geschäftlich noch recht gut zu gehen. Er war ein guter Ehemann. Er liebte meine Schwester, und sie liebte ihn.
Am achtundzwanzigsten März letzten Jahres drang jemand gegen zehn Uhr abends, soweit die polizeilichen Ermittlungen ergaben, in ihr Haus in Crown Point ein. Es ist ein großes Haus auf einem ausgedehnten Grundstück. Es heißt *Oakfield*. Meine Schwester und Dave sahen fern im Wohnzimmer im hinteren Teil des Hauses. Wer auch immer es war, sie brachen eine der Verandatüren auf, um ins Haus zu kommen. Sie haben die beiden erschossen, sind dann nach oben gegangen und haben dort meine beiden Neffen erschossen. Einen im Flur, den anderen im

Bett. Sie hatten keine Chance. Sie waren doch noch so jung. Die Bastarde haben sie mit Schrotflinten abgeknallt.« Er umklammerte sein Glas, und seine Augen waren feucht. »Nach ihrem Tod fand ich heraus, daß Davids Geschäft in Schwierigkeiten steckte.«

»Hatte er Schulden?« fragte ich.

»Ein paar, ja, aber die *National Westminster Bank* schickt normalerweise keine Killer, um Geld einzutreiben.«

»Wieviel?«

»Eine halbe Million.«

Nicht schlecht, dachte ich. Selbst heutzutage ist eine halbe Million alles andere als Kleingeld. »Irgendwelche Privatschulden?«

»Nicht, daß ich wüßte.«

»Was genau war mit seinem Geschäft nicht in Ordnung?«

Er blies die Wangen auf und stieß die Luft leise wieder aus. »Was nicht? Das Übliche. Liquiditätsschwierigkeiten. Zinsen auf das Bankdarlehen. Keine Verkäufe. Kurz vor Beginn der Rezession neu bestellte Ware, um Zeug zu ersetzen, das noch nicht verkauft worden war. Keine Stornierungsklausel in den Bestellungen. Das Lager war voll und die Kassen leer. Zu hohe Unkosten. Miete, Löhne ... Himmel, es hat einfach nicht aufgehört.«

»Und was ist aus dem Geschäft geworden?«

»Es existiert nicht mehr. Kurz nach seinem Tod habe ich es den Konkursverwaltern übergeben. Ich wollte nicht, aber ich hatte keine andere Wahl.«

Ich grunzte mitfühlend. »Um auf den fraglichen Abend zurückzukommen«, sagte ich. »Haben die Nachbarn nichts gehört?«

Er schüttelte den Kopf. »Es gibt nicht besonders viele Häuser in der Nähe. Es ist eine exklusive Gegend. Der hintere Teil des Grundstückes liegt zu einem Park hin. Niemand hat etwas gehört oder gesehen. Die Täter haben sich in Luft aufgelöst.«

»Hatte das Haus eine Alarmanlage?«

»Mehrere. Himmel, die Bude war gespickt damit. Sie hatten sich ja sogar Notrufschalter in die einzelnen Räume einbauen lassen. Einer befand sich in dem Zimmer, in dem sie getötet wurden.«

»Aber sie haben ihn nicht benutzt?«

Er schüttelte den Kopf.

»Also haben sie ihre Mörder vielleicht gekannt.«

»Sieht so aus, ja. Oder sie wurden überrumpelt, bevor sie Alarm auslösen konnten.«
»Aber wenn sie sie *kannten*«, sagte ich, »wieso haben sie sich dann erst die Mühe gemacht einzubrechen? Die Notrufschalter *haben* doch funktioniert, oder?«
Er nickte.
»Wo waren die Verandatüren? Im gleichen Raum, in dem sie auch getötet wurden?«
»Ja.«
»Kommt mir komisch vor. Wer hat sie gefunden?«
»Eine Nachbarin. Mrs. Goodbold. Sie war mit ihrem Hund unterwegs. Die Haustür stand offen.«
»Sie sind also hinten reingekommen und vorne wieder raus. Warum?«
»Das sollen Sie herausfinden.«
Ich ignorierte die Bemerkung. »Und die Polizei hat immer noch keine Spuren?« sagte ich.
»Nicht eine.«
»Es wird verdammt schwer werden.«
»Aber Sie machen es trotzdem?«
»Ich will's wenigstens versuchen«, sagte ich.
»Danke.« Er zog ein Scheckbuch aus der Tasche und begann, einen Scheck auszustellen. »Reichen fürs erste tausend?«
Tausend reichen immer. »Danke«, sagte ich.
Er füllte den Scheck aus, faltete und legte ihn neben mein Glas. »Womit werden Sie anfangen?«
»Mit der Polizei. Welches Revier war für die Ermittlungen zuständig? Gipsy Hill?«
Er nickte.
Gipsy Hill Street Blues, dachte ich. »Wie hieß der leitende Beamte?«
»Superintendent Meadows.«
Ich schüttelte den Kopf. »Kenne ich nicht.«
»Er ist sowieso nicht mehr da«, sagte Webb. »Pensioniert und nach Irland gezogen, wie ich schon sagte. Da war ein Inspector Robber, mit dem ich gesprochen habe.«
»Jack Robber«, sagte ich. »Himmel, *nomen est omen* ...«
»Was soll das heißen?«
»Es soll heißen, daß alle anderen die Arbeit machen, und er klaut sich den Ruhm.«

»Dann kennen Sie ihn also?«
»Ich habe von ihm gehört.«
»In diesem Fall war nicht besonders viel Ruhm abzustauben.«
»Was ihm gar nicht gefallen haben wird.«
»Dann wird er Ihnen also nicht freundlich gesinnt sein?« fragte Webb.
»Das sind nur sehr wenige Bullen hier in der Gegend.«
»Ich dachte, Sie wären früher selbst Polizist gewesen.«
»Ein Grund mehr.«
»Vielleicht sollten Sie umziehen.«
»Zum Mars?«
»So schlimm?«
»Ich werd's überleben. Aber Ihnen nützt das nicht viel. Ich warne Sie, viel Kooperation werde ich nicht bekommen. Wenn Sie es also lieber sein lassen wollen ...« Ich schob den Scheck über den schmierigen Tisch zurück.
Er winkte ab. »Nein. Die Bullen haben nicht gerade viel erreicht. Bei Ihnen ist das vielleicht anders.«
Ich zuckte mit den Achseln.
»Was genau werden Sie tun?« fragte er.
»Fragen stellen. Herumschnüffeln und die Ohren aufhalten, Mr. Webb.«
»Jim.«
»Jim.« Nachdem ich seinen Scheck angenommen hatte, fand ich, daß es schon okay war, ihn so zu nennen. Inzwischen waren wir so was wie Veteranen. Kumpel. »Der Fall, den ich untersuchen soll, ist kalt. Sehr kalt«, sagte ich. »Ich weiß nicht, was ich finden werde. Vielleicht nichts, vielleicht etwas ziemlich Übles.«
»Was auch immer.«
»In Ordnung. Was ist jetzt mit dem Haus?«
»Was soll damit sein?«
»Was haben Sie damit gemacht?«
»Es ist verschlossen.«
»Es steht leer?«
Er nickte.
»Wem gehört es?«
»Mir. Alles ist automatisch an mich übergegangen. Es gibt keine anderen Angehörigen. Ich wollte das Haus eigentlich verkaufen, aber der Makler meinte, wir sollten besser warten, bis

Gras über die Sache gewachsen ist. Mord ist nicht gerade ein Verkaufsanreiz, und ein Haufen Leichenfledderer würden Interesse vortäuschen, nur um einen Blick hineinwerfen zu können.«

»War es abbezahlt?«

»Nein. Aber es gab eine Versicherung. Sie wissen schon, gekoppelt mit der Hypothek. Damit sind die Schulden bei der Bausparkasse getilgt worden.«

»Keine weiteren Versicherungen?«

»Nein. Alles andere hatte David schon flüssig gemacht.«

»Wann?«

»Kurz vorher. Als sein Geschäft in Schwierigkeiten geriet.«

»Und Sie brauchen den Erlös des Hausverkaufes nicht, um das Bankdarlehen der Firma abzubezahlen?«

»Ich bin nicht knapp bei Kasse. Das habe ich doch schon gesagt.«

Offensichtlich, dachte ich. »Also haben Sie es einfach gelassen, wie's war?«

Er nickte. »Und dann ist jemand eingebrochen.«

»Wann?«

»Ungefähr zwei Monate nach den Morden.«

»Was ist gestohlen worden?«

»Nichts.«

»Ich verstehe«, sagte ich. Was nicht stimmte, aber möglicherweise war es wichtig. Vielleicht waren es auch einige von Webbs Leichenfledderern auf der Suche nach Kicks.

»Was haben die Einbrecher im Haus gemacht?«

»Das ganze Haus auf den Kopf gestellt. Ein unheimliches Chaos veranstaltet. Ich mußte hin und selbst aufräumen. Meine Frau weigert sich, dort hinauszufahren.«

Was mich nicht weiter überraschte. Ich war auch nicht direkt scharf drauf. Aber ich wußte, daß ich es tun mußte. »Haben Sie einen zweiten Satz Schlüssel?« fragte ich.

»Natürlich.«

»Kann ich sie haben?«

»Sie wollen *dort* hin?«

Ich nickte. »Den Tatort aufsuchen. Ein Gefühl für die Sache bekommen.«

Das schien ihn nicht besonders glücklich zu machen.

»Ich gehe nicht aus Spaß«, sagte ich.

»In Ordnung«, erwiderte er. Er zog einen großen Schlüsselbund aus der Manteltasche, löste einen kleineren Ring mit vier Schlüsseln ab und gab sie mir. »Das Tor hat ein Vorhängeschloß, die Haustür ein Yale- und ein Chubb-Sicherheitsschloß.«

»Ist die Alarmanlage an?«

Er nickte.

»Was für eine?«

»Chubb.«

»War sie auch scharf, als in das Haus eingebrochen wurde?«

»Nein.«

»Warum nicht?«

»Die Polizei ist dort wochenlang ein- und ausgegangen. Und mir war's, ehrlich gesagt, auch egal.«

»Jetzt aber nicht mehr?«

Er schüttelte den Kopf. »Nicht, daß es dort etwas gibt, das sich zu stehlen lohnt.«

»Aber für alle Fälle.«

»Ja. Wenn die Polizei jetzt noch mal hinein will, müssen sie mit mir einen Termin ausmachen. Was sie aber sowieso nicht tun«, fügte er verbittert hinzu.

»Wie funktioniert die Alarmanlage?«

»Ganz einfach. Sobald man den Hauptschlüssel in der Haustür dreht – im Chubb-Schloß –, ertönt ein Summer. Dann hat man dreißig Sekunden Zeit, den Zahlencode in das Tastenfeld unmittelbar neben der Tür einzutippen. Auf der rechten Seite«, fügte er hinzu. »Wenn man das Haus verläßt, drückt man einfach den »Set«-Knopf, wieder ertönt der Summer, und man hat dreißig Sekunden, den Schlüssel zu drehen und die Tür abzuschließen.«

»Damit komme ich klar«, meinte ich. »Geben Sie mir die Zahlenkombination.«

»Wenn Sie wollen, begleite ich Sie.«

»Nein«, sagte ich. »Lieber würde ich allein gehen. So kann ich besser arbeiten.«

Er nickte, zog ein Notizbuch aus der Tasche und schrieb eine Zahlenfolge auf, riß das Blatt heraus und gab es mir. Ich warf einen kurzen Blick darauf und verstaute es in meiner Tasche. »Ich werde morgen früh rausfahren«, sagte ich.

»Warum nicht heute?«

»Es gibt noch eine Bedingung, wenn ich den Fall übernehmen soll«, sagte ich.

»Was?«

»Ich mach's auf meine Weise oder gar nicht.«

»Natürlich. Tut mir leid, es war nur ...«

»Zuerst muß ich mit einigen Leuten sprechen«, sagte ich. »Eine Vorstellung bekommen, was in den letzten vierzehn Monaten – und wenn möglich, auch vorher – passiert ist. Außerdem, was für eine Rolle spielt schon ein weiterer Tag?«

»Ja, Sie haben recht. Möchten Sie noch einen Drink?«

Ich nickte, und er ging zur Theke. Als er zurückkam, sagte ich: »Was machen Sie beruflich, Jim?«

»In meinem Paß steht Unternehmer.«

»Was für eine Firma haben Sie?«

»Firmen. Alle möglichen. Import-Export, Kaufen und Verkaufen. Alles, womit sich Geld verdienen läßt. Ich bin ziemlich erfolgreich gewesen. Ich war früher Boxer.« Selbstbewußt berührte er kurz seine Nase. »Kein besonders guter, aber ich hatte einen guten Manager. Er hat mir beigebracht, mein Geld zusammenzuhalten. Er hat mir meinen späteren Weg gewiesen. Sportartikel. Dann vor ungefähr fünfzehn Jahren Skateboards. Wir haben damit einen Riesengewinn gemacht und sind ausgestiegen, bevor der Markt zusammenbrach. Aber ich habe weiter Sportkleidung importiert. Ich war einer der ersten, der amerikanische Turnschuhe importiert hat. Dann kamen sie in Mode, und ich habe das Geld nur so gescheffelt.«

»Nicht schlecht«, sagte ich.

Er zuckte mit den Achseln. »Wie ich schon sagte, es bedeutet mir nichts mehr.«

Wir nippten an unseren Drinks, um nicht wieder über den Tod reden zu müssen. »Was nun?« fragte er.

»Ich werde nachdenken. Sie gehen einfach wieder nach Hause oder zurück an Ihre Arbeit. Überlassen Sie alles andere mir, okay?«

»In Ordnung.«

»Geben Sie mir noch Ihre Nummer, bevor Sie gehen«, sagte ich. »Ich melde mich bei Ihnen.«

Er gab mir eine Visitenkarte, auf der in dezent goldener Schrift eine Telefonnummer und eine Adresse in Crystal Palace gedruckt waren.

»Meistens arbeite ich heutzutage zu Hause«, sagte er. »Normalerweise können Sie mich dort erreichen.«
Ich hatte so ein Gefühl, daß er nicht viel anderes tat, als den ganzen Tag zu Hause herumzusitzen und über seine Schwester und ihre Familie nachzugrübeln. »Danke«, sagte ich. »Ich werd's mir merken.«
Wir tranken aus und gingen. Er fuhr einen dunkelblauen Daimler. Nicht schlecht. Er hupte noch einmal, als er fortfuhr. Ich kehrte ins Büro zurück und machte mir noch einen Tee.

3

Ich schaltete den Fernseher wieder ein. Schüttelte den Kopf, schaltete ihn aus und rief das Gipsy Hill-Revier an. »Polizei«, meldete sich eine Stimme.
»Ist Inspector Robber da?«
»Wer spricht da?«
»Nick Sharman.«
»Um was handelt es sich?«
»Privat«, sagte ich.
Ich wurde durchgestellt. »Robber«, knurrte eine schroffe Stimme.
»Mein Name ist Sharman«, sagte ich. »Nick Sharman.«
»*Der* Nick Sharman?«
»Der einzige, den ich kenne.«
»Ich fühle mich geehrt«, sagte er. »Was gibt's? Wollen Sie zwei Karten für den Polizeiball?« Er lachte dreckig.
»Nein«, antwortete ich. »James Webb hat mich engagiert, um den Mord an seinem Schwager und dessen Familie zu untersuchen.«
Es folgte ein längeres Schweigen. Offensichtlich wünschte er sich, ich hätte die Karten haben wollen. »Sie verschwenden nur Ihre verdammte Zeit«, sagte Robber. »Und meine.«
»Vielleicht. Aber eventuell könnten wir uns mal treffen.«
»Sie haben Nerven, Sharman. Das muß man Ihnen lassen.« Er schwieg wieder. »Also gut, warum nicht. Ich wollte schon immer jemanden kennenlernen, der einen Bullen umlegt und damit ungeschoren davonkommt.«

Ich erwiderte nichts.
»Kennen Sie *The Three Hens* in Crystal Palace?« fragte er.
»Sie meinen wohl *The Bucket of Blood*«, sagte ich.
»Sie kennen's also. Ich bin um acht in der hinteren Bar.«
»Bis dann«, sagte ich und legte auf.
Oh, Himmel, dachte ich, das *Three Hens*. Es war berühmt-berüchtigt dafür, mit Abstand der mieseste Pub in einer Gegend zu sein, in der miese Pubs die Regel waren. Ein Heavy Metal- und Stripper-Pub, der zugemacht wurde, den Besitzer gewechselt hatte, renoviert worden war und schon mehr Comebacks erlebt hatte als Frank Sinatra.

Um Viertel vor acht parkte ich meinen Wagen etwa drei Straßen vom Pub entfernt. Ich wollte den Jaguar nicht in unmittelbarer Nähe des Schuppens stehenlassen. Es gab Gäste im *Hens*, die hätten ihn in Windeseile auseinandergenommen und am nächsten Morgen schon in Einzelteilen in den Nahen Osten verschachert.
Ich trug alte Jeans, eine alte Lederjacke, ein Jeanshemd und Turnschuhe, falls ich einen schnellen Rückzug machen mußte. Ich hatte weder Brieftasche noch Ausweis dabei, nur ein paar Fünfer in der Uhrentasche meiner Jeans, ein Päckchen Zigaretten und eine Schachtel Streichhölzer. Die Wagenschlüssel verstaute ich in einer Innentasche der Jacke, zog den Reißverschluß zu und war bereit. Der Pub lag am Ende einer schmalen Straße, sein Parkplatz oberhalb von Anerley Hill. Nicht, daß überhaupt jemand den Parkplatz benutzte. Zumindest nicht, um dort ein Auto abzustellen. Die Straße war menschenleer, und es herrschte eine Grabesstille. Nur die gelben Straßenlaternen surrten hörbar in der feuchten Luft. Am Bordstein vor der Kneipe waren ein halbes Dutzend schwerer Motorräder wie Wächter in einer Reihe aufgestellt.
Ich ging durch die Tür und schob einen schweren Samtvorhang auseinander. Der schmetternde Lärm der *Bohemian Rhapsody* schlug in voller Lautstärke auf mich ein. Der Laden war gerammelt voll mit Lederjacken, Jeans, Spandex-Leggings, Stiefeln und Haaren. Jede Menge Haare. Kurzhaarfrisuren, lange Locken, Pferdeschwänze und aufgetürmte Mähnen. Auf einer Bühne in der Ecke stand ein Schlagzeug mit genug Becken, um die Wiederkunft des Herrn einzutrommeln. Vor der Bühne be-

fand sich eine zweite, kleinere, und darauf tanzte eine Tussi mit harten Gesichtszügen. Sie trug hochhackige rote Schuhe, Strümpfe mit Strapsen und einen Body. Das Oberteil war bis zur Taille runtergerollt und enthüllte sensationelle, wenn auch ziemlich hängende Brüste mit großen braunen Nippeln. Nach meiner Schätzung konnte sie altersmäßig locker die Mutter der meisten Gäste sein. Es tat mir leid, daß sie zum x-ten Mal dieses müde alte Fleisch zur Schau stellen mußte. Ich wußte jedenfalls, wie ich mich fühlen würde.

Ein Typ in Lederklamotten mit einer gewaltigen Matte spielte neben der größeren Bühne den Diskjockey. Mit einer schnellen Drehung des Handgelenks wechselte er von *Queen* zu *Metallica*. Als die Stripperin damit drohte, noch mehr Orangenhaut zu entblößen, steuerte ich schnell auf ein Schild mit einem Pfeil und der Aufschrift *Back Bar* zu. Dort war es etwas, wenn auch nicht sehr viel ruhiger. In der Bar stand eine CD-Musicbox und Jon Bon Jovi plärrte aus Lautsprechern von der Größe kleinerer Container. Ich schob mich durch die Menge zu einer Stelle, wo um einem runden Tisch mit zwei Stühlen mehr als ein Meter Raum gelassen wurde. Auf einem der Stühle saß ein kräftiger, grauhaariger Bursche in einem schmutzig braunen Regenmantel. Vor ihm stand ein Pint, und er mampfte seelenruhig eine Fleischpastete, als wäre er allein in einem gemütlichen, ruhigen Pub auf dem Land und *Bon Jovi* nur ein böser Traum. Ich ging zu ihm. »Mr. Robber?« fragte ich.

»Sharman?«

Ich nickte.

Er zeigte auf sein Glas. »Ein Pint *John Smith's*.«

Ich drängelte mich zur Theke vor. »Ein *Pint John Smith's*. Welches Flaschenbier haben Sie?« Bei früheren Besuchen war mir schon der Zustand der Gläser hier aufgefallen, aber wenn man nach einem sauberen Glas fragte, hielten sie einen womöglich für einen Waschlappen.

»*Becks* und *Heineken*«, antwortete der Barkeeper.

»*Becks*«, sagte ich. »Ohne Glas.«

»Ohne Glas kein Bier, Kumpel«, meinte er mit einem spöttischen Grinsen.

»Okay«, sagte ich und schaute zu, wie er die Flüssigkeit aus der Flasche in ein trübes Glas kippte. Mit den Drinks kehrte ich an den Tisch zurück. Die Pastete hatte er inzwischen verspeist. Auf

dem Tisch lagen Krümel und Plastikfolie. Beides wischte er mit einer lässigen Handbewegung auf den Boden und leerte dann das Glas vor sich mit einem einzigen Zug.
Ich setzte mich und steckte mir eine Zigarette an, worauf er mit den Fingern schnipste, bis ich ihm auch eine anbot. Ein wirklich gewinnender Charakter.
»Ihr Stammlokal?« fragte ich.
»Was glauben Sie?«
Ich starrte auf die Rücken der Leute in der Bar. »Freundliche Leute hier«, sagte ich.
»Sie wollen mir nicht zu nahe kommen. Es könnte ja etwas von dem Polizisten auf sie abfärben.«
»Ich kenne das Gefühl«, sagte ich.
»Unterstehen Sie sich«, erwiderte er und richtete einen schmutzigen, fetten Finger auf mich. »Reden Sie mit mir nicht über den Job. Das Recht haben Sie verloren.« Er war ziemlich sauer, und ich konnte es ihm kaum verübeln.
»Na schön«, sagte ich. »Können wir dann vielleicht über den Kellerman-Fall reden?«
»Ich hab's Ihnen doch schon mal gesagt: Sie verschwenden nur Ihre Zeit.«
»Wieso?«
»Sie blöder Arsch. Wenn nicht mal wir rausfinden konnten, wer die armen Schweine umgelegt hat, wie, verdammt noch mal, wollen dann ausgerechnet Sie's schaffen?«
Ich zuckte mit den Achseln. Der Kragen seines Hemdes hatte einen schwarzen Rand, und die Krawatte war dort abgewetzt, wo sie zu viele Male gebunden worden war. Ich fragte mich, was er mit seinem Geld machte. Als Detective Inspector mußte er eigentlich ganz ordentlich verdienen. Alkohol, Kippen und Fleischpastete, vermutete ich. Wahrscheinlich mußte er auch für Sex bezahlen. Ich weiß nicht, wieso mir das plötzlich in den Kopf kam.
»Ich könnte Hilfe gebrauchen«, sagte ich.
Genau an diesem Punkt würde im Fernsehen der nette Bulle dem gutaussehenden PI die Polizeiakten rüberschieben und mit einem Augenzwinkern sagen: »Laß dich bloß nicht mit den Dingern erwischen.« Man lächelt sich freundlich an und weiß einfach, daß am Ende alles gut ausgeht. Tolle Aussichten, dachte ich. Er sagte keine Silbe.

»Hören Sie, Mr. Robber«, sagte ich, »ich will einfach nur wissen, was passiert ist.«
»Quatsch!«
Ich seufzte und trank einen Schluck aus meinem Glas an der Stelle, wo es nicht mit zartrosa Lippenstift verschmiert war. Nicht meine Farbe. Aus der Musicbox plärrten jetzt *Poison*, die einen geklauten Zwölf-Takt-Blues runterspielten. Ich versuchte es noch mal. »Warum sind sie Ihrer Meinung nach ermordet worden?« fragte ich.
Er trank wieder einen Schluck, nahm eine weitere meiner Zigaretten und beschloß, einen Hauch nachzugeben. »Aus demselben Grund wie immer«, sagte er. »Sex oder Geld oder beides.«
»Und in diesem speziellen Fall?«
Er schüttelte den Kopf. »Wir haben absolut nichts gefunden.«
»Er war doch auf dem besten Weg, pleite zu machen, oder?«
Robber nickte.
»Hatte er vielleicht einen Kredithai am Hals?«
»Das hatte er nicht nötig. Er hatte einen guten Kredit.«
»Er mußte einen Haufen Zinsen zahlen.«
»Er und eine Million anderer Geschäftsleute. Die Welt da draußen ist verdammt hart. Er kam schon klar. Vielleicht hätte er auch nicht mehr lange durchgehalten, wer weiß? Aber er schien keine weiteren Schulden zu haben. Zumindest war nichts in dieser Richtung zu finden. Und wir sind ziemlich gründlich, wie Sie ja wissen.«
»Wenn es also nicht um Geld ging«, sagte ich, »wie steht's dann mit Sex? Hatte er eine andere? Oder sie?« fügte ich hinzu.
»Wenn, dann haben er oder sie gute Arbeit geleistet, es geheimzuhalten.«
»Wie steht's mit einer Angestellten aus dem Büro? Was ist mit seiner Sekretärin? Er hatte doch sicher eine?«
»Er hatte, aber bestimmt nicht die. Sie ist ein Krüppel. Komisches kleines Ding, total verwachsen. Sitzt im Rollstuhl. Außerdem strohdumm. Eine von diesen beschissenen Spastis.«
Jesus, Robber war wirklich ein deprimierender Dreckskerl. Spastis, Krüppel, Schwule, Kaffer, Spaghettifresser, Frauen ... seine Sorte kannte ich. Jeden nahm er sich vor, den man beleidigen und auf den man runtersehen konnte. Iraner, Albaner, Nigger, Pakkis ... nur damit er sich in seinem beschissenen Elend besser fühlen konnte. Er sah einfach nicht, daß wir alle

Scheiße in der gleichen Gosse waren. Ach, ja, richtig, aber ein paar von uns sehen die Sterne.

»Wie heißt sie?« fragte ich.

»Natalie, Natalie Hooper. Aber ich sage Ihnen, mit der verschwenden Sie nur Ihre Zeit.«

Ich bekam allmählich Kopfschmerzen. »Wieso hat eigentlich keiner auf den Notrufschalter gedrückt?«

»Weil sie die Leute gekannt haben müssen, die sie dann umgebracht haben.«

»Aber sie haben doch die Tür aufgebrochen, um reinzukommen.«

»Haben sie?«

»Dann haben sie vielleicht nicht?« fragte ich.

»Vielleicht.«

»Sie glauben also, sie hätten sie tatsächlich selbst durch die Haustür reingelassen?«

»Könnte so gewesen sein.«

Er verriet nicht gerade viel, und meine Kopfschmerzen wurden schlimmer. Aber wenigstens redete er. Also machte ich weiter.

»Wie kommen Sie darauf?«

»Im Garten keine Fußabdrücke. Zum Tatzeitpunkt war es naß, wenn es auch nicht direkt regnete. Kein Matsch auf dem Teppichboden. Und dann sind sie vorne wieder raus. Ein Torflügel stand weit offen. Wir haben auf der Zufahrt zwei oder drei verschiedene Reifenspuren gefunden, die weder zu den Wagen der Kellermans noch zu einem Auto von sonstigen regelmäßigen Besuchern paßten. Die Kellermans haben den Notrufschalter nicht benutzt. Genausowenig die Kinder. Aber wir wissen, daß sie gewußt haben, wie man es machen mußte. Tatsächlich ist es sogar möglich, daß die Kinder zuerst umgebracht wurden. Ich glaube, sie wollten etwas von den Kellermans, das sie nicht gekriegt haben. Später ist dann noch mal jemand zurückgekommen und hat die Bude auf den Kopf gestellt. Paßt alles wunderbar zusammen.«

»Ja, aber Sie wissen nicht ...«

Dann erinnerte sich Robber wieder, wer er war und wer ich war. »Ich weiß nicht viel, Sharman«, sagte er. »Aber ich weiß, daß ich von Ihnen die Schnauze voll habe. Bis zur Halskrause. Ich habe Ihnen schon mehr erzählt, als ich sollte, und jetzt bin ich müde. Für heute ist Feierabend.«

Der Beat aus der Musicbox war erbarmungslos und trommelte in meinem Schädel wie ein Hammer. »Kann ich verstehen«, sagte ich. »Wieso kommen Sie überhaupt hierher?«
Er grinste bösartig. »Um dem Pack hier seinen beschissen Spaß zu verderben«, sagte er und gestikulierte auf die Menge. »Der Laden war mal mit Drogen verseucht. Heute nicht mehr.«
Das träumst du auch nur, dachte ich. Aber wenn's dir Spaß macht. »So was wie ein Hobby?« fragte ich.
»Besser als Briefmarkensammeln.«
So stumm, wie es nur ging, saßen wir da, was allerdings nicht lange funktionierte. Vielleicht eine Minute. »Ich verrate Ihnen noch was gratis, Sharman«, sagte er. »Dann dürfen Sie gehen.«
»Was?«
»Webb und Kellerman, die haben beide Dreck am Stecken. Ich weiß es gottverdammt einfach.«
»Was meinen Sie damit?«
»Fragen Sie nicht mich. Wir haben gegraben und gegraben und nichts gefunden. Aber es ist so, glauben Sie mir.«
Ich fixierte ihn scharf. »Glauben Sie, Webb wär's gewesen?«
Robber zuckte mit den Achseln. »Er hat alles geerbt.«
»Nicht viel, nach allem, was ich weiß. Außerdem wirkt er auf mich nicht gerade wie ein Massenmörder.«
»Die laufen da draußen aber rum. Wenn man ihnen nur den richtigen Anreiz gibt.«
»Und dann engagiert er mich vierzehn Monate später, wenn der Fall schon fast vergessen und die Ermittlung praktisch abgeschlossen ist?«
Er unterbrach mich wütend. »Morde sind nie vergessen. Niemals. Und die Akte wird auch niemals geschlossen.«
»Sicher«, sagte ich. Aber ich wußte Bescheid, und er wußte, daß ich es wußte. Kein Leugnen oder Abstreiten würde daran was ändern. »Aber wieso mich jetzt engagieren? Er weiß, daß damit eine Menge Scheiße aufgerührt wird.«
Wieder zuckte er mit den Achseln.
»Aber Sie sind überzeugt, daß er mehr weiß, als er zugibt?«
»So ungefähr«, sagte er. »Und was die Scheiße betrifft, da haben Sie völlig recht. Irgendwo da draußen läuft jemand rum, wahrscheinlich sind es sogar zwei oder noch mehr, die Blut geleckt haben. So was kann süchtig machen. Wenn Sie denen zu nahe kommen, könnten die beschließen, Sie ebenfalls aus dem

Weg zu räumen. Soweit ich das sehe, wird man Sie nicht sehr vermissen. Daher würde ich an Ihrer Stelle die Finger von der Sache lassen, Sharman, bevor Sie sich einen größeren Happen abbeißen, als Sie schlucken können.«

Er schüttelte den Kopf, als wäre ich geistesgestört. »Und jetzt verpissen Sie sich und lassen mich endlich in Ruhe. Und nehmen Sie das hier mit.« Er griff in die Innentasche des Regenmantels, zog einen braunen Umschlag heraus und reichte ihn mir. Die Akten, dachte ich. Himmel! Aber so war's nicht. Es war ein Stapel 20 x 25-Schwarzweißaufnahmen des Tatortes.

»Sehen Sie sich die an«, sagte er auf eine Art, daß ich nicht ablehnen konnte.

Es waren Fotos des Grauens, eingefangen im grellen, weißen Blitzlicht. Alle Highlights deutlich hervorgehoben. Die Schatten abgedunkelt. Gesichter – durch den Tod und die Kamera zu starren Masken verwandelt. Blut – schwarz wie verschüttete Tinte. Foto 1: Zwei Körper, gefallen wie tote Insekten. Die Köpfe halb weg. Die Gliedmaßen zerfetzt. Foto 2: Die gleiche Szene aus einem anderen Blickwinkel. Ein Mann und eine Frau lagen nebeneinander, er halb auf ihr. Pornographie einer anderen Art. Foto 3: Ein Flur. Ein vielleicht zehnjähriger Junge im Schlafanzug lag verrenkt und der Länge nach ausgestreckt auf dem Boden. Die Augen geöffnet, und eine klaffende Wunde dort, wo vorher seine Brust gewesen war. Foto 4: Ein Schlafzimmer. Halb auf und halb vor dem Bett ein weiterer toter Junge. Der vielleicht sechs Jahre alt. Große Ähnlichkeit mit dem anderen Kind. Das Bettzeug dunkel vor Blut, und auf dem Kissen neben dem Kopf des Jungen ein Teddybär. Schnell ging ich die restlichen Aufnahmen durch. Variationen desselben Horrors. Ganz anders als der Urlaubsschnappschuß der glücklichen Familie, den Webb mir gegeben hatte.

Ich schob die Fotos zurück in den Umschlag und hatte den scharfen, säuerlichen Geschmack von schalem Bier im Mund.

»Behalten und genießen Sie's«, sagte Robber. »Von mir haben Sie die allerdings nicht. Und jetzt verschwinden Sie.«

Ich stand auf. »Schönen Abend noch«, sagte ich.

»Kommen Sie ruhig noch mal vorbei. Ich bin immer hier.« Und er lachte und zeigte dabei schmutzige Zähne mit einem Stück Pastetenkruste, das zwischen zwei Backenzähnen hängengeblieben war.

»Ich werd's mir merken«, sagte ich. Ich kehrte in die Musik-Bar zurück, in der eine schlechte Imitation von *Bad Company* »*Can't Get Enough*« spielte.
Dem konnte ich mich leider nicht anschließen. Ich hatte mehr als genug für einen Abend. Ich ging zurück zum Jag und fuhr nach Hause, wobei mir den ganzen Weg über die Ohren klingelten.
Den Umschlag deponierte ich in einer Schublade, mixte mir einen anständigen Drink aus Wodka und Kakao und rauchte fünf Zigaretten, eine nach der anderen, fragte mich, auf was zum Teufel ich mich da einließ. Tausend Pfund. Fünf Tage, und dann Schluß.
Ich ging ins Bett und dachte über das nach, was Robber von James Webb behauptet hatte. Dreck am Stecken ... hatte er?
Sicher nicht. Wieso sollte er mich jetzt noch engagieren, wenn es so war? Das ergab einfach keinen Sinn. Aber was ergab schon einen Sinn? Mit diesem Gedanken schlief ich ein und träumte von Blut.

4

Am nächsten Morgen stattete ich dem Schauplatz der Morde in Crown Point meinen ersten Besuch ab. Ich stand früh auf, gab Cat, meinem Kater, sein Frühstück, machte mir ein Schinken-Sandwich und eine Tasse Kaffee. Cat und ich redeten nicht, während wir aßen. Das mag ich an Leuten, mit denen ich frühstücke. Ein paar, mit denen ich schon zusammen war, quasselten an einem Streifen. Ich rauchte eine Zigarette und hörte die Nachrichten im Radio, ließ den Kater raus und machte mich auf den Weg.
Es war keine lange Fahrt, kaum fünfzehn Minuten. Aber der Teil von Crown Point, zu dem ich wollte, war einer dieser Vororte, die so taten, als seien sie noch ein geschlossenes Dorf. Wahrscheinlich hatte sich hier seit damals, als es *tatsächlich* beinahe noch ein Dorf war, nicht viel verändert. Kein Mensch hatte sich die Mühe gemacht, Straßenschilder aufzustellen. Ich mußte Alleen, gesäumt von hohen Mauern oder Hecken, ohne Bordstein oder Bürgersteig, mehrmals rauf und runter fahren,

bevor ich die schmale Straße fand. Weit und breit keine Menschenseele. Es war, als wäre jemand vorbeigekommen und hätte alle Bewohner betäubt. Nicht mal ein Vogel sang. Ich fühlte mich wie der letzte lebende Mensch auf diesem Planeten. Wäre mal wieder typisch für mich.

Der Himmel war grau, und es war kalt, als ich vor einem der beiden stattlichen eisernen Torflügel hielt, die eine hohe Mauer unterbrachen. Das Tor war fest verschlossen und mit einer dicken Kette und einem Vorhängeschloß gesichert. Ich stieg aus dem Wagen und nahm James Webbs Schlüsselbund aus der Jackentasche.

Es war ein Chubb-Schloß, eines der besten auf dem Markt. Ich fand den passenden Schlüssel. Ich zog die Kette ab, hing sie über einen schmiedeeisernen Dorn und drückte einen Flügel des Tores auf. Es quietschte. Richtig wie bei einem Spukhaus aus einem *Hammer-Horror*-Film. Ich drückte das Tor hinter mir zu und ging zum Haus. Der Kies unter meinen Füßen knirschte. Gras wucherte zwischen den Steinen, und der Rasen wirkte ungepflegt und vernachlässigt. Hinter den Mauern des Grundstückes war es sehr ruhig. Nur das Summen eines Flugzeuges im Landeanflug auf Gatwick unterbrach die Stille.

Vor dem Haus waren auf Rasen und Zufahrt deutlich alte Reifenspuren zu sehen, und ich stellte mir vor, wie es hier in der Mordnacht ausgesehen haben mußte. Als erste waren bestimmt die Streifenwagen und Krankenwagen eingetroffen, die Scheinwerfer voll aufgeblendet, um die Vorderseite des Hauses zu erleuchten. Blaulichter blitzten träge in synchronisiertem Sekundentakt. Gestalten warfen lange, schmale Schatten, die Gesichter, bleich und fahl unter den Uniformmützen, grell erleuchtet im hellen Licht. Das abgehackte Schnarren der immer wieder von statischem Rauschen unterbrochenen Stimmen aus den Funkgeräten. Als nächste dürften dann die unauffälligen *Cavaliers* und *Sierras* des CID gekommen sein, die vor dem Grundstück parkten, um mögliche Reifenspuren zu retten, die von den ersten Wagen am Tatort noch nicht ausgelöscht worden waren. Dann noch mehr Limousinen: Teams der Gerichtsmedizin und Spurensicherung. Mit dem ersten Tageslicht dann Mannschaftswagen voll uniformierter Männer zur gründlichen Durchsuchung des Geländes, und schließlich die Kleintransporter der Hundeführer. Zuletzt war sicher eine mobile Einsatzzentrale hergebracht, genau in der Mitte der Zufahrt abgestellt und eine improvisierte Feldküche vor dem Tor eingerichtet worden, und Kamerateams des Fernsehens hatten die Jungs gefilmt, wie sie in Ermangelung einer besseren Beschäftigung Schinken-Sandwiches gegessen und Tee getrunken hatten. Diese Nacht und der folgende Tag waren wahrscheinlich die geschäftigsten gewesen. Das ganze Viertel war abgesperrt und wimmelte vor Bullen, die aber eigentlich nur in der Gegend herumliefen und schrecklich wichtig taten. Und dann ...

Tja, dann, während die Tage und Wochen verstrichen, die Morde kalt wurden und neuere Greueltaten um die Aufmerksamkeit der Öffentlichkeit und Medien buhlten, waren wohl nacheinander die Limousinen und Transporter und die Feldküche verschwunden. Schließlich hatte man auch die mobile Einsatzzentrale abgeholt, das Tor wieder abgeschlossen, das Sonderdezernat verkleinert und schließlich ganz aufgelöst.

Und jetzt war nur noch ich da. Gott helfe uns.

Das Haus selbst wirkte, als schliefe es. Dunkel und melancholisch unter den tiefhängenden Wolken, die Fenster vor neugierigen Augen geschlossen. Ich ging die steinernen Stufen zur Veranda hinauf. Die Haustür war volle drei Meter hoch und gut einsachtzig breit, besaß schmiedeeiserne Beschläge und war aus schweren, alten Bohlen gezimmert. Ich warf einen Blick auf den Zettel mit der Zahlenkombination für die Alarmanlage und schloß die Tür auf. Sie öffnete sich wie die Backen einer Tierfalle.

Ich hörte einen Summer losgehen, genau wie Webb gesagt hatte, drückte die Tür ganz auf und schaute auf die Wand zu meiner Rechten. Dort befand sich auf Brusthöhe ein Tastenfeld, und ich tippte die Zahlen ein, die er aufgeschrieben hatte. Der Summer verstummte. Sehr effizient. Ich stand auf der Schwelle und rauchte erst mal eine Zigarette, bevor ich weiterging. Schließlich trat ich in die Eingangshalle und ließ die Tür hinter mir auf. Ich schnupperte und glaubte, altes Schießpulver und Blut und Tod zu riechen. Angewidert rümpfte ich die Nase.

Ich schlug auf alle sechs Lichtschalter, die über der Alarmanlage angebracht waren. Eine zentrale Deckenbeleuchtung und Wandlampen flammten auf, und das Innere der Eingangshalle breitete sich plötzlich unheimlich kalt vor meinen Augen aus. Ich zitterte. Schon unzählige Male in meinem Leben war ich in

Häusern gewesen, in denen unerwartet der Tod zugeschlagen hatte, aber aus irgendeinem Grund hatte ich das Gefühl, dem Tod noch nie so nahe gewesen zu sein wie hier. Ich durchquerte die Halle bis zur letzten Tür und öffnete sie. Der dahinterliegende Raum war dunkel, schien jedoch groß zu sein. Ich ließ meine Hand hinter der Tür über Wand gleiten, fand den Lichtschalter und drückte. Einen winzigen Sekundenbruchteil, bevor das Licht anging, glaubte ich zu sehen, wie sich gespenstische Schatten und Gesichter zu mir drehten, doch der Raum war leer. In diesem Zimmer sah ich die ersten Spuren von Gewalt. Das große, zartrosa Sofa hatte braune Flecken, und im Leder klafften gewaltige Risse, als hätte ein Riese ein paar Mal zugebissen. Die Kissen waren zerfetzt, und die herausgequollene Füllung war ebenfalls braun gefleckt. Es war der Raum auf dem ersten der Fotos. Ich wandte meinen Blick vom Sofa zu den Wänden. Ein länglicher, verschmierter Fleck beschmutzte die Tapete, und als ich genauer hinsah, bemerkte ich Dutzende kleiner Löcher von grobem Schrot. Einige waren erweitert worden, wo die Spurensicherung die Kugeln ausgegraben hatte.
Rosa Samtvorhänge bedeckten vom Boden bis zur Decke eine ganze Wand. Ich fand den Zugmechanismus und öffnete sie. Die halbe Verandatür war entfernt und anschließend mit Sperrholz vernagelt worden. Durch die noch intakte Scheibe blickte ich auf den ungepflegten Rasen hinter dem Haus, der sich über zwei, dreihundert Meter erstreckte. Es hatte zu regnen begonnen, und bei diesem Anblick wurde mir noch kälter. Ich drehte mich um und sah auf jeder Oberfläche Reste des feinen Pulvers, mit dem Fingerabdrücke sichtbar gemacht werden. Auf diesem Pulver hatte sich der Staub von über einem Jahr gesammelt. Das Tageslicht, so trüb und schwach es auch war, ließ deutlich die Flecken auf dem Teppichboden erkennen. In der Mordnacht mußte es der reinste Blutsumpf gewesen sein. Es sah nicht aus, als wäre hier alles auf den Kopf gestellt worden. Webb hatte gute Arbeit geleistet, alles wieder in Ordnung zu bringen.
Ich verließ den Raum und ging nach oben. Das Elternschlafzimmer lag direkt am Kopfende der Treppe. Ich ging hinein. Es war aufgeräumt und das Bett gemacht. Abgesehen von dem Staub sah es aus, als könnte es sofort benutzt werden. Ich ging wieder hinaus. Auf dem Flur entdeckte ich weitere Flecken und Löcher in der Wand, diesmal allerdings tiefer. Ich stand an der

Stelle, wo der ältere der Jungs erschossen worden war. Er war gerade mal einszwanzig groß gewesen. Allmählich dämmerte mir, daß in diesen Fall wirklich kranke Menschen verwickelt sein mußten. Krank oder verzweifelt oder beides.
Ich betrat das erste der beiden Kinderzimmer. Es war leer. Ich verließ es und ging direkt nebenan in das andere. Von allen Zimmern im Haus roch es hier am deutlichsten nach Tod. Hier war der kleinere Junge gestorben. In der Mitte des Raumes stand ein Bettgestell mit einer nackten Matratze. Die Matratze war zerfetzt und mit altem Blut und Körperflüssigkeiten befleckt. Eine Mahnung, vermutete ich, um die Wut wach zu halten. Kein Wunder, daß seine Frau sich weigerte, dieses Haus zu betreten. Oder auch ein Makler, um Leute herumzuführen.
An den Wänden hingen verblaßte Poster von Sportlern und Pop-Stars. *Bros* und *Kylie* waren mit Körperfragmenten bespritzt. Ein länglicher Gewebefetzen hing von einem Mannschaftsbild des Chelsea FC. Ich war überrascht, daß die Spurensicherung das übersehen hatte. Aber vielleicht hatten sie da auch schon mehr als genug und ließen ein bißchen für mich zurück. Ich berührte den Fetzen, und er zerkrümelte und fiel zu Boden. Ich rieb die Fingerspitzen aneinander, um die Reste des mumifizierten Fleisches loszuwerden. Mein Mund füllte sich mit säuerlichem Speichel, den ich mit einer Grimasse runterschluckte.
Ich wußte, daß es keinen Sinn hatte, das Haus zu durchsuchen. Hunderte Hände und Augen mußten schon alles abgetastet haben. Ich erwartete kaum, noch etwas Neues zu finden. Ich kehrte ins Erdgeschoß zurück, verließ das Haus, schärfte die Alarmanlage und schloß hinter mir die Haustür ab. Ich ging die Zufahrt hinunter und durch das Tor, legte die Kette und das Vorhängeschloß wieder vor, setzte mich in den Wagen, hörte einer Sendung über biologischen Anbau in den Home Counties zu, bei der die Zuhörer anrufen und Fragen stellen konnten, und rauchte eine Zigarette, um den Geschmack des Hauses aus dem Mund zu bekommen. Nach ungefähr zehn Minuten ließ ich den Wagen an und fuhr los, um irgendwo einen Drink zu nehmen. Auf dem Weg aus der schmalen Straße kam mir ein dunkelblauer Mini entgegen.

5

Als ich in einem miesen kleinen Pub im Süden von Crown Point ganz in der Nähe von Croydon saß, wurde mir klar, daß ich zurückgehen und an verschiedene Türen in der Nachbarschaft des Kellerman-Hauses anklopfen mußte. Vielleicht hatte ja jemand etwas gesehen, das er nicht der Polizei erzählt hatte.
Doch bestimmt nicht mehr an diesem Tag. Die Kombination aus Regen, den Fotos, die ich am voraufgegangenen Abend gesehen hatte, und meinem Besuch in *Oakfield* hatten meine Begeisterung für den Job erheblich gedämpft. Viel hatte ich ohnehin nie gehabt. Langsam wünschte ich mir schon, ich wäre in meinem Büro geblieben und hätte weiter ferngesehen. Ich beschloß, nach Hause zu fahren, ein paar Anrufe zu machen, den Wagen stehenzulassen, zu Fuß zu meiner Lieblingsbar zu gehen und mir gleichgesinnte Gesellschaft zu suchen. Andere Arbeitslose, die den ganzen Tag nichts zu tun hatten. Dann, nach ein paar Bieren, würde ich wieder nach Hause gehen, duschen, mich umziehen und meine momentane Flamme zum Essen ausführen. Nicht, daß sie noch so momentan oder entflammbar war wie früher, aber so ist das Leben.
Sobald ich in die Wohnung kam, rief ich Webb an. »Sharman«, meldete ich mich, als er abnahm.
»Haben Sie schon irgend etwas herausgefunden?« fragte er. Er klang hoffnungsvoll.
»Nein«, erwiderte ich. »Aber ich war im Haus.«
»Und?«
»Nichts«, sagte ich. »Aber wieso haben Sie es nicht ausgeräumt?«
»Ich will nicht.«
»Irgendein besonderer Grund?«
»Das würden Sie nicht verstehen.«
»Versuchen Sie's doch mal.«
»Ich werde dort nichts mehr anrühren, bis ich weiß, wer sie umgebracht hat. Falls ich je anfange zu vergessen, kann ich dort hingehen und mich wieder umschauen. Verstehen Sie das?«
Jesus Christus, dachte ich. »Ja, Jim, ich verstehe«, sagte ich. Es war das erste Mal, das ich seinen Vornamen gern benutzte. »Besser, als Sie sich vorstellen können.« Ich erklärte meine Antwort nicht. Es hätte ein ganzes Leben gedauert. »Hören Sie, ich

melde mich wieder. Rufen Sie mich an, falls Sie irgendwas brauchen. Meine Nummer haben Sie?«
»Ja.«
»Okay. Wir sehen uns.«
Gegen zwei traf ich in der Bar ein. Es waren ein paar Typen da, die ich kannte. Ich trank drei Flaschen *Rock*, und wir diskutierten über den aktuellen Zustand der Welt und das Tagesprogramm des Fernsehens. Die Welt kam dabei schlechter weg. Nach meinem dritten Bier ging ich.
Fiona kam um sieben. Pünktlich ist sie, das mußte ich ihr lassen. Sie benutzte ihren eigenen Schlüssel, um in die Wohnung zu kommen. Sie trug einen langen, blauen Mantel über einem fliederfarbenen Mini-Kleid aus einem Material, daß sich dehnte, wo sie konvex, und sich zusammenzog, wo sie konkav war. Ein angenehmer Anblick.
»Hallo, Nick«, begrüßte sie mich.
»Selber hallo. Wie geht's dir?«
»Prima. Was haben wir vor?«
»Dinner bei *Lena's*. Ich lade ein. Plaudern bei Kaffee und Schnaps, anschließend hierher zurück. Wie findest du das?«
»Gut«, sagte sie, kam zu mir und gab mir einen flüchtigen Kuß.
»Wer fährt?«
»Keiner. Ich habe ein Taxi bestellt. In zehn Minuten.«
Es war schon näher an einer halben Stunde, als das Taxi endlich kam. So wie die Karre aussah, war es ein Wunder, daß sie es überhaupt noch geschafft hatte. Der Mann fuhr einen *Morris Marina* mit Automatikgetriebe, das es offensichtlich nicht fertigbrachte, aus den niedrigen Gängen hochzuschalten. Der Wagen qualmte mehr als die *Queen Elizabeth 2*. Das Radio war bei *Capital Gold* hängengeblieben, und das Polster des Rücksitzes war mit keinem anderen Teil des Autos verbunden. Jedesmal, wenn der Marina genug Tempo gewonnen hatte, um den Einsatz der Bremse erforderlich zu machen, rutschte der verdammte Sitz nach vorn und ließ uns beinahe auf den Fußmatten landen. Früher mal hätten Fiona und ich uns prustend vor Lachen in den Armen gelegen, und die ganze Sache wäre so was wie die Krönung des Abends gewesen. Doch heute machte es uns beide nur gereizt.
Als wir Lavender Hill erreichten, wollte der Fahrer einen Fünfer. Ich gab ihm drei Mäuse und warnte ihn mit einem scharfen

Blick, es nicht auf die Spitze zu treiben. Er ließ es dabei bewenden.
Wir betraten das Restaurant und bekamen unseren Lieblingstisch in der Ecke vor dem Fenster. Ich trank ein *Singah*-Bier, um mich zu beruhigen, und Fiona einen Gin. Wir machten uns über die Krabben-Cracker her, und allmählich kamen wir etwas in Stimmung.
»Ich kann auf meinen Haaren sitzen«, sagte sie, nachdem sie Dreiviertel ihres großen Gin Tonic mit einem Schluck gekippt hatte. Ihre Haare waren sehr lang geworden und hingen über Schultern und Rücken so schwarz und schimmernd wie frisch geförderte Kohle.
»Du hast dich in diesem beschissenen Taxi beinahe draufgesetzt«, sagte ich.
»Ich weiß. Und dein Gesicht! Ein Bild für die Götter.«
»Du hast dir vom Fahrer unter den Rock gucken lassen«, sagte ich. »Wär mir ja egal, aber *ich* hab die Tickets bezahlt, und *er* hat die Show gekriegt.«
»Du kannst froh sein, daß ich überhaupt was drunter anhabe. Jedesmal, wenn der Sitz nach vorn gekippt ist, ist mein Rock hochgerutscht. War nicht meine Schuld.«
Ich mußte lachen, und sie schloß sich an. »Ach, Nick«, sagte sie. »Du gibst dir immer alle Mühe, Anstand zu bewahren.«
»Und?«
»Aber am Ende siehst du doch immer so aus, als wären deine Schuhe eine Nummer zu klein.«
»Okay«, sagte ich nach einem Augenblick. »Du hast recht. Tut mir leid, aber ich hatte einen beschissenen Tag.«
»Wieso?«
»Ich arbeite an einem neuen Fall.«
»Um was geht's denn?«
Ich erzählte ihr ein bißchen, aber nicht alles. Ich habe irgendwann entdeckt, daß Mord und Thai-Küche nicht besonders miteinander harmonieren. Wenn man nicht gewaltig aufpaßt, kann das die weichen Nudeln ruinieren. Deshalb erzählte ich ihr nur ein bißchen.
Als ich fertig war, sagte sie: »Kannst du dir keinen anständigen Job suchen?«
Offensichtlich hatte ich schon zuviel gesagt.
»Du weißt doch, was ich früher gemacht habe.«

»Ich weiß es, aber …«

»Aber du hast gedacht, ich würde mich ändern«, beendete ich den Satz für sie. Sie verzog das Gesicht. Wir hatten schon früher ähnliche Unterhaltungen gehabt.

»Laß uns nicht wieder damit anfangen«, sagte ich.

»Okay, Nick.«

Und so bestellten wir ein wenig bedrückt, aber immer noch als Freunde, unser Essen. Nachdem wir Hühnchen Satay, Mais und Krabbenfleisch in winzigen Vorspeiseportionen, Garnelen in einer mit schwarzem Pfeffer abgeschmeckten Soße, gedünstetes Gemüse und eine Portion spezieller Nudeln mit verschiedenen Fleischsorten gegessen, eine Flasche Wein, zwei Gin und drei Bier, sowie vier der besten Cappuccinos in ganz London und danach noch fünf Liköre getrunken hatten, waren wir erheblich weniger bedrückt, und ich rief den Kellner, um ein Taxi zurück zu meiner Wohnung zu bestellen. Ich fragte nur für alle Fälle nach, aber das Restaurant arbeitete nicht mit dem Unternehmen zusammen, zu dem das Taxi mit dem beweglichen Rücksitz gehörte.

Gegen elf waren wir zurück. Ich drehte das Licht herunter und legte eine Sam Cooke-LP auf. Kitschig, aber ich machte es trotzdem. Es ist verdammt schwer, in einer Atelierwohnung subtil zu sein, deren größtes Möbelstück das Bett ist. Nicht, daß Fiona und ich noch nie zusammen drin gelegen hatten. Aber, Sie wissen schon, manchmal ist es besser, wenn man nicht so leicht zu durchschauen ist.

»Eine kleine Verführung, Sharman?« fragte sie. Ich hätte mir keine Gedanken machen müssen. Sie las in mir wie in einem Buch.

»Nimm einen Drink und halt den Mund«, sagte ich.

»Du machst mich besoffen.«

»Gut.«

»Ich nehme an, du hast auch Gras da, um mich scharf zu machen.«

»Wenn dir danach ist«, sagte ich. »Irgendwer hat mir ein paar Joints gegeben.«

»Und wenn Flugtickets auf dem Bauernhof verteilt würden, dann könnten Schweine auch fliegen.«

Sie stand auf, um einen Joint aus der Schublade zu holen, wo ich normalerweise solche Dinge aufbewahre. »Was ist das

hier?« Sie hielt den Umschlag mit den Fotos vom Tatort der Morde im Kellerman-Haus hoch, die Robber mir gegeben hatte.
»Tu's nicht«, sagte ich.
Sie öffnete den Umschlag und zog die Fotos raus. »Meine Güte«, hauchte sie, während sie sie schnell durchblätterte.
»Ich wollte nicht, daß du die siehst.«
»Nick, bist du in diese Sache hier verwickelt?«
Ich gab ihr keine Antwort. Was auch nicht nötig war.
»Behalt deinen Drink und dein Dope«, sagte sie. »Ich gehe.«
»Fiona ...«
»Nein. Ruf mich an, wenn du damit fertig bist.« Und sie zog ihren Mantel an und ging. Sie hatte schon zuviel getrunken, um noch fahren zu können, aber ich glaubte nicht, daß es der richtige Augenblick war, es zu erwähnen.
Ich fand einen der Joints und steckte ihn an. Ich nahm Sam Cooke vom Plattenspieler und legte statt dessen Herbie Hancock auf. Die Lautstärke weit runtergedreht. Ich schleuderte die Schuhe von den Füßen und setzte mich vor den ausgeschalteten Fernseher, dachte über Fiona und mich nach. Über mich und Fiona. Wir waren schon eine Weile zusammen. Na, ja, wenigstens sechs oder sieben Monate. Das war schon so was wie ein Rekord.
Dann war sie zu sehr in eine Sache hineingezogen worden, an der ich arbeitete und die auf eine spektakulär unschöne Weise geendet hatte. Als alles vorbei war, beschloß sie, daß ich ein geregeltes Leben anfangen und mir einen, wie sie es nannte, »anständigen Job« suchen sollte. Ich weigerte mich, und die Beziehung bekam einen deutlichen Knacks. Das Problem war, ich wußte genau, daß wir uns noch immer liebten. So sah ich das jedenfalls. Vielleicht lag ja genau da die Schwierigkeit. Sie erkannte mein unzulängliches Engagement, und es gefiel ihr nicht. Und wer konnte ihr das übelnehmen? Weiß der Himmel, ich wollte mich schon voll und ganz auf einen anderen Menschen einlassen. Aber irgendwie schien das nie zu funktionieren. Irgendwas fehlt mir. Da können Sie jeden fragen. Besonders meine Frau und die Freundinnen, die ich vorher und seitdem und sogar die, die ich gleichzeitig hatte.
Ich nahm einen letzten Zug von dem Joint und warf die Kippe in den Aschenbecher. Die Musik war voll und rund. Genau wie

das Dope. Nur ich nicht. Ich stand auf und wanderte auf und ab. Ich steckte mir eine *Silk Cut* an und füllte ein Glas mit Eiswürfeln und *Jack Daniel's*. Ich blieb noch lange auf und machte die Flasche leer. Verstehen Sie mich nicht falsch, es war kaum mehr als ein Tropfen. Schließlich ging ich ins Bett und beobachtete die Lichtmuster von Autoscheinwerfern unter der Decke. Der Abend endete anders, als ich geplant hatte. Aber man kann nicht immer haben, was man will. Ich habe den Eindruck, daß man viel zu oft genau das bekommt, was man verdient.

Endlich schlief ich ein.

6

Am nächsten Morgen beschloß ich, noch mal nach Crown Point rauszufahren und Klinken zu putzen. Nur für den Fall, daß die Polizei irgend etwas übersehen hatte. Die Erfolgsaussichten waren ziemlich bescheiden, aber irgendwas mußte ich schließlich tun. Also stand ich zeitig auf, fütterte Cat und lud mich dann in mein Lieblingscafé an der Norwood Road ein, wo ich für ein paar Scheine zwei Eier, Frühstücksspeck, Würstchen, Tomaten, gebackene Bohnen, Tee, Toast und Sodbrennen bekam. Nicht schlecht, was? Tee, soviel man wollte. Wegen des Kreuzworträtsels hatte ich den *Telegraph* mitgenommen. Sieben Fragen schaffte ich. Nicht gut. Ich war in Gedanken viel zu sehr bei den Kellerman-Morden. Die Zeitung schenkte ich dem Koch, bezahlte meine Rechnung, schob mir ein Pfefferminz in den Mund, ging zurück, um den Wagen zu holen und wieder nach Crown Point zu fahren.

Auf der anderen Straßenseite von meinem Haus parkte ein silberner Ford Escort, in dem zwei Leute saßen. Ich bemerkte sie, als ich in meinen Jaguar E stieg. Zwei Typen, die weit genug zurück saßen, daß ich ihre Gesichter nicht sehen konnte. Der Wagen war fremd hier. Er gehörte nicht in die Gegend. Als ich noch bei der Polizei war, bin ich Ganoven begegnet, die jedes einzelne Auto in ihrem Viertel kannten. Die konnten eine fremde Karre auf eine Meile ausmachen. Was einige von ihnen jahrelang davor bewahrte, in den Knast zu kommen. Das ist eine Lektion, die ich nie vergessen habe.

Ich ließ den Jag an, fuhr los und bog dann sofort rechts ab. Es war der weitere Weg, aber ich wollte wissen, ob sie mir folgten. Sie taten es. Als ich Richtung Streatham losfuhr, wendete der Escort schnell. Ich fuhr durch die Avenues und dann über die Seitenstraßen Richtung Westen. An der Kreuzung mit der Leigham Court Road blinkte ich links, bog aber rechts ab, was einen *Thames*-Laster ins Schleudern brachte, bog dann scharf links aus der falschen Richtung in eine schmale Einbahnstraße und gab Gas, wobei ich die Lichthupe bearbeitete und einen Golf Cabrio zwang, auf den Bürgersteig auszuweichen. Ich bog wieder links ab, dann rechts und schließlich vor einem Müllaster scharf auf die Streatham High Road. Von dem Escort war weit und breit nichts mehr zu sehen. Sah also ganz danach aus, als kämen irgendwelche Ratten aus ihrem Loch. Ich dachte an die Fotos, die Robber mir gegeben hatte, und zitterte unwillkürlich.
Trotzdem machte ich weiter. Gegen zehn erreichte ich die kleine Straße. In Sichtweite von Kellermans Haus lagen fünf weitere. Jedes von ihnen besaß ein großes Grundstück. Hohe Mauern oder Zäune trennten die Nachbarn voneinander. Trotzdem könnte jemand etwas gesehen haben.
Und es nicht der Polizei erzählt haben? Wahnsinnschance!
Keines der Häuser besaß eine Hausnummer. Alle hatten Namen. Das erste, bei dem ich mein Glück versuchte, hieß Buck House. Sehr komisch, fand ich. Niemand war zu Hause außer dem Au-pair, ein reizendes Mädchen aus einem der Benelux-Länder, wenn ich es richtig übersetzte. Ich mußte übersetzen, denn sie sprach nicht ein Wort Englisch. Daher war sie keine besonders große Hilfe.
Als nächstes: *Psycho's Place*. Ich schwör's. Was zum Teufel waren das wohl für Leute? Ich klingelte. Nur einen Augenblick später tauchte ein vergnügt aussehender Mensch in einer leichten Sommerstrickjacke von *Marks and Spencer* in der Tür auf. Ich stellte mich vor. Er schien vage interessiert, bat mich jedoch nicht hinein. »Ich wohne noch kein Jahr hier, alter Freund«, sagte er. »Fürchte, ich kann Ihnen nicht helfen.«
»Trotzdem, vielen Dank«, sagte ich und wollte schon gehen. Dann drehte ich mich noch einmal um. »Wieso nennen Sie das Haus *Psycho's Place?*« fragte ich. »Sind Sie ein Hitchcock-Fan oder was?«

»Oh, das ist eine lustige Geschichte«, sagte er. »Letztes Jahr hat Stuart Pierce in der neunundachtzigsten Minute für Nottingham Forest einen Elfmeter gegen Luton geschossen. Alex Chamberlain war Torwart. Damit stand es dann zwei zu zwei. Und ich hatte achtmal unentschieden getippt. An diesem Nachmittag habe ich eine halbe Million gewonnen. Und mir davon das hier gekauft.« Er gestikulierte in Richtung des Hauses. »Soviel hat gefehlt« – er hielt Daumen und Zeigefinger ungefähr einen halben Zentimeter auseinander vor sein Gesicht – »und ich hätte alles verloren. Pierce' Spitzname ist ›Psycho‹. Als ich erfahren habe, das er mir zu meinem Gewinn verholfen hat, habe ich das Haus nach ihm benannt. Gut, was?«

»Sagenhaft«, erwiderte ich. »Schönen Tag noch.« Und ging.

Schon gut, daß nicht »Bite your legs«-Norman Hunter das Tor geschossen hatte, dachte ich, als ich die Auffahrt hinunterging.

Beim dritten Haus, *Trencher's Farm*, hatte ich endlich Glück. Ich wurde auf ein Bier eingeladen, und wahrscheinlich zum x-ten Mal erzählte Geoffrey Godbold seine Geschichte. Geoffrey ist mit Arabella verheiratet. Sie haben einen Sohn namens Anthony und einen Hund mit dem schönen Namen Trollope. Ich überlasse es Ihnen, daraus Ihre eigenen Schlußfolgerungen zu ziehen. Am Abend des achtundzwanzigsten März vergangenen Jahres war Arabella wie jeden Abend mit Trollope (übrigens einem Highland Terrier) spazieren. Als sie wieder in der kleinen Nebenstraße waren, ließ sie Trollope von der Leine, damit er ungestört und allein tun konnte, was er vor seinem Frauchen nur ungern machte. Er stürmte durch das Gartentor von *Oakfield* und weiter durch die offene Haustür. Arabella folgte ihm und fand ihn, als er Blut aus Sandra Kellermans Augenhöhle schleckte. Das Auge war offensichtlich woanders.

Den letzten Teil erzählte mir Geoffrey mit einem gewissen Genuß. »Sie hat sofort den Hund hochgerissen und ist hierher zurückgerannt, als wär der Leibhaftige hinter ihr her. Ich habe sofort Polizei und Krankenwagen verständigt, bin dann rüber und hab mal einen kurzen Blick riskiert. Für alle Fälle habe ich meine Webley mitgenommen.« Er erklärte: »Ich war jahrelang Vizepräsident des hiesigen Jagdvereins.«

Eine Ein-Mann-Tet-Offensive, dachte ich.

Geoffrey erzählte, daß er die Leichen gefunden und dann mit der Waffe in der Hand gewartet hätte, bis die Hüter des Geset-

zes eintrafen. »Die hätten mich gottverdammt beinahe eingelocht«, sagte er. »Der erste Bursche am Tatort hat sich fast in die Hose geschissen, als er meine Kanone gesehen hat.«
Ich war nicht überrascht. Ich glaube, ich hätte selbst die Unterwäsche wechseln müssen, wenn ich an diesem Abend in diesem Haus aufgekreuzt wäre und im Flur diesem Bluthund begegnet wäre, der mit einer verdammt großen Kanone rumfuchtelte.
»Aber hat nicht lange gedauert, bis die Sache geklärt war«, meinte Geoffrey. »Habe denen klargemacht, daß ich noch nie Schwierigkeiten mit den Nachbarn hatte.« Er wieherte ein besonders unangenehmes Lachen. Ich bedankte mich für seine Hilfe und verließ mein Bier und das Haus.
Damit hatte ich für diesen Tag genug von Crown Point.
Auf dem Nachhauseweg schaute ich kurz im Büro der hiesigen Tageszeitung vorbei, um mir deren Archivmaterial über die Geschichte anzusehen. Ich hatte jede Hoffnung aufgegeben, daß mir ein liebenswürdiger Polizist seine Akten überließ. Robber hatte mir bei unserem Treffen im Pub ein bißchen erzählt – mehr, als er wahrscheinlich beabsichtigt hatte –, aber nicht genug. Ich wollte alles an Informationen, was ich kriegen konnte. Einigkeit bestand darin, daß es ein professioneller Mord gewesen war. Niemand war beim Betreten oder Verlassen des Hauses gesehen worden. Man hatte keinerlei Spuren gefunden. Wenigstens nichts, was an die Presse weitergegeben worden war. Weder Patronenhülsen noch Fuß- oder Fingerabdrücke, und die einzigen fremden Wagenspuren, die man gefunden hatte, waren nicht identifiziert worden. Wer auch immer die Kellermans umgebracht hatte, war sauber rein und wieder raus gekommen. Genau wie Robber gesagt hatte.
Ich machte mir eine Notiz, das, neben anderen Dingen, mit Webb abzuklären. Nur, um ganz sicherzugehen.
Doch mein erster Anruf ging nach Swansea. Ich hatte die Nummer des Ford, der mir an diesem Morgen gefolgt war. Es ist illegal, sich unberechtigt Informationen vom Straßenverkehrsamt zu besorgen, und schwierig dazu, aber durchaus möglich, wenn man Mittel und Wege kennt. Das Nummernschild, das ich mir eingeprägt hatte, gehörte der Metropolitan Police. Wie praktisch. Ich rief das Gipsy Hill Revier an und ließ mich mit Robber verbinden, diesem neugierigen Scheißkerl. »Haben Sie mich beschatten lassen?«

»Und was, wenn's so ist?«

»Dann sollten Sie sich einen besseren Wagen und einen besseren Fahrer besorgen. Was lernen die Jungs heute eigentlich auf der Polizeischule in Hendon?«

»Scheiße!« sagte er.

»Hören Sie, Sie müssen mich nur fragen, und ich sage Ihnen, wohin ich gehe. Wenn Sie möchten, werde ich jeden Morgen die Reiseroute des Tages an meine Tür nageln.«

»Ich wollte nur wissen, ob Sie meinen Rat beherzigen.«

»Und die Sache sausen lasse?«

»Genau.«

»Oder vielleicht wollten Sie auch nur sehen, ob ich irgendwas aufwühle, das Ihnen weiterhelfen könnte.«

»Nehmen Sie sich keine Frechheiten raus, Sharman. Außerdem, wenn wir Sie noch mal mit diesem Fahrstil erwischen, werde ich Sie einlochen lassen. Und jetzt gehen Sie aus der Leitung, ich habe zu tun.«

»Ja, Mr. Robber«, sagte ich. Erst mußt du mich mal kriegen, dachte ich, als ich auflegte.

Dann rief ich James Webb an. Er bestätigte die Informationen, die ich durch mein Treffen mit Robber und aus dem Zeitungsarchiv erhalten hatte.

»Irgendwelche Neuigkeiten für mich?« wollte er wissen.

»Ich glaube nicht, daß dieser Fall so tot ist, wie Sie anzunehmen scheinen.«

»Wieso?«

»Ich werde beschattet.«

»Beschattet? Von wem?«

»Der Polizei. Unser Freund Robber hat mir einen Wagen auf die Fersen gesetzt.«

»Was glauben Sie, warum er das macht?«

»Ihre Vermutung ist so gut wie meine, aber es liegt auf der Hand, daß der Fall noch nicht geschlossen ist.«

»Viel getan haben die nicht.«

»Vielleicht mehr, als Sie wissen, Jim. Er war definitiv sauer, als ich angefangen habe, mich einzumischen.«

»Und, was meinen Sie?«

»Mir gefällt das nicht«, sagte ich. »Ich habe mir noch mal alles durch den Kopf gehen lassen. Und angenehm ist es nicht, was ich denke.«

Es entstand eine längere Pause, bevor er wieder etwas sagte. »Ich habe Sie bezahlt. Ich rechne auch weiterhin mit Ihrer Hilfe.«

»Klar«, sagte ich. »Aber nur für eine Woche. Treten Sie leise, Jim. Falls Sie irgendwas Merkwürdiges sehen oder hören, rufen Sie mich sofort an.«

»Das werde ich.«

Ich fragte noch, ob die Kellermans beerdigt oder eingeäschert worden waren. Er sagte mir, sie wären auf dem Friedhof von Streatham beerdigt worden. Ich erkundigte mich nach der Nummer des Grabes. Er fragte, warum ich das wissen wollte. Ich sagte, ich wollte das Grab besuchen. Er fragte, warum. Ich antwortete, weil es verdammt noch mal eben da sei. War nicht gerade besonders freundlich, aber es brachte ihn zum Schweigen. Danach fühlte ich mich beschissen. Ich fing an, den Fall zu hassen, und wurde langsam nervös.

Schließlich rief ich die BBC an. Bekam auch die richtige Person an die Strippe. Nachdem ich zwanzig Minuten kreuz und quer durch das Television Centre verbunden worden war, sprach ich mit einem weiblichen Rechercheur in der Redaktion von *Crimewatch UK*. Sie hieß Norah. Sie klang jung. Ich erzählte ihr die komplette Geschichte. Wer ich war und was ich machte und was ich wollte. Sie sprach mit mir, auch wenn sie es wahrscheinlich nicht hätte tun dürfen.

Ich erfuhr, daß nach dem Bericht über die Morde nur fünf Anrufe eingegangen waren. Eine ziemlich bescheidene Reaktion. Jeder dieser Anrufe stellte sich entweder als Ente oder böswilliger Streich heraus.

Ich bedankte mich, und sie sagte, es wäre ihr ein Vergnügen gewesen. Sicher wartete sie jetzt darauf, daß ich sie einlud, um ihr alles von mir und dem Fall zu erzählen. Ich ließ sie warten. Ich hatte auch so schon mehr als genug Probleme mit Frauen.

Das war's dann für diesen Tag. Ich ging in ein chinesisches Restaurant nach Norwood. Ich hasse es, allein zu essen. Anschließend ging ich in meine Stammkneipe und trank ein paar Bier. An diesem Abend war es sehr voll. Tatsächlich so voll, daß ich so tun konnte, als wäre ich unsichtbar, wenn ich ganz still dasaß.

7

Am nächsten Morgen rief ich als erstes Jim an. Ich entschuldigte mich für mein rotziges Verhalten von gestern und versuchte zu erklären, wie ich mich fühlte: nervös, so, als würde schon sehr bald eine üble Sache passieren. Dann fing er ebenfalls an, sich zu entschuldigen. Wir nahmen unsere jeweiligen Entschuldigungen an, und das war's dann.

Dann fragte ich ihn nach Adressen und Telefonnummern von Natalie Hooper, Kellermans Sekretärin, und des Steuerberaters der *Intercontinental Carpet Company*. Er gab mir beides. Ich versprach, mich wieder bei ihm zu melden.

Anschließend versuchte ich mein Glück bei der Sekretärin. Nach dem dritten Klingeln meldete sich ein Anrufbeantworter. Ich hinterließ Namen und Telefonnummer. Dann der Steuerberater. Sein Büro lag in Croydon, und er hieß Andrew Cunningham. Er arbeitete für eine Firma mit einer Menge Namen im Briefkopf. Er war der letzte auf der Liste, aber wenigstens stand er überhaupt drauf. Er war im Hause, als ich anrief, und sagte, er hätte an diesem Nachmittag fünfzehn Minuten Zeit für mich. Beinahe schaffte er es, daß ich mich geehrt fühlte. Ich verabredete mich mit ihm.

Dann rief ich ein paar Leute an, die ich kannte. Auf die eine oder andere Weise waren alle im Geschäft. Alle bekundeten Unwissenheit, was die Morde betraf, und jeder wunderte sich, wieso ich mich zu einem so späten Zeitpunkt für den Fall interessierte. Ich mich auch.

Selbst als ich als Anreiz mit Scheinchen wedelte, fand ich keinen Interessenten. Es lag auf der Hand, daß ich mich auf die Hinterbeine stellen mußte, wenn ich Informationen wollte.

Daher beschloß ich gegen Mittag, eine Tour durch ein paar der Kneipen zu machen, von denen ich wußte, daß sich dort die Jungs rumtrieben. Oder im Sprachgebrauch der Polizei, »wo bekannte Kriminelle verkehren«. Dieser Ausdruck klingt irgendwie niedlich. Man rechnet schon mit Spucke und Sägemehl, gestreiften Pullovern und schwarzen Säcken mit der Aufschrift BEUTE. Glaubens Sie's bloß nicht! Heutzutage lieben Ganoven genau wie jeder andere ihren Komfort. Mir folgte ein roter Montego. Ich merkte mir das Nummernschild, schenkte es mir aber, ihn abzuschütteln.

Die erste Kneipe, in der ich einflog, war ein Stück *Olde England* unten am Gaswerk in der Nähe der Sydenham. Der Laden ächzte unter falschen Holzbalken und Schmiedeeisen. Die Wirtin ächzte unter falschen Wimpern und vierundzwanzigkarätigem Gold. Ich bestellte eine Flasche *Grolsch*, und wir kringelten uns vor Lachen, als ich den altmodischen Porzellanverschluß aufschnippen ließ.

»Trinkt Stan McKilkenney immer noch hier?« fragte ich sie.

»Du kennst Stan?«

»Wie einen Bruder.«

»Ja«, sagte sie. »Er muß jeden Augenblick kommen.«

»Gut«, sagte ich. »Dann werde ich warten.« Es ist schon erstaunlich. Ich hatte Stan seit zwei oder drei Jahren nicht gesehen, aber ich wußte, daß er irgendwann um die Mittagszeit in dieser Kneipe auftauchen würde, wenn er nicht gerade hinter Gittern saß. Es ist immer wieder erstaunlich, wie wenig die Menschen ihre Gewohnheiten ändern. Ich setzte mich auf einen Barhocker und warf einen Blick auf die Speisekarte, die mit Kreide auf eine Tafel an der Wand geschrieben war. Ich persönlich habe das Essen in Pubs noch nie gemocht. Ich habe zuviel davon gegessen, als ich noch bei der Truppe war. Es soll immer schmecken wie zu Hause bei Muttern. Meine Mutter ist eine miserable Köchin. Ihre Soßen lassen sich in Scheiben schneiden, mit denen man sich dann die Schuhe besohlen kann. Beim Gedanken an die Gaumenfreuden von Lord *Kitcheners Steak* und *Kidney Pie* und *Mrs. Bridges Spezial-Wurst* mit Püree und Zwiebeln drehte sich mir der Magen um. Stan McKilkenney suchte sich genau diesen Augenblick aus, um hereinzukommen und meine Verdauung zu retten.

Er sah mich nicht und ging schnurstracks zur Theke. Die Wirtin sprach mit ihm, und einen winzigen Moment fiel ihm die Kinnlade herunter. Ich sah nackte Angst auf seinem Gesicht. Wenn man ein Leben führt wie Stan, bedeuten fremde Männer eines gewissen Alters, die sich an Pub-Theken nach einem erkundigen, oft, daß die Bullen wieder mal die üblichen Verdächtigen einsammeln wollen. Als er mich mit einem kurzen Blick erkannte, atmete er erleichtert auf und kam rüber. Ich beobachtete ihn beim Näherkommen. Stan war mittleren Alters und kämpfte ein verzweifeltes Rückzugsgefecht. Er sah sich selbst gern als Dandy, aber verlassen Sie sich auf mein Wort, er würde es nie unter die zehn bestgekleideten Männer Großbritanniens schaffen. Er hatte ein bedauerliches und unerschütterliches Vertrauen zu Kunstfasern. Und ich schwöre, er war farbenblind. An diesem Tag hatte er einen kaffeebraunen Filzhut keck in die Stirn gezogen. Er hatte strohblonde Strähnen in seinen grauen Haaren und Koteletten, um die Elvis ihn beneidet hätte, bevor er zur Army mußte. Sein Hemd war flaschengrün und bis zum Bauchnabel aufgeknöpft. Die langen Spitzen des Kragens lagen kunstvoll drapiert über den Revers eines hellblauen Anzuges mit taillierter Jacke und subtilem Hosenaufschlag. An den Füßen trug er weiße Gucci-Schuhe verziert mit angelaufenen Goldkettchen. Eine gleichermaßen angelaufene Goldkette lag in seiner grauen Brustbehaarung. Kleidungsmäßig war er die reinste Katastrophe. Er schaffte es, daß sogar der Pub-Fraß verlockend wirkte.

»Nick Sharman«, sagte er, als er nahe genug war. »Ich glaub, ich krieg die Tür nicht zu!«

»*Stan the Man*«, sagte ich, zupfte eine Fluse von der Schulter seiner Jacke. »Du hast gerade ein bißchen beunruhigt ausgesehen, mein Junge. Wen hast du erwartet? Die Truppen für Recht und Ordnung?«

»Nein. Ich bin jetzt sauber, Nick.«

»Kommt mir so vor, als hätte ich das Liedchen schon mal irgendwo gehört, Stan.«

»Stimmt aber. So wahr ich hier vor dir stehe.«

»Ich glaube dir«, sagte ich. »Habe ich doch immer getan, oder?«

»Das hast du.«

»Du hast mir schon oft ganz schönen Scheiß erzählt.«

»Du bist immer fair gewesen, Nick.«

»Das haben meine Vorgesetzten aber anders gesehen.«

»Das gehört zum Auf und Ab des Lebens.«

»Ja, ja, die Philosophie, Stan. Ich liebe sie.«

»Ich war letztes Jahr auf den griechischen Inseln«, sagte er. »Du würdest staunen, was ich da gelernt habe. Ich habe mir ein Buch gekauft.«

»Himmel, Stan, das ist ja mal was ganz Neues.«

»Nein, Nick, ich bin leidenschaftlicher Leser.«

»Von Etiketten auf Schnapsflaschen?«

»Nein, von Büchern.«

»Hast du dir im Knast angewöhnt, was?«
»Das letzte Mal war ich Bibliothekar«, sagte er stolz.
»Da hast du ja wahnsinnig Karriere gemacht, Stan. Ich bin richtig stolz auf dich.«
»Und, was kann ich für dich tun?«
»Informationen, Stan. Schlicht und einfach.«
»Wieviel?« Er rieb Daumen und Zeigefinger. Ich sagte ja schon, er änderte sich nie.
»Umsonst. Für meinen Glauben an dich, als gewissenhaftere Beamte tiefer gegraben hätten.«
»Das ist doch Geschichte, Nick.«
»Ich bitte dich, Stan. Ich habe dir zu meiner Zeit reichlich mehr durchgehen lassen, als du verdient hast.«
»Wie wär's dann mit einem Drink?«
»Vera Lynn?« fragte ich.
»Einen Doppelten.«
Ich rief die Wirtin, bestellte ihm einen großen Gin Tonic und wartete, bis sie wieder gegangen war, bevor ich fortfuhr: »Und, was gibt's Neues?«
»Das sollte ich dich wohl besser fragen. Was willst du wissen?«
»Kellerman. Sagt dir der Name was?«
Er schüttelte den Kopf.
»Eine ganze Familie, ist in Crown Point ermordet worden. Erschossen. Großes Haus. Er war in der Teppich-Branche.«
»Ich nicht.«
»Tu mir einen Gefallen, Stan. Erinnerst du dich an den Fall?«
»Verschwommen.«
»Weißt du irgendwas darüber?«
»Leck mich, Nick.« Beinahe verschluckte er sich an seinem Gin. »Ich habe immer die Finger von Gewalt gelassen. Das weißt du doch, oder?«
»Ich meine ja auch nicht dich persönlich, du Trottel«, sagte ich. »Hast du was flüstern hören?«
»Das ist doch schon Jahre her.«
»Ungefähr fünfzehn Monate, ja«, sagte ich. Er nahm einen weiteren tiefen Schluck von seinem Drink. »Noch einen?« fragte ich.
»Würde nicht nein sagen.«
Das hatte ich bei ihm auch noch nie erlebt. Ich bestellte ein weiteres Bier für mich und noch mal das gleiche für ihn.

»Harte Sache, das«, sagte er.
»Allerdings«, stimmte ich ihm zu. »Irgendwelche Ideen?«
»Ich weiß nicht ...«
»Komm schon, Stan«, sagte ich. »Du weißt doch über alles Bescheid, was hier in der Gegend so läuft.«
»Tjaaa ...«, sagte er. Aber er wußte Bescheid, und das wußten wiederum wir beide. »Wieso interessiert's dich?«
»Beruflich. Der Bruder von Mrs. Kellerman hat kein Vertrauen in unsere Ermittlungsbehörden.«
»Das ist doch kriminell, oder?« sagte er. Witzig war er auch noch. Rasiermesserscharf. »Was wär's dir denn wert?«
Ich wußte, daß wir früher oder später auf dieses Thema kommen würden. Da genierte er sich gar nicht, unser Stanley. Haben Sie wirklich erwartet, daß ich für ein paar Gin was aus ihm herausbekommen würde? »Der Bursche ist nicht gerade knapp bei Kasse«, sagte ich. »Und er ist auch bereit zu zahlen. Aber nicht für wertlosen Mist.«
»Also, ich bitte dich ...!«
»Stan, komm mir nicht wieder mit deinem Scheiß.«
»Nein, ehrlich, Nick. Ich werde mich umhören. Aber fünfhundert müssen schon drin sein.«
»Dafür, daß du dich umhörst? Verarsch mich nicht! Soviel kriege ja nicht mal ich.«
»Auch nicht, wenn's um knallharte Informationen geht?«
»Könnte schon sein.«
»Echte Info?«
»Ein Zehner?«
»Für einen Zehner kriegt man hier heute nicht mal mehr eine Runde.«
»Dann solltest du vielleicht lieber bei Limo bleiben.«
»Was glaubst du denn? Ich muß schließlich auf mein Image achten.«
Im Augenblick hatte ich wirklich keine Lust, mich über sein Image zu unterhalten.
»Fünfzig«, sagte ich.
»Das wär ja schon mal was.«
Ich zog fünf vorbereitete Zehner in einem kleinen Bündel aus der Tasche. Ich wußte auf den Penny genau, was Stan seiner Meinung nach wert war. Inklusive Inflationszulage. Er sackte die Scheine ein, ohne sein Geplapper auch nur eine Sekunde zu

unterbrechen. »Danke«, meinte er. »Freut mich wirklich, daß du heute vorbeigeschaut hast.«
»Jede Wette. Wie lange wird es dauern, bis du dich umgehört hast?«
»Ein, zwei Tage.«
»Sagen wir, morgen.«
»Das könnte vielleicht ein bißchen früh sein.«
»Und was hast du sonst noch Dringendes zu tun?« erkundigte ich mich.
»Dies und jenes. Ich muß mir schließlich meinen Lebensunterhalt verdienen.«
»Die Stütze abholen und sie im *Joe Coral's* verjubeln. Tu mir einen Gefallen, Stan. Hör mit dem Scheiß auf und verdien dir die Kohle.«
»Ich bin ein vielbeschäftigter Mann, Nick. Ehrlich.«
»Das waren schon zwei Märchen in einem Atemzug, mein Junge. Morgen.«
»In Ordnung. Weil du's bist, werde ich alles andere erst mal auf die lange Bank schieben.«
Das einzige, was er in der Hinterhand hatte, waren die Bratkartoffeln seiner alten Dame, aber ich ließ es dabei bewenden. »Sehr verbunden, Stan«, sagte ich und trank mein Bier aus. Er starrte traurig in sein leeres Glas, aber ich dachte gar nicht daran, noch zu bleiben und ihm den ganzen Nachmittag Drinks zu spendieren. »Morgen um die gleiche Zeit.«
»Ich werde hier sein.«
Ich wußte, daß ich mich darauf verlassen konnte. Das einzige Problem war nur, ihn dazu zu bewegen, in der Zwischenzeit den Laden zu verlassen. »Wir sehen uns dann«, sagte ich.
»Wir sehen uns.«
Ich rutschte von meinem Hocker und ging. Ich kehrte zu meinem Wagen zurück und fuhr Richtung Dulwich. Auf der anderen Seite des Dorfes gab es eine kleine Kneipe, der ich einen Besuch abstatten wollte. Von dem roten Montego weit und breit nichts zu sehen. Ich vermutete, daß sie Feierabend gemacht oder einen wirklich wichtigen Auftrag bekommen hatten. Kurz nach zwei erreichte ich den zweiten Pub. Dieser war kürzlich *à la Speakeasy* aus den dreißiger Jahren umgebaut worden. Mir persönlich wäre eine stinknormale Kneipe und ein billigeres Bier lieber gewesen. Aber was verstand ich schon davon? Da

ich noch nichts gegessen hatte, riskierte ich zu meinem *Corona* mit Limonenschnitz ein Käse-Pickles-Sandwich.
Ich hatte kaum zwei Bissen runtergeschluckt, als der Wirt bei mir auftauchte. »Dachte mir doch, daß ich die Karre draußen wiedererkannt habe«, sagte er und streckte die Hand aus. Ich legte den Rest meines Sandwiches zur Seite, wischte meine Hand an den Jeans ab und schüttelte seine. »Terry«, sagte ich.
»Wie geht's dir, Nick?«
»Allem Anschein nach nicht so gut wie dir.«
Terry Mayhew war früher auch Bulle gewesen. Ein ehrlicher Bulle. Einer der wenigen, mit denen ich mich verstanden hatte. Gott allein weiß, warum – wir hätten nicht unterschiedlicher sein können. Aber wie man so schön sagt: Gegensätze ziehen sich an. Er war fünfundzwanzig Jahre dabei gewesen, die letzten acht als uniformierter Sergeant. Dann die Pensionierung und eine ordentliche Rente. Er war eine große Nummer bei den Freimaurern, und eine Brauerei hatte ihn engagiert, um bei ein paar üblen Pubs aufzuräumen, die ihnen den Ruf verdarben. Damit hatte er kein Problem. Terry war fast zwei Meter groß und fünfundneunzig Kilo schwer. Ehemaliger Spieler der Rugby-Mannschaft der Metropolitan Police. Die wußten gar nicht, was das Wort Angst bedeutet. In zwei Pubs hatte er nach sechs Monaten Ordnung geschaffen, dann über die Jahre noch bei ein paar anderen. Als Belohnung hatte er diesen Laden bekommen. Er sah gut aus. Sein blauer Kammgarnanzug war Maßanfertigung – was bei seinem Brustumfang auch gar nicht anders ging –, und wenn ich nicht ganz danebenlag, dann war sein cremefarbenes Hemd aus reiner Seide. Ich hätte sogar darauf gewettet, daß es sein Monogramm trug.
»Lange nicht gesehen«, sagte er. »Ich habe in den Zeitungen über dich gelesen.«
»Du glaubst hoffentlich nicht alles, was du so liest.«
Er lachte und holte mir einen Wodka mit Orangensaft. »Auf Kosten des Hauses, alter Freund«, sagte er. »Was führt dich zu mir?«
»Wollte mal sehen, wie die andere Hälfte so lebt«, erwiderte ich.
»Ich hatte Glück, Nick.«
»Da habe ich aber was ganz anderes gehört. Bist du auf dem laufenden beim hiesigen Klatsch und Tratsch?«

»Kommt drauf an.«

»Komm schon, Terry«, sagte ich. »Das hier ist die sauberste Kneipe der Gegend. Ich habe alles darüber gehört. Die Ganoven trinken gern hier. Keine Schwierigkeiten, kein Ärger.«

»Ich geb mir Mühe, sie sauber zu halten.«

»Was genau der Grund ist, warum du vielleicht das eine oder andere hören könntest. Sie vertrauen dir, Terry.«

»Dann arbeitest du also wieder?«

»Klar. Für einen Burschen namens Webb.« Ich spulte meine Geschichte ab.

Terry wußte, wovon ich sprach. Offensichtlich hielt er sich auf dem laufenden. Wieder so eine Angewohnheit, die man nicht los wird.

»Hier drin habe ich noch nie ein Wort über die Sache gehört«, sagte er. »Klingt nach einer ziemlich harten Geschichte.«

»Wann hat dich das schon mal gestört?«

»Ich trete jetzt langsamer, Nick. Nächstes Jahr werde ich fünfzig.«

»Steht dir aber gut.«

»Das anständige Leben.«

Ich lachte. »Wie geht's deiner Frau?« Sie hieß Annie. Ein echtes Klasseweib. Sie lag ihm praktisch zu Füßen, und das beruhte ganz auf Gegenseitigkeit.

»Unterwegs, unsere Profite verjubeln. Du mußt mal wieder vorbeikommen, wenn sie hier ist. Sie hatte schon immer eine Schwäche für dich.«

»Muß mein magischer Charme sein«, sagte ich. »Klar komm ich.« Ich hätte es schon längst mal gemacht, aber es war alles nicht so einfach. Sie erinnerten mich beide zu sehr an eine andere Zeit. An einen anderen Ort. Als noch alles möglich zu sein schien.

»Jederzeit. Es wird ihr leid tun, daß sie dich verpaßt hat. Und mir tut es leid, daß ich dir mit dieser anderen Sache nicht weiterhelfen kann.«

»Also, falls du doch noch was hören solltest, Terry ...«

»Bist du der erste, der's erfährt. Aber es ist schon eine ganze Weile her.«

»Das sagt jeder«, erwiderte ich. »Aber irgendwer irgendwo weiß irgendwas.«

Er starrte nachdenklich ins Nichts. »Ich sag dir, was ich tun

werde ... Es gibt ein paar Leute, bei denen ich mich, du weißt schon, diskret erkundigen könnte.«
»Ich wäre dir sehr dankbar«, sagte ich. »Hier hast du meine Privatnummer.« Ich kritzelte sie auf die Rückseite einer meiner Visitenkarten. Terry steckte sie in die Brieftasche.
»Bleibst du noch auf einen Drink?« fragte er.
»Mit dir? Machst du Witze? Das ist mir einmal passiert. Außerdem bin ich mit dem Wagen hier. Ein anderes Mal.«
»Ich hoffe, bald. Mach dich nicht so rar.«
»Ich versprech's«, sagte ich. »Grüß Annie von mir.« Ich trank den Wodka aus und fuhr nach Hause. Wieder folgte mir niemand.

8

In meiner Wohnung drehte ich Däumchen, bis es Zeit war, sich für den Besuch beim Steuerberater wieder auf die Socken zu machen.
Andrew Cunningham hatte ein angenehmes Büro in einem unangenehmen Glaskasten mit Blick auf die Autobahn, die Croydon in zwei Teile zerschneidet. Ich benutzte die Tiefgarage darunter und bezahlte für dieses Privileg. Vorm Haus würde man blitzschnell abgeschleppt.
Cunninghams Sekretärin führte mich hinein. Er erhob sich hinter seinem Schreibtisch, um mir die Hand zu schütteln, und deutete auf den Mandantenstuhl. Er war durchschnittlich groß, schlank, hatte ordentlich gekämmtes, braunes Haar, trug einen unauffälligen grauen Anzug, weißes Hemd und gestreifte Krawatte. Er sah aus, wie man in seinem Job aussehen sollte.
Ich wiederholte mein Anliegen. Diesmal war ich auf Verständnis und Mitgefühl aus.
Während er zuhörte, legte er die Hände unterm Kinn zusammen. Seine Fingernägel waren sauber und sehr kurz geschnitten. Ich schätzte ihn auf fünf, sechsunddreißig und stramm auf die sechzig zumarschierend. Nachdem er schweigend zugehört hatte, verkündete er: »Auch wenn Mr. Kellerman inzwischen tot ist, sind dennoch alle Geschäftsbeziehungen, die er zu uns hatte, streng vertraulich.«

»Sein Schwager hat mich engagiert, um die näheren Umstände seines Todes zu untersuchen«, sagte ich zum dritten Mal.
»Mr. Webb hielt es nach Mr. Kellermans höchst bedauerlichem *Verscheiden* für zweckmäßig, unsere weiteren Dienste nicht mehr in Anspruch zu nehmen«, sagte Cunningham. *Verscheiden*. Das hat er wirklich gesagt. Ich wünschte, ich hätte die Fotos dabei, um sie ihm jetzt zu zeigen. Dann hätte er sein Verscheiden. »Insofern steht es mir nicht zu, über finanzielle Angelegenheiten dieser Firma zu spekulieren.«
Das war's also – berufliche Eifersucht und Kleinkariertheit.
»Die Firma war doch auf dem besten Weg, pleite zu gehen«, sagte ich.
Er nickte.
»Haben Sie damit gerechnet?«
»Es hätte nicht soweit kommen sollen. Zumindest nicht so schnell. Wenn natürlich der Firmengründer und Chef unter solch entsetzlichen Umständen stirbt, werden die Bücher aus naheliegenden Gründen einer genauen Prüfung unterzogen. Große Kreditinstitute, oder was das betrifft, auch kleine, neigen dazu, ausgesprochen nervös zu reagieren. Besonders heutzutage.« Er sagte es so, als rechnete er jeden Augenblick damit, daß die vier apokalyptischen Reiter angetrabt kämen. »Ich fürchte, es war unvermeidlich. Soweit ich informiert bin, hat Mr. Webb die Firma umgehend einem Konkursverwalter unterstellt.«
Ich nickte. »Aber früher oder später wäre es passiert?«
Er fixierte mich über den leeren, polierten Schreibtisch hinweg. »Mr. Sharman«, sagte er, »ich habe David Kellerman gemocht. Es hat mir sehr leid getan ...« Er verzog das Gesicht und wirkte dadurch gleich menschlicher und jünger. »*Leid getan* ist wohl kaum der richtige Ausdruck. Es hat mich erschüttert, was passiert ist. Ich kannte die Familie. Sandra war eine wunderbare Frau. Aber – und ich sollte Ihnen das eigentlich nicht sagen und werde es abstreiten, wenn noch einmal jemand danach fragt – in der Firma hat über einen längeren Zeitraum viel zuviel Geld gesteckt, und dann auf einmal zu wenig.«
»Wann war es zu wenig?«
»Ungefähr drei Monate vor seinem Tod. Um Weihnachten vergangenen Jahres herum. Das war der Zeitpunkt, an dem es erkennbar wurde.«

»Hat er die Bücher geführt oder haben Sie das gemacht?«
»Er. In diesem Punkt war er sehr eigen. David war eine Art Genie, wenn es um Zahlen ging.«
Jede Wette, dachte ich. »Und warum hat er Sie dann engagiert?«
»Das ist gesetzlich vorgeschrieben. Im Körperschaftsrecht, wissen Sie.« Nein, ich wußte nicht. »Ich hatte praktisch nur eine überwachende Funktion. Ich habe kontrolliert, daß alles in Ordnung war, wenn eine Buchprüfung ins Haus stand. Außerdem bin ich nicht nur wegen meiner beruflichen Fähigkeiten engagiert worden – David und ich waren gute Freunde. Jeder auch nur halbwegs anständige Steuerberater hätte den Job erledigen können. Wir sind zusammen in Bars gewesen. Haben uns zum Mittagessen verabredet. Ich glaube, sehr oft war ich für ihn einfach nur jemand, mit dem er reden konnte.«
Ich warf einen Blick auf die Uhr. Meine Viertelstunde war fast um, daher riskierte ich einen Kopfsprung ins kalte Wasser. »Hat er Geld gewaschen?« fragte ich.
Einen Augenblick lang sagte Cunningham gar nichts. Er sah mich nur scharf an. »Ich sagte doch bereits, er war ein Freund. Ich beabsichtige nicht, seinen guten Namen in den Dreck zu ziehen, nachdem er jetzt tot ist. Falls er etwas Ungesetzliches getan haben sollte, hat er es mir jedenfalls nicht anvertraut. Das hier ist eine ehrliche Firma, Mr. Sharman. Die ehrlich geführt wird. Vielleicht hätte ich etwas tiefer graben sollen. Aber, wie ich schon sagte, wir waren befreundet. Ich hoffe, daß ich durch dieses Versäumnis nicht Handlungen Vorschub geleistet habe, die David und seine Familie in Gefahr brachten. Damit zu leben, wäre sehr schwer. Ich hoffe, Sie finden die Leute, die es getan haben. So, ich fürchte, daß ich jetzt leider noch einen anderen Termin habe«, sagte er. Er rief seine Sekretärin, die mich hinausführte.
Ich fuhr nach Hause und versuchte wieder Natalie Hoopers Nummer. Immer noch der Anrufbeantworter. Immer noch die gleiche Ansage. Mir war nicht nach Ausgehen. Ich bereitete mir eine Mahlzeit aus Konserven und setzte mich vor den Fernseher, ohne wirklich etwas zu sehen. Cat schlich sich heran und setzte sich auf meinen Schoß. Ich trank ein paar Flaschen Bier, rauchte einen Joint und ging ins Bett, als der Spätfilm gegen Viertel nach zwölf zu Ende war.

9

In dieser Nacht träumte ich von meiner alten Freundin Wanda. Wanda die Katzenfrau, so nannte ich sie. Wir sind schon seit Jahren befreundet. Sie hat sich schon oft um meine Katze gekümmert, wenn ich anderweitig beschäftigt war: mit einem Fall, im Krankenhaus oder im Knast. Ich hatte sie seit Monaten nicht gesehen, nicht mehr, seit ich Cat das letzte Mal von ihr zurückbekommen hatte.

Es war ein schlechter Traum gewesen. Ausgesprochen mies. Kein Traum, nach dem man sich in seinem warmen Bett einfach umdrehen und weiterschlafen und dankbar sein kann, daß es nur ein Traum gewesen ist.

Nein, dieser war ein echter Klassiker, ein rabenschwarzer, schrecklicher Alptraum. Ich wurde wach und schreckte mit einem erstickten Schrei kerzengerade auf. Die Bettlaken waren schweißdurchtränkt und hatten sich um meine Beine verheddert. Ich zitterte am ganzen Körper. Ich tastete nach Zigaretten und Streichhölzern. Der Rauch hinterließ einen üblen Geschmack.

Ja, ich weiß: es gibt nichts Langweiligeres als die Träume anderer Menschen, aber dieser spezielle ... Mann, der machte mich einfach fix und fertig.

Ich war in Wandas Haus, aber natürlich war es nicht wirklich ihr Haus, es gehörte ihr nur in meinem Traum. Sie haßte mich in diesem Traum. Verabscheute mich. Und sagte es mir auch. Sie zählte jeden beschissenen Fehler auf, den ich besaß und den ich je begangen hatte. Sogar solche Dinge, von denen sie unmöglich wissen konnte. Ich versuchte, mich zu rechtfertigen, aber es hatte keinen Sinn. Verstehen Sie, ich wußte einfach, sie hatte recht. Der Traum schien eine Ewigkeit zu dauern, und sie machte weiter und immer weiter. Ich zählte sämtliche ehrenhaften und hochanständigen Dinge auf, die ich in meinem Leben getan hatte, aber sie drehte alles so lange durch die Mangel, bis es nach nichts mehr aussah.

Am nächsten Morgen erinnerte ich mich immer noch in allen Einzelheiten an diesen Traum, und aus schlechtem Gewissen über mein langes Schweigen rief ich sie an.

»Hallo, Nick«, sagte sie, als ich mich meldete. Sie klang müde und abgespannt. »Lange nichts von dir gehört.«

»Ja«, brummte ich kleinlaut. »Tut mir leid.«
»Ich vermute, du willst irgendwas von mir?«
Ich erinnerte mich an meinen Traum und zuckte zusammen.
»Nein«, antwortete ich. »Ich habe mich nur so gefragt, wie's dir geht.«
Sie lachte, und das Lachen verwandelte sich in ein Husten.
»Oh, mir geht's gut«, sagte sie, aber so, wie sie es sagte, wußte ich, daß es nicht die Wahrheit war. Und wieder wurde mir eiskalt, und der Schweiß brach aus.
»Was ist los?« fragte ich.
»Wer weiß?«
»Wanda«, sagte ich streng. »Was ist? Sag's mir.«
»Du hast mich gerade noch erwischt. Ich muß ins Krankenhaus.«
Ich hörte es ihrer Stimme an, fragte aber trotzdem. »Schlimm?«
»Ist es jemals gut, wenn man ins Krankenhaus muß?«
»Es gibt Unterschiede.«
»Ja, die gibt es«, sagte sie, und ließ mich meine Frage wiederholen.
»Komm schon, Wanda«, sagte ich. »Erzähl's mir. Auf einer Skala von eins bis neun.«
»Neun.«
»Scheiße.«
»Ja, stimmt, Nick. Aber ich habe wirklich keine Lust mehr, darüber zu reden. Ich muß jetzt los, mein Taxi muß jeden Augenblick kommen.« Und sie legte auf.
Ich rief wieder an, doch der Anrufbeantworter war eingeschaltet. Sie hatte nicht mal gesagt, in welches Krankenhaus. So viele gibt's heute nicht mehr, und ich hätte bei den wenigen verbliebenen herumtelefonieren können, aber es lag auf der Hand, daß sie es nicht wollte.
Ich fütterte Cat und machte mir einen Kaffee. Schwarz und bitter, genau, wie ich mich im Moment fühlte. Ich wußte, daß meine dunkle Vorahnung richtig gewesen war. Ich wußte, daß etwas Schreckliches passieren würde. Ich fühlte mich wie Cunningham in seinem Turm aus Stahl und Glas und wartete darauf, daß die vier Reiter kamen.
In diesem Augenblick wußte ich nicht mal die Hälfte.

10

Zur Mittagszeit war ich wieder in dem Pub in Sydenham. Die Wirtin sah an diesem Tag nicht mehr ganz so scharf aus. Auch nicht so freundlich. Ich ging zur Theke, um mir einen Drink zu bestellen, und sie zeigte auf mich, noch bevor ich ein Wort gesagt hatte. Ich drehte mich um, und hinter mir standen zwei Männer, die mir ihre Dienstausweise unter die Nase knallten.
»Detective Sergeant Williams«, stellte sich der größere der beiden vor. Er war blond und trug einen Trenchcoat wie Dick Tracy. »Und das hier ist mein Kollege Detective Constable Hackett.« Ich sah den anderen an. Er war kleiner, dunkelhaarig, trug Bomberjacke, Jeans und Turnschuhe.
Ich wußte, daß irgendwas Übles in der Luft lag, beschloß aber, mit eiserner Stirn zu leugnen. »Nett«, sagte ich. »Kann ich mir jetzt vielleicht mein Bier bestellen?«
»Nein, ich glaube nicht«, knurrte Hackett. »Waren Sie gestern hier?«
»Richtig«, sagte ich.
»In Gesellschaft eines gewissen Stanley McKilkenney?«
»Wieder richtig. Und heute bin ich wieder hier mit ihm verabredet.«
»Das glaube ich kaum«, sagte Williams.
»Wieso? Haben Sie ihn eingelocht?« fragte ich.
»Nicht ganz.« Wieder Williams.
»Was dann?«
»Sie haben heute morgen offensichtlich noch keine Nachrichten gehört.«
Da wußte ich mit Sicherheit, daß eine verdammt üble Sache in der Luft lag. »Nein«, sagte ich.
»Stanley McKilkenney wurde in den frühen Morgenstunden im Kofferraum eines Autos gefunden – tot«, sagte Williams. »Jemand hat ihm eine Zwillingsschrotflinte in den Mund geschoben und beide Abzüge gedrückt. Es hat ihm den Kopf weggerissen. Er konnte nur durch seine Fingerabdrücke identifiziert werden.«
»Und durch seinen Anzug«, sagte Hackett, der die ganze Sache ungeheuer zu genießen schien. Die Wirtin bekam den letzten Teil mit und rannte mit einem Taschentuch vor den Augen hinaus. »Deshalb gibt's für Sie heute kein Bier. Dafür dürfen Sie

uns aber aufs Revier begleiten und ein paar Fragen beantworten.«

»Wieso?« fragte ich. »Ich habe ihn nicht erschossen.« Aber ich hatte eine verdammt gute Vorstellung, wer es gewesen war. Der arme alte Stan. Er hat in seinem ganzen Leben nie einer Fliege was zuleide getan. So einen Tod hatte der arme Kerl nicht verdient. Niemand hatte so was verdient.

»Sie sollen uns bei den Ermittlungen helfen. Sie waren einer der letzten, die ihn lebend gesehen haben«, sagte Hackett.

»Aber nicht *der* letzte.«

»*Das* müssen wir erst noch herausfinden«, meinte Williams.

»Also los, gehen wir.«

Wir gingen zu einem marineblauen Vauxhall Cavalier, in dem es nach kaltem Zigarettenqualm und Fast Food stank. Das rief Erinnerungen in mir wach. Wir fuhren zum Sydenham Revier, wo ich von Williams in einen Verhörraum geführt wurde. Richtig nett. Keine Fenster. Ein Doppel-Kassettenrecorder. Ein am Boden festgeschraubter Metalltisch und drei Plastikstühle. An allen vier Wänden eine Notruf-Leine. Ein uniformierter Constable begleitete uns. Ich saß auf dem Stuhl der Tür gegenüber. Hackett kam ein paar Minuten später mit zwei noch in Folie eingeschweißten C90-Kassetten herein. Sah ganz so aus, als rechneten sie mit einer längeren Sitzung. Williams befahl dem Uniformierten, draußen zu warten.

»Darf ich rauchen?« fragte ich, nachdem er gegangen war.

»Wenn's sein muß.« Williams.

»Wollen Sie Ihren Anwalt anrufen?« Hackett.

»Ich habe nichts getan. Ich bin wieder draußen, bevor der hier angekommen ist«, sagte ich.

»Da wäre ich nicht so sicher.« Wieder Hackett. Er mochte mich wirklich nicht. Und das tat weh.

Ich steckte mir eine *Silk Cut* an. Ich hatte nur noch vier.

»Sie wissen, was das hier bedeutet?« sagte Williams, hielt die beiden Kassetten hoch, die Hackett ihm gegeben hatte.

»Ja«, sagte ich.

»Er weiß über alles Bescheid«, fauchte Hackett gehässig. »Und wir wissen alles über ihn.«

»Ist das so?« fragte ich.

»Ja, das ist so«, zischte Hackett. »Und Sie wandern in den Knast.«

»Und Sie wollen derjenige sein, der mich da hinbringt, was?«
»Vielleicht.«
»Vielleicht«, wiederholte ich. »Aber bestimmt nicht heute.«
»Seid ihr zwei jetzt fertig?« fragte Williams.
»Ich schon«, sagte ich. »Allerdings weiß ich nicht, wie's mit dem großen Zampano hier aussieht, dieser Ein-Mann-Armee.« Hackett sagte nichts, kochte aber vor Wut.
»Gut«, sagte Williams. »Dann können wir ja jetzt weitermachen.« Er legte beide Kassetten in das Gerät, drückte den »Aufnahme«-Knopf, rasselte Datum und Uhrzeit, die anwesenden Personen und den Grund des Verhörs runter. Wenigstens gab es so eine Aufnahme von mir. Er setzte sich mir gegenüber.
»Mr. Sharman«, begann er, »warum haben Sie sich gestern nachmittag mit Stanley McKilkenney getroffen?«
»Ich habe nur einen alten Bekannten besucht«, sagte ich.
»Himmel!« unterbrach Hackett. »Gleich singen wir noch alle zusammen *Auld Lang Syne!*« Williams warf ihm einen giftigen Blick zu.
»Wann haben Sie ihn davor das letzte Mal gesehen?« fragte Williams.
»Oh, das ist lange her. Mindestens zwei Jahre. Vielleicht auch drei.«
»Und wieso ausgerechnet gestern?«
»Ein spontaner Einfall. Sie wissen ja selbst, wie's manchmal so geht.«
»Dann sind Sie also nicht in ständiger Verbindung geblieben?«
»Wir schicken uns keine Weihnachtskarten, falls Sie das meinen.«
»Nein, das meine ich ganz und gar nicht. Was ich vielmehr meine, ist, Sie haben ihn nicht regelmäßig gesehen?«
»Das sagte ich doch schon.«
»Können Sie mir dann vielleicht erzählen, wie Ihr gestriges Treffen verlaufen ist?« Ich muß zugeben, der Mann konnte sich gewählt ausdrücken.
»Ich habe ihm ein paar Drinks spendiert. Wir haben über alte Zeiten geplaudert. Ich bin gegangen.«
»Die Wirtin des Pubs hat mitbekommen, wie Sie gesagt haben, Sie wollten sich heute wieder mit ihm treffen.«
»Auch das habe ich doch schon gesagt. Deshalb war ich heute dort.«

»Nachdem Sie sich drei Jahre nicht gesehen hatten, haben Sie also urplötzlich beschlossen, sich gerade mal vierundzwanzig Stunden später schon wieder zu treffen?«

»Er ist ein netter Kerl«, sagte ich. Allmählich wurde ich sauer und dachte, daß es vielleicht doch keine so gute Idee gewesen war, einen Anwalt abzulehnen.

»Kommen Sie, Mr. Sharman«, sagte Williams. »Er war wohl kaum Ihr Typ. Sie fahren einen Jaguar E und tragen Anzüge von *Armani*. Er hatte eine Dauerkarte für den Bus und hat sich bei *Oxfam* eingekleidet.«

»Es gibt so 'ne und solche.«

»Was waren Sie also – Seelenfreunde?« Hackett.

»So was in der Richtung, ja.«

»Und Sie haben ihn nicht zufälligerweise gestern abend noch mal gesehen?« Williams.

»Nein.«

»Wo genau sind Sie also gewesen? Sagen wir mal, zwischen zehn Uhr gestern abend und zwei Uhr heute morgen?«

»Zu Hause. Ich habe ferngesehen. Bin um zwölf oder kurz danach ins Bett gegangen.«

»Allein?«

»Mein Lebenswandel ist makellos«, sagte ich, obwohl es mir immer schwerer fiel, die Unterhaltung weiterhin locker zu führen.

»Dann können Sie es also nicht beweisen?« Hackett.

»Muß ich denn? Ich kannte Stan schon ziemlich lange. Er war nicht gerade, was ich einen dicken Freund nennen würde, aber er war harmlos. Ich hatte keinerlei Grund, ihn umzubringen. Ich mochte den armen Kerl. So, und wieso bewegt ihr zwei eure Ärsche nicht endlich auf die Straße und findet heraus, wer's gewesen ist?«

»Ich denke, es ist Zeit für eine Tasse Tee«, sagte Williams, nannte Uhrzeit und Grund für die Unterbrechung des Verhörs und schaltete den Kassettenrecorder aus.

»Und jetzt kommt wahrscheinlich der spaßige Teil, was?« sagte ich.

»Nein«, erwiderte Williams. »Es sei denn, Sie halten den Dienst-Tee für spaßig. Pete, würdest du bitte?« sagte er zu Hackett. »Ich glaube, ich komme mit Mr. Sharman auch allein zurecht.«

Hackett ging, und ich steckte mir eine Zigarette an. Es wurde ernst. Vielleicht war es an der Zeit, ein bißchen zu sagen. »Hatte Stan Geld bei sich, als Sie ihn gefunden haben?« fragte ich.
»Zum Beispiel wieviel?« sagte Williams.
»Zum Beispiel fünf zusammengerollte Zehner.«
Er nahm sie aus der Tasche und warf sie vor mich auf den Tisch. »Und woher wußten Sie das jetzt wieder?« fragte er.
»Ich habe sie ihm gestern gegeben. Und bevor Sie anfangen: Ich habe nicht versucht, sie gestern nacht mit vorgehaltener Waffe zurückzuholen.«
»Warum haben Sie ihm Geld gegeben?«
»Er hat früher für mich als Spitzel gearbeitet. Nichts Großartiges, nur hin und wieder ein paar kleine Informationen. Ich bin zur Zeit an einem Fall. An einem Mord. Vom letzten Jahr. Hier in der Gegend. Oben in Crown Point. Ich habe ihn gebeten, sich ein bißchen umzuhören. Das war die Anzahlung.« Ich zeigte auf das Geld.
»Welcher Mord?«
»Die Kellermans.«
Er nickte. »Für wen arbeiten Sie?«
»James Webb. Sandra Kellermans Bruder.«
Er starrte die Wand an. Ich hatte keine Ahnung, was er jetzt dachte.
»Ehrlich«, sagte ich. »Fragen Sie Robber.«
Er sah mich wieder an. »Jack Robber?«
»Genau der. Ich habe mich neulich abends mit ihm getroffen. Er hat mich die letzten paar Tage beschatten lassen. Seine Jungs waren dabei, als ich gestern in den Pub gegangen bin. Sie müssen gesehen haben, mit wem ich mich getroffen habe. Da werde ich ja anschließend wohl kaum losziehen und das arme Arschloch umlegen, oder?«
»Sie wurden beschattet, sagen Sie?« fragte er, als glaubte er mir nicht. »Wer waren die Subjekte?« Ich sagte ja bereits, er konnte sich ausdrücken.
»Robbers Leute, denke ich. Dienstag war's ein Escort. Gestern ein Montego.«
»Welche Farbe hatte der Montego?« Er war plötzlich sehr interessiert. Viel zu interessiert. Aber da war es schon zu spät, um noch einen Rückzieher zu machen.
»Rot«, sagte ich.

»Haben Sie sich die Zulassung gemerkt?«
»Himmel, das war doch nicht etwa …?« sagte ich.
»Haben Sie?«
Ich rasselte die Nummer runter. Ich sah, wie er die Fäuste ballte. »Er war's, stimmt's?« fragte ich.
»Ja«, sagte er. »Das war der Wagen, in dem McKilkenney gefunden wurde. Ich denke, ich gehe jetzt besser und spreche mit Jack Robber.«
Ich fühlte mich, als hätte ich einen Schlag in den Magen bekommen. Williams stand auf, ging zur Tür, rief den uniformierten Beamten herein und ließ uns allein. Ich steckte mir wieder eine Zigarette an. Ich saß auf meinem Stuhl, der uniformierte Polizist stand vor mir, und wir starrten uns an. Ich erinnere mich, wie ich vor langer Zeit genau das gleiche gemacht hatte. Ich habe es immer gehaßt. Man darf nicht sprechen, wissen Sie. Fünf Minuten später tauchte Hackett mit dem Tee und *KitKats* auf. Wenn die Situation nicht so ernst gewesen wäre, hätte ich laut gelacht. *KitKats*, ich bitte Sie! Hackett setzte sich, verdrückte die Schokoriegel, trank seinen Tee und sagte kein Wort. Damit waren wir dann schon drei Idioten in einem Raum.
Etwa zwanzig Minuten später kehrte Williams zurück. Bevor er etwas sagte, schickte er den Uniformierten wieder raus. Den Kassettenrecorder stellte er nicht an. »Ich habe mit Detective Inspector Robber gesprochen«, sagte er. »Er hat Sie einen Tag beschatten lassen. Oder besser gesagt, ein paar Stunden. Anscheinend haben Sie seine Leute abgehängt. Es war der Escort. Von einem Montego weiß er nichts.«
»Und?« sagte ich.
»Also können Sie jetzt gehen. Sieht ganz so aus, als wäre der Kellerman-Fall wieder heiß geworden. Hören Sie auf meinen guten Rat und lassen Sie die Finger von der Sache. Ab sofort.«
»Es sei denn, natürlich, Stan war in eine andere Sache verwickelt«, sagte ich. Aber das war ziemlich unwahrscheinlich.
»Das bezweifle ich«, sagte Williams. »Abgesehen von der Zeit, die er hinter Gittern verbracht hat, war er über fünfzig Jahre auf diesen Straßen zu Hause. Das Schlimmste, was ihm je passiert ist, war vor ein paar Jahren ein gebrochener Knöchel. Und dann kommen Sie angelatscht und ziehen ihn in eine Sache hinein. Keine vierundzwanzig Stunden später ist er tot. Ja, Sie hatten recht, für einen Ganoven war Stan ein anständiger Kerl. Sie

haben ohnehin schon genug auf dem Kerbholz, mit dem Sie leben müssen, Sharman. Jetzt haben Sie noch einen auf dem Gewissen. Ich frage mich wirklich, wie Sie noch ruhig schlafen können.«
Ich schenkte mir, ihm zu erzählen, daß ich die meisten Nächte nicht schlief. Oder, daß ich von Alpträumen heimgesucht wurde, wenn ich es doch mal schaffte. Ich glaube nicht, daß mir das viele Sympathiepunkte eingebracht hätte. Genaugenommen eigentlich gar keine.
»Wollen Sie Ihre fünfzig Mäuse zurück?« fragte er sarkastisch.
»Nein«, sagte ich. »Vielleicht seine Frau ...«
»Ich werde dafür sorgen, daß sie das Geld bekommt«, sagte er. »Ich nehme an, Jack Robber wird Sie noch aufsuchen. Und, Sharman, falls er's nicht tut, dann komme *ich*. Das war noch nicht das letzte, was Sie von dieser Sache gehört haben.«
Hackett eskortierte mich raus. Er sagte kein Wort. Ich kehrte zu Fuß zum Pub zurück, holte meinen Wagen und fuhr nach Hause.
Langsam.

11

Als ich in meine Wohnung kam, rief ich sofort Webb an und erzählte, was passiert war.
»Das glaube ich einfach nicht«, sagte er.
»Ist aber so.«
»Und die haben wirklich geglaubt, Sie wären es gewesen?«
»Nein, ich denke nicht. Es war praktisch. Ich war da. Aber falls es irgendwas damit zu tun hat, daß ich McKilkenney um Hilfe gebeten habe, dann bin ich dafür verantwortlich.«
»Und ich.«
»Nein, ich habe ihn da mit hineingezogen.«
»Glauben Sie, es hatte etwas mit dem Mord an Sandy zu tun?«
»Wahrscheinlich.«
»Glauben Sie, er hat irgend etwas herausgefunden?«
»Das werden wir jetzt nie mehr erfahren. Vielleicht war es eine Warnung.«
»Eine Warnung?«

»An mich. Die Finger von der Sache zu lassen.«
»Und?«
»Die Polizei hat mich ebenfalls gewarnt. Sie suchen jetzt Stans Mörder, Singular oder Plural. Die werden jeden möglichen Zusammenhang zwischen diesem Mord und dem Mord an Ihrer Schwester untersuchen. Die Akte ist wieder geöffnet worden. Das war's doch, was Sie wollten, oder?«
Einen Augenblick lang sagte er nichts. »Dann machen Sie also Schluß?«
»Richtig.«
»Sie haben wirklich Angst.«
Was zum Henker wußte der schon? »Wie ich Ihnen ja schon mal gesagt habe: jeden einzelnen Tag meines Lebens. Falls Sie also Ihr Geld zurückhaben wollen ...«
»Nein, behalten Sie's.«
»Vielen, vielen Dank auch«, sagte ich. »Hören Sie, Jim, ich melde mich mal wieder bei Ihnen. Ich werde Ihnen die Schlüssel von *Oakfield* zukommen lassen.«
»Das hat keine Eile.«
»Und seien Sie vorsichtig, Jim. Da draußen läuft immer noch mindestens ein irrer Bastard frei herum. Fünf Menschen sind schon tot. Also, passen Sie auf sich auf.«
»Und Sie auf sich.«
»Darin bin ich Fachmann.«
»Also dann, bye.«
»Bye«, sagte ich und legte auf.
Aber für mich war es noch nicht ganz vorbei. Ich nahm das Foto der Kellermans, das James Webb mir gegeben hatte, und sah es lange und konzentriert an. Dann stieg ich in den Wagen und fuhr zum Friedhof. Das Grab fand ich problemlos. Ich las die Inschrift auf dem Grabstein. Viel stand da nicht. Das Grab war sauber und gepflegt. Ich kaufte einen billigen Strauß Blumen am Eingang des Friedhofes und stellte ihn in eine der Vasen in der Ecke des Grabes.
Ich war froh, den Fall los zu sein. Es war von Anfang an Murks gewesen. Während ich dort stand, warf ich noch mal einen Blick auf das Foto, dann ging ich nach Hause.
An diesem Abend betrank ich mich allein. Ich trank auf Stan und Wanda und die Kellermans. Als ich endlich einschlief, träumte ich von ihnen allen. Sie standen neben dem Pool von

diesem Foto. Sie amüsierten sich prächtig, aber ich wußte, daß es nicht von Dauer sein konnte. Etwas Schreckliches würde passieren, das in Blut und Schmerzen endete. Ich versuchte, sie zu warnen, aber sie wollten nicht auf mich hören. Ich schrie und brüllte sie an, bis ich mich selbst aus dem Schlaf riß. Bis heute weiß ich nicht, ob ich laut geschrien habe.

In dieser Nacht schlief ich nicht mehr ein.

Am nächsten Morgen ging ich zur Bank und hob die tausend Mäuse ab, die Webb mir gezahlt hatte. Ich fuhr zu Stan McKilkenneys Wohnung. Seit ich ihn kannte, wohnte er mit seiner Frau in derselben Sozialsiedlung in Sydenham. Gott sei Dank war sie nicht zu Hause. Ich wollte ihr nicht in die Augen sehen müssen. Aber ihre verheiratete Tochter war da. Ich gab ihr das Geld. Sie sagte, ihre Mutter wäre im Beerdigungsinstitut. Ich nannte keinen Namen. Ich wollte, daß Mrs. McKilkenney das Geld behielt, sie sollte es nicht verbrennen. Ich sagte, ich wäre ein alter Freund.

Ein toller Freund.

Ich ging nach Hause und betrank mich wieder. Diesen Zustand versuchte ich das ganze Wochenende über beizubehalten.

12

Am Sonntag hatte ich mit meiner Sauferei den Punkt erreicht, an dem ich nur noch den Sherry zum Kochen und keine Zigaretten mehr im Haus hatte. Cat hatte vorübergehend die Wohnung gewechselt und sich bei der indischen Familie einquartiert, die vier Türen weiter wohnte und ihn mit Resten von Hühnchen *tandoori* und Lamm *tikka* fütterten. Um zwölf ging ich in den Schnapsladen, um meine Vorräte aufzufüllen. War schon gut so. Nachmittags kam Detective Inspector Robber zu Besuch.

Anscheinend hatte er schon mehr als fünf Minuten geklingelt, als die Leute in der Parterrewohnung sich seiner erbarmten und ihn ins Haus ließen. Beim Klopfen an meiner Wohnungstür dachte ich, es wäre einer der Nachbarn, der mich auf ein Glas Wein, Quiche und Chris Rea auf dem CD-Spieler zu sich einladen wollte. Er konnte froh sein, daß ich überhaupt aufmachte.

»Sind Sie taub?« blaffte er mich an, als ich schließlich die Tür öffnete.
»Nein«, sagte ich. »Kommen Sie rein und trinken Sie einen mit.« Nach drei einsamen Tagen mit einer Batterie Flaschen als einziger Gesellschaft war sogar Robber willkommen.
Er setzte sich in meinen einzigen Sessel und schaute sich um. »Die Bude hier ist Spitze.«
»Die Putzfrau hat Anstoß an meinem Lebensstil genommen. Bier, Scotch, Wodka – was darf's sein?«
»Scotch«, sagte er.
»Eis?«
»Wasser.«
Ich machte ihm seinen Drink, schenkte mir dann selbst einen ein und hockte mich auf den Küchenstuhl. Ich war so betrunken, daß sich die Luft im Zimmer wie Vaseline anfühlte, und hinter meinen Augen brütete ein dumpfer Schmerz. Ich blinzelte. »Was gibt's Neues, Inspector?« fragte ich und steckte mir eine Zigarette an. Meine Finger zitterten so stark, daß ich das Streichholz mit beiden Händen halten mußte.
Er antwortete nicht darauf. »Was soll das hier darstellen? Suhlen Sie sich in Selbstmitleid?« Seine Stimme klang, als käme sie aus einem tiefen U-Bahnschacht.
»Andere tun mir leid«, sagte ich.
»Quatsch! So was kennen Sie doch gar nicht.«
»Ist das hier ein Höflichkeitsbesuch?« fragte ich. »Wenn das so ist und sie mir nicht mehr zu sagen haben, dann verpissen Sie sich am besten gleich wieder.«
»Wollen Sie mich rausschmeißen?«
Ich glaube nicht, daß ich mich in diesem Augenblick selbst aus der Wohnung hätte befördern können, ganz zu schweigen von ihm. »Nein«, sagte ich, nahm einen Schluck von meinem Drink und schlabberte etwas über Kinn und Hemd. Sie verstehen, was ich meine? »Haben Sie schon jemanden wegen dem Mord an Stan eingelocht?«
»Ich war schon gespannt, wann Sie danach fragen. Nein, noch nicht.«
»Wieder ein blendender Triumph für unsere Jungs in Blau.«
»Sie sind wirklich ein ausgemachtes Arschloch, stimmt's?«
»Ich glaube, darüber beraten sich die Geschworenen immer noch«, erwiderte ich.

»Für mich ist die Sache entschieden.«

»Okay, Mr. Robber. Nachdem wir die Höflichkeiten jetzt hinter uns haben – was wollen Sie hier?«

»Was glauben Sie denn, Sharman? Vergangene Woche wurde ein Mann ermordet. Sie waren einer der letzten, der ihn lebend gesehen hat. Sie haben ihm Geld gegeben, damit er sich für Sie umhört. Ich will wissen, was Sie wissen.«

»Hat Williams Sie nicht informiert?«

»Etwas. Aber sagen Sie's mir.«

»Ist das jetzt Ihr Fall?«

»Wenn es in irgendeinem Zusammenhang mit den Kellerman-Morden steht, ist es mein Fall.«

Also erzählte ich es ihm. Alles, was ich wußte. Was herzlich wenig war.

Als ich fertig war, sagte er: »Und Sie arbeiten nicht mehr für James Webb?«

»Würden Sie?«

Er zuckte mit den Achseln. »Aber ich *bin* nicht Sie«, sagte er.

Gott sei Dank, dachte ich. »Glauben Sie, der oder die Mörder von Stan sind die gleichen, die auch die Kellermans auf dem Gewissen haben?« fragte ich.

Er nickte.

»Der Wagen, in dem Stan gefunden wurde – war er gestohlen oder was?«

Er nickte erneut. »Am gleichen Morgen. Vom Bahnhof in Penge.«

»Haben Sie irgendwas in der Karre gefunden?«

»Nur ihn.«

Komisch, dachte ich.

»Sie hätten mich anrufen sollen, daß Ihnen der Wagen gefolgt ist«, sagte er.

»Ich habe schon wegen dem anderen Wagen angerufen, und Sie haben mich deshalb angepöbelt, wenn ich mich recht entsinne. Vielleicht hätten Sie mich ein bißchen länger beschatten lassen sollen.«

All diese »wenn« und »aber« hatten sowieso keinen Sinn mehr. »Und ich habe mich einfach verfolgen lassen«, brummte ich. »Scheiße! Die hätte ich auch locker abhängen können.«

Wieder saßen wir schweigend da. »Dann könnte ich also der nächste sein?« sagte ich schließlich.

»Ich bin ehrlich überrascht, daß die Sie nicht schon längst aus dem Weg geräumt haben.«
»Nett von Ihnen, das zu sagen.«
Er zuckte wieder mit den Achseln. Ich war nur eine weitere kleine Aufheiterung in seinem grauen Alltag. Durch den Alkoholnebel begann ich ihn langsam zu verstehen. »Sie wollen, daß ich weitermache, stimmt's?«
»Meine Güte, was sind Sie schnell von Begriff.«
»Sie meinen, als Lockvogel?«
»Sie hängen schon voll drin, mein Junge. Ich vermute, der einzige Grund, warum Sie überhaupt noch an einem Stück herumlaufen, ist, daß die nicht wissen, wie viele Freunde Sie haben.«
»Und wie viele sind es?«
»Ich könnte einer sein, wenn Sie mich lassen.«
»Himmel, und demnächst verloben wir uns noch.«
Er grinste. Kein schöner Anblick. »Und?« fragte er.
»Ich werde drüber nachdenken.«
»Lassen Sie sich nicht zulange Zeit. Patronen sind billig.«
»Wie beruhigend. Wollen Sie noch was trinken?« Ich schon.
»Nur noch einen«, sagte er.
»Zu spät zum Mittagessen?«
»Nein. *Pizza Hut* hält extra für mich länger auf.«
»Nicht verheiratet?«
»Nicht bei diesem Job.«
Nicht auf dieser Welt, dachte ich, als ich ihn ansah. Ich schenkte uns zwei weitere Drinks ein und steckte mir noch eine Zigarette an. Im Haus und auf der Straße herrschte die übliche Sonntagsruhe. In der Ferne mähte irgendwer seinen Rasen. Eine Welt, so weit weg von einem Gespräch über Schrotflinten und Mord. Wir tranken schweigend. Als er sein Glas geleert hatte, ging er. Ich war schlagartig stocknüchtern und fühlte mich unendlich allein. Das Telefon klingelte. Es war Terry Mayhew. Nicht mal seine vergnügte Stimme konnte mich aufheitern.
»Ich hatte kein Glück beim Herumstochern, Nick. Tut mir leid, alter Freund, aber kein Mensch weiß was.«
»Schon okay, Terry, ich bin sowieso nicht mehr interessiert. Ich arbeite nicht mehr an dem Fall – ist mir ein paar Nummern zu heiß geworden.«
»Das klingt aber gar nicht nach dir.«

»Äh, ja, einer meiner guten Vorsätze fürs neue Jahr hieß, am Leben zu bleiben.«
»Komm vorbei und erzähl mir davon.«
»Danke, Terry, vielleicht mache ich das.«
Aber ich tat's nicht. Ich schenkte mir noch einen Drink ein und schaltete den Fernseher an. Während ich auf dem Sessel saß, den Robber geräumt hatte, und meinen Wodka schlürfte, ging mir immer wieder durch den Kopf, was er gesagt hatte.
Ich blieb den ganzen restlichen Tag dort sitzen, dachte einfach nur nach und betrank mich.
So hatte ich wenigstens etwas zu tun.

13

Montagmorgen wachte ich mit einem ausgewachsenen Kater auf. Mein Kopf fühlte sich an wie aus Glas. Gefüllt mit Nitroglyzerin, das jeden Augenblick in die Luft gehen konnte. Mit der Milch kehrte Cat von seinen Ausflügen zurück, und ich fütterte ihn gerade, als das Telefon klingelte.
»Mr. Sharman?« fragte eine Frauenstimme.
»Ja.«
»Mr. Nicholas Sharman?«
»Ja.«
»Hier spricht Schwester Mackay.«
»Ja?« fragte ich, obwohl ich die Antwort schon kannte.
»Ich rufe von der *Princess Margaret Station* im *St. Thomas's Hospital* an.«
»Ja«, sagte ich wieder.
»Es geht um Mrs. Wanda Rice.«
»Ja.«
Es folgte ein kurzes Schweigen. »Sie stehen als nächster Angehöriger in unseren Unterlagen, Mr. Sharman.«
»Ist das so?«
»Wissen Sie das etwa nicht?«
»Nein, tut mir leid«, sagte ich. »Was ist passiert?«
»Wissen Sie das auch nicht?«
»Nein.«
Die Schwester schien über meine Ignoranz verärgert zu sein.

»Mrs. Rice ist letzten Donnerstag wegen einer Operation zu uns gekommen. Das ist Ihnen aber bekannt, oder?«

»Ja«, sagte ich.

»Die Operation war leider kein Erfolg. Sie kannte die Risiken, und ohne Operation ...« Sie beendete ihren Satz nicht.

»Ist sie ...?« Ich beendete meinen Satz auch nicht.

Sie erriet, was ich fragte. Wie viele andere hatten während ihrer Laufbahn als Krankenschwester diesen Satz schon nicht beendet, fragte ich mich. »Nein, aber die Prognose ist leider nicht sehr gut.«

»Kann ich sie sehen?«

»Natürlich. Deshalb rufe ich ja an. Sie hat darum gebeten, Sie zu sehen.«

»Wann?«

»Wann immer es Ihnen recht ist. Unter diesen Umständen gibt es keine festen Besuchszeiten.«

»Sofort?«

»Ja. Je früher, desto besser, glaube ich.«

»Wird sie mich erkennen?«

»Sie hat nicht den Verstand verloren, Mr. Sharman.«

»Tut mir leid. Sie hat mir überhaupt nichts erzählt, wissen Sie. Es war purer Zufall, daß ich sie letzte Woche überhaupt gesprochen habe.«

»Ich verstehe.« Aber ich bin sicher, sie verstand gar nichts.

»Ich bin in einer halben Stunde da.«

»Gut. Ich werde es ihr sagen.«

»Wird sie sterben?« fragte ich. Ich klang wie ein kleines Kind. Gott sei Dank gab sie mir keine neunmalkluge Antwort. Damit hätte ich in diesem Augenblick nicht umgehen können. Tatsächlich wurde ihre Stimme sogar sanfter.

»Ja, ich fürchte, das wird sie.«

»Wie lange noch?«

»Ich weiß es nicht. Aber schon bald, sehr bald.«

»Ich bin schon unterwegs«, sagte ich, legte auf, ging aufs Klo und übergab mich. Anschließend fühlte ich mich etwas besser, wenn auch nicht sehr.

Ich zog mich schnell an und scheuchte Cat nach draußen. Auf dem Weg nach Waterloo brach ich alle Geschwindigkeitsrekorde. Die Station befand sich auf der obersten Etage im Bettenhochhaus des *Tommy*. Wanda lag in einem kleinen Einzelzim-

mer. Die Vorhänge waren aufgezogen. Ich warf einen Blick hinaus und sah, wie sich die Sonne auf dem Wasser des Flusses spiegelte. Wanda lag im Bett. Schläuche führten aus Nase und Mund. Sie war an ein Gerät angeschlossen, das leise piepte, und in beiden Armen steckten noch mehr Schläuche. Ihr Gesicht war eingefallen, ihre Haut hatte die gleiche Farbe wie die Bettlaken, und ihre Augen waren geschlossen. Um den Kopf hatte sie wie einen Turban ein Tuch gebunden.
»Wanda«, sagte ich. Meine Stimme klang belegt und viel zu laut. Sie schlug die Augen auf.
»Nick, ich bin froh, daß du da bist.«
»Wieso hast du mir nichts gesagt?«
»Was hättest du denn tun können?«
»Irgendwas. Ganz bestimmt. Oder?«
»Das bezweifle ich.«
Vor dem Fenster stand ein Stuhl. Ich zog ihn ans Bett, setzte mich und berührte vorsichtig ihre Hand.
»Sieh mich nicht an«, sagte sie. »Ich sehe bestimmt schrecklich aus.«
Ja, das tat sie.
»Nein.«
»Ich habe schon eine Ewigkeit nicht mehr in den Spiegel geschaut«, sagte sie. »Ich habe so alt ausgesehen, und meine Haare sind ausgefallen.« Sie zog das Kopftuch hoch, und ich sah, daß ihr Haar, früher mal so dick und glänzend, strähnig und feucht auf ihrem Schädel klebte. Als ich sie jetzt dort liegen sah, so völlig anders als die Frau, die ich einmal gekannt hatte, wurde mir klar, daß es mir egal war, wie sie aussah – ich war einfach nur unglaublich traurig, daß der beste Freund, den ich vielleicht auf dieser Welt besaß, mir nicht mal erzählt hatte, daß er krank war. Wahrscheinlich glaubte sie, daß mir das völlig egal gewesen wäre. Ich hielt ihre Hand. »Du bist wunderschön«, sagte ich, und meinte jedes einzelne Wort.
»Danke, Nick. Ich freue mich, daß du das sagst, auch wenn ich genau weiß, daß es nicht stimmt.«
Zärtlich drückte ich ihre Hand. »Doch, es stimmt.«
Sie schüttelte den Kopf.
»Ich weiß nicht mal, was dir überhaupt fehlt«, sagte ich.
»Ein besonders guter Detektiv bist du nicht. Hast du die Krankenschwester nicht gefragt?«

Ich schüttelte den Kopf. »Ich bin direkt zu dir gekommen.«
»Ich habe Schmerzen bekommen«, sagte sie. »Ziemlich üble Schmerzen. Vor ein paar Monaten. Es hat nicht mehr aufgehört, also bin ich zu einem Arzt gegangen. Er hat mich hierher überwiesen. Sie haben mir gesagt, ich hätte Krebs. Sie haben mir beide Brüste abgenommen.«
Sie begann zu weinen. »Jedenfalls ... wie's aussieht, haben sie noch mehr gefunden. Überall. An jeder gottverdammten Stelle, wo sie nachgesehen haben. Die Operation war reine Zeitverschwendung. Ich wünschte, sie hätten mich an einem Stück gelassen, damit ich in Frieden sterben könnte ...«
»Tut mir leid. Ich wußte ja nicht ...«
»Reagier nicht so betreten, Nick. Reagier bitte nicht so betreten.«
»Tut mir leid.«
»Und leid tun muß es dir auch nicht.«
»Um Himmels willen, irgendwie muß ich doch reagieren!«
»So ist's besser. Das ist schon eher der Nick, den ich kenne.«
»Und wer genau, bitte schön, ist der Nick, den du kennst?«
»Wunderbar, Nick. Laß uns über dich reden.«
»Tut mir leid.«
»Da, schon wieder.«
»Ich weiß nicht, was ich sagen soll.«
»*Mir* tut's leid, Nick. Ich sollte es wirklich nicht an dir auslassen. Es ist schließlich nicht deine Schuld.«
»Vergiß es«, sagte ich.
Sie lächelte, und zum ersten Mal war sie wieder die Wanda, die ich kannte. »Ja, du hast recht«, sagte sie. »Wie geht's deiner Freundin?«
»Bestens.« Es hatte keinen Sinn, näher auf dieses Thema einzugehen.
»Gut. Bist du glücklich?«
»Wer weiß?«
»Ich bin es.«
Ich sah sie an.
»Du glaubst mir nicht?«
»Doch, klar«, sagte ich.
»Nein, tust du nicht. Aber ich bin es wirklich. Wenigstens weiß ich, was die Zukunft für mich bereithält. Die meisten Menschen wissen das nicht.«

»Was die Zukunft für dich bereithält, kann ich dir sagen. Du kommst wieder hier raus, und wir gehen zusammen einen trinken.«

Das war das Falscheste, was ich in diesem Augenblick sagen konnte.

»Nein, Nick«, sagte sie leise. »Ich komme nicht mehr raus.«

Ich wollte schon widersprechen, doch sie schüttelte den Kopf.

»Du brauchst uns nichts vorzumachen«, sagte sie. »Obwohl ich dir auch dafür dankbar bin. Ich scheine auf meine alten Tage richtig weich zu werden.«

»Was hast du mit all den verdammten Katzen gemacht?« fragte ich, nur um das Thema zu wechseln.

»Denen geht's gut. Ich habe für jede ein neues Zuhause gefunden, bevor ich hergekommen bin.«

Typisch Wanda. Immer zuerst an andere denken.

Sie fragte, ob ich zur Zeit arbeiten würde. Ich antwortete, ja, ich würde. Sie erkundigte sich nach dem Fall. Ich glaube, sie wollte sich einfach nur von ihren Schmerzen ablenken. Ich erzählte ihr ein bißchen über die Kellermans. Nicht sehr viel. Nicht mal soviel, wie ich Fiona in diesem Thai-Restaurant erzählt hatte. Dann sagte ich, daß ich die Ermittlung geschmissen hätte. Sämtliche Gründe für diese Entscheidung erzählte ich allerdings nicht.

»Du hast dich nicht besonders angestrengt, stimmt's?« sagte sie.

Ich zuckte mit den Achseln. Was zum Teufel? dachte ich.

»Diese armen Kinder«, sagte sie. »Sie haben es nicht verdient zu sterben. Egal, was irgendwer getan haben mag, ihre Schuld war es ganz bestimmt nicht. Du warst ihre letzte Chance.«

»Die letzte Chance für was?«

»Die letzte Chance, Frieden zu finden.«

»Herr im Himmel, Wanda!« sagte ich. »Sag so was nicht!«

»Es stimmt aber.«

»Ja, vielleicht.«

»Du solltest nicht aufgeben, Nick. Das Leben ist viel zu kurz.«

Vielleicht hatte sie recht. Vielleicht auch nicht. Sie legte sich zurück, ihre Lider flatterten, und dann war sie wieder eingeschlafen.

Den Rest des Tages blieb ich neben ihrem Bett. Sie döste ein, wachte auf, und wir redeten. Meistens über nichts. Kurz nach vier mußte ich mal pinkeln und eine Zigarette rauchen. Sie schlief. Vorsichtig zog ich meine Hand fort, verließ das Zimmer und suchte eine Krankenschwester. Sie machte mir eine Tasse Tee, und ich ging aufs Klo. Ich trank den Tee, wanderte im Flur auf und ab, stand neben den Fahrstühlen und rauchte einen Haufen Zigaretten. Eine nach der anderen. Und ich starrte aus den hohen Fenstern auf London hinaus. Drei Seiten des Gebäudes besaßen Fenster. Es war ein echter Panoramablick.

Der Himmel war perlmutt- und lavendelfarben, und über Battersea ging mit goldenem Lodern die Sonne unter. Der Mond, in Form und Farbe eines abgeschnittenen Fingernagels, schwebte über dem Big Ben. Die Krankenschwester kam, entdeckte mich und sagte, Wandas Zustand hätte sich verschlechtert. Ich kehrte ins Zimmer zurück. Sie war wieder wach. Ihre Augen leuchteten und waren feucht, und ihre Hände waren wie Klauen. Ich hielt sie behutsam, bis sie sie zurückzog und damit vor ihrem Gesicht gestikulierte und an den Bettlaken und ihrem Nachthemd zerrte, um an die Wunden heranzukommen, die ihr so weh taten. Ein- oder zweimal sah sie mich mit so etwas wie Erkennen in den Augen an, und sie öffnete ihre verklebten Lippen, und ihre Zunge, weiß und geschwollen von Krankheit und Medikamenten, die in sie hineingepumpt worden waren, leckte schnell darüber. Dann tupfte ich ihren Mund mit einem feuchten Tuch ab, an dem sie gierig saugte. Doch sie sagte kein einziges Wort mehr.

Draußen auf dem Gang pfiff jemand *The Star of the County Down*. Das ist eine dieser Melodien, die man sofort wiedererkennt, selbst wenn man ihren Namen vergessen hat und völlig unmusikalisch ist. Wer auch immer es war – er konnte wirklich gut pfeifen und hatte sich genau die richtige Melodie ausgesucht. Während dieser Jemand mit irgend etwas beschäftigt war, trällerte er vor sich hin und wechselte hin und wieder das Tempo. Und während der Nachmittag und Wanda langsam starben, saß ich an ihrem Bett und hielt ihre Hand und lauschte dieser Melodie. Weder vorher noch nachher habe ich je etwas so Schönes oder so Trauriges gehört. Und während die Melodie und ihr Geist unter dem Fingernagel des Mondes hinaus über den Fluß trieb, wurde mir klar, daß sie recht hatte. Die Kellermans verdienten Besseres, als ich bisher geliefert hatte.

Ich glaube, sie muß schon zehn Minuten tot gewesen sein, bevor ich registrierte, daß sie gestorben war. Ich konnte immer noch die Wärme ihrer Haut spüren, aber es war nur die Temperatur meiner Hand, die in ihre abstrahlte. Schließlich begriff ich wirklich, daß sie nicht mehr atmete, und mit einer Stimme, die von Baß zu Alt brach, rief ich die Schwester. Die Krankenschwester sah ich durch einen Schleier von Tränen, die ich mit dem Handrücken wegzuwischen versuchte. Doch so sehr ich auch wischte, es dauerte lange, bis sie endlich aufhörten.

Ich spürte einen kalten Klumpen in meiner Brust, und wenn ich heute an Wanda denke, kehrt dieser Klumpen wie die Erinnerung an einen Schmerz zurück, den ich nie richtig empfunden habe.

Seit damals habe ich oft um sie geweint. Aber ich weiß, daß mir der Augenblick, an dem ich wirklich weine, noch bevorsteht.

Aber wenigstens war ich da, als sie starb. Ich habe versucht, ihr etwas Trost zu geben. Ich habe ihre Hand gehalten, als sie am Ende nicht noch mehr Schmerz und Leiden ertragen konnte und ihr Körper abschaltete. Gott sei Dank war ich da. Manche armen Schweine sind nicht da, wenn die Menschen sterben, die sie lieben. Und damit müssen sie dann leben.

14

Das Krankenhauspersonal kam herein und übernahm. Ich war auf einmal überflüssig. Eine der Schwestern gab mir Wandas Sachen. Viel war's nicht. Ein kleiner Koffer mit ein paar Kleidern. Ein Kulturbeutel. Ihre Handtasche mit ihrem Adreßbuch, ihrem Portemonnaie, ihren Hausschlüsseln und einem an mich gerichteten Brief.

Die Schwester unterrichtete mich davon, daß eine Obduktion durchgeführt werden würde. Ich sagte, ja, das wüßte ich.

Mit Wandas Sachen ging ich dann in den Pub auf der anderen Straßenseite. Der Himmel allein weiß, wie viele wie benommen wandelnde und verwundete Menschen der Barkeeper dort schon gesehen hatte. Menschen, die frisch von einem Sterbebett oder aus dem Leichenschauhaus kamen und nichts anderes wollten, als ihre Trauer zu ertränken. Ich hätte jede Wette gemacht, daß ich nicht der erste war, und ganz sicher würde ich nicht der letzte sein. Die Kneipe war halb leer, und ich ging mit meinem Glas zu einem Tisch und öffnete den Brief.

Lieber Nick,
wenn du das hier liest, bin ich schon tot. Und da ich es jetzt wahrscheinlich bin, wirst du ihn nun lesen, falls du verstehst, was ich meine.
Armer Nick, ich frage mich, ob ich das alles schaffe, ohne dir zu sagen, was mit mir passiert, oder ob ich in der letzten Minute doch noch schwach werde und versuche, dich zu erreichen. Das liegt allein im Schoß der Götter und in den Händen des Arztes. Was heute wahrscheinlich so ziemlich dasselbe ist, denke ich oft. Und in letzter Zeit, Nick, denke ich viel zu oft und zuviel, glaube ich. Tut mir leid. Ich schwafle wirres Zeug. Jeder sagt mir, er wäre brillant (also, ich meine, der Arzt), aber es gibt Dinge, die kann man nicht heilen, indem man irgendwelche Stücke herausschneidet.
Falls ich dich nicht mehr sehe, oder wenn ich es nicht mehr kann, möchte ich, daß du dich um alles kümmerst. Es ist genug Geld da für die Beerdigung, du weißt schon, wo. Ich will verbrannt werden. Keine große Sache. Keine Blumen. Alle Spenden an das Heim für Katzen.
Für meine Katzen ist gesorgt, aber das weißt du ja vielleicht schon. Das hier wird verwirrend.
Wie auch immer, was auch immer. Mach's gut und alles Liebe,
Deine Freundin,
Wanda

Ich war froh, daß sie mich noch hatte sehen wollen, auch wenn sie fast bis zum letzten Augenblick damit gewartet hatte, mich zu rufen.
Das war die Wanda, an die ich mich erinnerte.
Während es draußen dunkler wurde, saß ich einfach still da, trank mein Glas aus und rauchte ein paar Zigaretten. Dann nahm ich ihre wenigen Habseligkeiten und ging.
Ich fuhr kurz bei mir vorbei und ließ Cat rein, fütterte ihn und ließ ihn wieder raus. Er würde schon klarkommen. Ich holte ein paar Kleider zum Wechseln und eine Zahnbürste, dann fuhr ich zu Wandas Haus in Brixton.
Als ich dort ankam, war es stockfinster. Das Haus wirkte

schrecklich aufgeräumt und kalt, selbst an diesem milden Abend. Ich stellte die Zentralheizung an. Als Wanda noch lebte, war es dort nie so ordentlich gewesen. Immer wimmelte es vor lauter Katzen. Es roch immer noch nach ihnen, aber man gewöhnte sich schnell daran.
Ich ging durch alle Zimmer, schaltete unterwegs überall das Licht an. Es erinnerte mich irgendwie an das Haus in Crown Point. In letzter Zeit schien ich oft durch kalte, leere Häuser zu gehen. Die Häuser von Toten. Daran konnte ich mich nicht gewöhnen.
Der Kühlschrank war leer, ausgeschaltet, und die Tür nur angelehnt. Ich drückte sie zu, schaltete ihn wieder an und verließ das Haus, um etwas Milch zu besorgen. Das Geschäft an der Ecke hatte noch auf. Gott sei Dank erkannte mich niemand als Freund von Wanda. In diesem Augenblick wollte ich niemandem was erklären.
Ich ging zurück, machte mir einen Tee und las den Brief noch mal. Ich ging zu »du weißt schon, wo«, einem lockeren Ziegel in der alten Spülküche. Ich hatte ihr nicht nur einmal, sondern hunderte von Malen gesagt, daß es ein dummer Ort war, Bargeld zu deponieren, aber sie hat nie auf mich gehört. Jetzt spielte es keine Rolle mehr. Unter dem Ziegel lag neben tausend Pfund in Fünfzigern ihr Testament in einem schlichten Briefumschlag. Auf dem Umschlag klebte ein Zettel, mit dem, wer auch immer ihn fand, informiert wurde, daß das Original bei ihrem Anwalt hinterlegt sei, dessen Adresse beigefügt war. Sie hatte an alles gedacht. Sie hatte mir alles hinterlassen. Das Grundstück. Das Haus und sein gesamter Inhalt, ihren Schmuck, der zur Aufbewahrung in der Bank deponiert war, und eine nicht näher spezifizierte Geldsumme. Ihr Anwalt war der Testamentsvollstrecker.
Die Tausend steckte ich in meine Jackentasche. Damit würde sie einen guten Abschied bekommen. Dann wurde mir klar, daß ich keinen ihrer anderen Freunde kannte. Genaugenommen, wenn ich darüber nachdachte, wußte ich überhaupt nicht besonders viel von ihr. Sie sprach nicht oft über ihre Vergangenheit. Ich habe immer nachgebohrt, aber sie reagierte immer sehr schnell verärgert, und ich ließ es auf sich beruhen. Ich nahm ihr Adreßbuch aus der Handtasche. Es war vollgeschrieben mit allen möglichen Firmennamen und Telefonnummern – von Ho-

tels, Geschäften, Zeitungen –, daneben Namen gekritzelt, die alles hätten bedeuten können. Dann waren da auch noch jede Menge Namen von Personen mit, wie ich vermutete, Privatnummern. Aber ich wußte nicht, ob es geschäftliche oder private Bekannte waren. Abgesehen von meinem eigenen sagte mir nur ein Name etwas: John Rice, ihr Ex-Mann. Soviel wußte ich. Hinter seinem Namen standen zwei Nummern, eine mit dem Vermerk »Büro«, die andere mit »Privat«. Beides waren 071er Nummern. Central London, oder doch wenigstens das, was die Telecom so für Central London hält. Ich wählte die Privatnummer, und eine Frau meldete sich. »Könnte ich bitte John Rice sprechen?« fragte ich.

»Ja. Kann ich ihm sagen, wer ihn sprechen möchte?«

»Falls ihm das etwas sagt, mein Name ist Nick Sharman.« Offensichtlich sagte ihr das nichts. »Ich hole ihn, Mr. Sharman«, sagte sie. Sie war keine Minute fort, als der Hörer wieder aufgenommen wurde.

»John Rice am Apparat«, sagte eine mir unbekannte Männerstimme.

»Mein Name ist Nick Sharman«, sagte ich. »Ich war ein Freund Ihrer früheren Frau Wanda.«

»Und?« Seine Stimme war kalt, und das störte mich.

»Ich sagte *war*, weil sie tot ist.«

»Was?«

»Sie haben richtig gehört«, sagte ich. »Sie ist tot. Sie ist vor ein paar Stunden gestorben. Ich dachte, es würde Sie vielleicht interessieren.«

Den letzten Satz überhörte er. »Wie?« fragte er.

»Eine Operation, die nicht geklappt hat.«

»Himmel, ich hatte ja keine Ahnung.« Und ich fühlte mich beschissen, daß ich es ihm erzählte. Wenn sie mir schon nichts gesagt hatte, warum sollte sie es dann jemand anderem gesagt haben?

»Ich auch nicht«, sagte ich.

»Himmel«, sagte er wieder. »Sind Sie ...?«

Ich wußte, was er meinte. »Nein«, sagte ich. »Nur ein Freund.«

»Wie war noch gleich Ihr Name?«

»Nick Sharman.«

»Sie hat Sie mal erwähnt. Sie mochte Sie.«

»Ich mochte sie auch.«

»Eine Menge Leute mochten sie. Genau das war vor vielen Jahren unser Problem. Ich habe ihr nie geglaubt, daß da nicht mehr war. Ich habe viele Fehler gemacht.«
»Ich auch«, sagte ich. »Einer davon war, sie monatelang nicht zu besuchen und nicht zu wissen, daß sie krank war. Anscheinend war sie schon eine ganze Weile krank. Sie hat es verschwiegen.«
»Mir hat sie auch nichts gesagt«, sagte Rice. »Wir haben manchmal miteinander telefoniert. Sie hat mich im Büro angerufen. Meine Frau hat es nicht gern gesehen, wenn sie mich zu Hause anrief.«
Ich wette, das sagst du allen Mädchen, dachte ich.
»Hören Sie, ich würde mich gern mit Ihnen treffen«, sagte ich. »Ich habe versprochen, mich um die Beisetzung zu kümmern, aber ich weiß nicht, wen ich dazu einladen soll. Ihr Adreßbuch ist dicker als die Gutenberg-Bibel.«
»Ja, so war sie«, meinte Rice. »Jedermanns Freund.«
»Aber niemandes Liebste.«
»Ja«, sagte er. »Ja. Treffen wir uns. Wann?«
»Morgen gegen Mittag?«
»Gut. Kommen Sie in mein Büro.« Er gab mir eine Adresse in der Wardour Street, die ich neben seine Büro-Telefonnummer in Wandas Buch notierte. Ich würde es nicht fortwerfen.
In dieser Nacht schlief ich in ihrem Bett. Es war nicht das erste Mal, aber das einzige andere Mal hatte ich nichts davon mitgekriegt. Die Laken dufteten nach Wanda. Es gefiel mir.
Ich war früh auf und wieder zurück zu Hause, um mich umzuziehen und Cat zu füttern. Anschließend ging ich zu einem Bestattungsinstitut. Das war eine der gräßlichsten Erfahrungen meines Lebens. Der Chef war schon okay, ein junger Bursche in schwarzem Anzug, weißem Hemd, schwarzer Krawatte und schwarzen Schuhen. Ich erklärte, was passiert war. Er sagte, es würde höchstwahrscheinlich zwei oder drei Tage dauern, bis die Sterbeurkunde ausgestellt würde. Wegen der Obduktion und allem. Ich bat ihn, sich um alles zu kümmern. Ich mußte nur den Sarg aussuchen. Er zeigte mir einen Katalog mit Farbfotos von Särgen. Ich entschied mich für den teuersten. Das war das Wenigste, was ich tun konnte. Ich gab ihm meine Kreditkarte, er füllte den Leistungsbeleg aus, ich unterschrieb. Ich sagte ihm, was Wanda gewollt hatte. Er versicherte mir, er wür-

de sich um alles kümmern und daß ich ihn später noch einmal anrufen sollte. Ich bedankte mich und ging.
Um zehn vor eins erreichte ich John Rices Glas-und-Chrom-Büro, wo er irgendwas mit PR zu tun hatte. Wir gingen in einen Pub am Golden Square, wo wir einen kleinen Kampf um einen Ecktisch ausfochten und gewannen. Er ging ihr Adreßbuch durch und nannte die Leute, von denen er glaubte, daß sie zur Bestattung eingeladen werden sollten. Wir tranken ein paar Gläser, und auch wenn ich ihn für einen netten Burschen hielt und irgendwie mochte, schien er sich in meiner Gesellschaft nicht ganz wohl zu fühlen. Ich vermutete, daß wir uns noch einmal bei der Bestattung wiedersehen würde, und das war's dann. Ich verließ ihn, kehrte in Wandas Haus zurück und rief den Bestattungsunternehmer an. Er sagte, alles wäre bestens, und die Beisetzung würde in einer Woche auf dem Streatham Cemetery stattfinden. Ich mußte wieder an die Kellermans denken.
Ich telefonierte weiter und ging Wandas Adreßbuch von A – Z durch. Es war ganz sicher kein besonders angenehmer Job. Als ich mich die gleiche Geschichte zum zwanzigsten Mal wiederholen hörte und es auf eine merkwürdige Art beinahe zu genießen schien, genehmigte ich mir einen kräftigen Drink.
Gegen Abend hatte ich den größten Teil der Leute erreicht und ihnen Ort und Zeit der Bestattung mitgeteilt.

15

Als alles erledigt war, rief ich Fiona an. Nach dem Abend, an dem sie die Fotos gefunden hatte und einfach gegangen war, hatte ich sie weder gesehen noch gesprochen, auch wenn ich dauernd an sie denken mußte. Besonders, als Wanda gestorben war. »Hi«, sagte ich, als sie sich meldete.
»Selber Hi.« Sie klang, als hätte sie mich nicht weiter vermißt. Ich hatte sie vermißt. Bei ihrem Tonfall fühlte ich mich gleich noch mieser, falls das überhaupt möglich war. Ich wußte, daß es an der Zeit war, entweder noch mal von vorn anzufangen oder die ganze Sache endgültig abzuschließen.
»Wanda ist tot«, sagte ich.
»Wer?«

»Wanda. Die Frau, die sich immer um meine Katzen gekümmert hat.«

»Oh, Nick, das tut mir leid. Was ist passiert?«

»Sie ist krank gewesen, sehr krank. Ich weiß nicht. Sie hatte eine Operation. Das hat sie umgebracht.«

»Es tut mir aufrichtig leid«, sagte sie. Ihre Stimme hatte sich verändert. Sie war jetzt wärmer und sanfter und klang mehr nach der Fiona, die ich kannte.

»Ja, mir auch. Und ich habe den Fall aufgegeben, an dem ich gearbeitet habe.«

»Wirklich?«

»Wirklich.«

»Gut. Diese Bilder waren schrecklich. Sie haben mir Angst gemacht.«

»Mir auch«, sagte ich. »Das ist einer der Gründe, warum ich aufgehört habe.«

»Und die anderen?«

»Weil du an diesem Abend einfach gegangen bist.«

»Ebenfalls gut«, sagte sie. Und ich war froh darüber.

»Was machst du gerade?«

»Nichts«, sagte sie.

»Willst du irgendwas machen?«

»Was?«

»Vielleicht irgendwohin auf einen Drink?«

»Klar, warum nicht?«

»Jetzt?«

»Klingt gut.«

»Ich bin in einer halben Stunde bei dir«, sagte ich.

»Ich warte auf dich.«

Und das tat sie. Ich fuhr zu ihrem Wohnblock im The Oval und nahm den Lift in den siebenundzwanzigsten Stock. Sie öffnete mir die Sicherheitsschlösser und Ketten. Sie sah wunderschön aus. Sie trug eine alte Levis, mit einem Flicken auf dem einen und einem Loch auf dem anderen Knie. Durch das Loch sah ich, daß sie darunter eine schwarze Strumpfhose anhatte. Zu den Jeans trug sie ein pinkfarbenes Levis Hemd und schwarze Boots mit Blockabsätzen.

»Du siehst gut aus«, sagte ich.

»Ich fühle mich auch gut«, antwortete sie. »Aber du siehst ziemlich fertig aus.«

»Beerdigungen für Freunde zu organisieren macht einen auch fertig.«
»Wann ist es passiert?«
Ich sagte es ihr.
»Wann ist die Beisetzung?«
Auch das sagte ich ihr.
Sie nahm mich in die Arme, und es war ein Gefühl, wie nach Hause zu kommen. »Du hättest früher anrufen sollen.«
»Ich dachte, wir kämen in Moment nicht so gut miteinander klar.«
Sie küßte mich leidenschaftlicher, als sie es seit langer Zeit getan hatte. »Sei nicht blöd.«
»Schön, dich zu sehen.«
»Finde ich auch. Willst du ausgehen?«
»Nicht unbedingt. Du?«
»Nein. Hier gibt's auch was zu trinken, und dann habe ich auch noch fast eine ganze Ofenpizza von gestern abend. Mit ganz viel Extras.«
»Klingt, als hättest du's dir gutgehen lassen. Hast du auch was zum Anturnen?«
»Ein kleines Stück Schwarzen Afghanen.«
»Wie steht's mit heißem Wasser?«
»Es kocht, und zwar jede Menge davon.«
»Darf ich baden?«
»Klar.«
»Kommst du mit und redest mit mir?«
»Natürlich. Du läßt schon mal das Wasser einlaufen. Ich drehe uns einen Joint und mixe ein paar Margaritas, dann bin ich sofort bei dir.«
»Dreh zwei Joints und mix eine ganze Kanne.«
»So ein Tag ist das also?«
»So ein Leben.«
Sie lächelte. »Ich seife dir sogar den Rücken ein.«
»Abgemacht«, sagte ich.
Ich ging nach oben ins Bad. Es war warm und duftete nach Fiona. Es war sehr geräumig, hatte eine große Wanne, eine Toilette und ein Waschbecken. Im Wäscheschrank fand ich ein sauberes Badetuch, das ich zum Anwärmen vor die Heizung hing. Ich spritzte eine ordentliche Ladung *Badedas* in die Wanne und drehte beide Hähne voll auf. Das Wasser in Fionas Block war

erstaunlich heiß. Rund um die Uhr, und wurde nie knapp. Abgesehen von der Aussicht war das der große Pluspunkt dieser Wohnung. Der Schaum türmte sich, während ich mich auszog und meine Kleider an die Rückseite der Tür hängte. Ich fühlte die Wassertemperatur. Genau richtig. Ich drehte den Kaltwasserhahn ab und trat in die Wanne. Das heiße Wasser ließ ich weiterlaufen, bis es fast den Überlauf erreichte, und ich die Hitze kaum noch ertragen konnte. Ich drehte den Hahn ab und ließ mich in das hellgelbe Wasser sinken. Es war himmlisch. Ich spürte, wie meine vom Streß verspannten Muskeln allmählich locker wurden.

Ein paar Minuten später kam Fiona. Es war dunstig und gemütlich im Bad. Sie trug ein Tablett mit einer Kanne Margeritas, zwei langstieligen Cocktail-Gläsern mit Salzrand, zwei Joints, einem Aschenbecher und einer Schachtel Streichhölzer. Das Tablett stellte sie auf den Boden, setzte sich dann auf die geschlossene Klobrille, zog die Schuhe aus, wackelte mit den Zehen und schenkte zwei Drinks ein, die die gleiche Farbe wie das Badewasser hatten. Ich durfte das nicht durcheinanderbringen. Sie reichte mir ein Glas. Die Flüssigkeit war eiskalt und schmeckte intensiv nach Limone. Ich spürte, wie mir der Schweiß auf die Stirn trat.

»Gibst du mir bitte ein Handtuch?« sagte ich.

Was sie tat. Ich balancierte das Glas auf dem Badewannenrand, trocknete Gesicht und Hände mit dem dicken, warmen Frottee ab. »Gib uns Feuer, Babe«, sagte ich.

Sie klemmte einen der Joints zwischen ihre Lippen, riß ein Streichholz an und hielt es an das andere Ende. Sie inhalierte und hielt den Rauch fünf Herzschläge in den Lungen, dann stieß sie ihn in zwei Zwillingsfäden aus der Nase wieder aus. »Scheiße«, sagte sie mit spröder Stimme und gab den Joint weiter. »Beschissen starkes Zeug.«

»Genau wie der andere Stoff«, sagte ich und nahm einen tiefen Zug an dem Joint. Sie hatte recht. Es schnitt in meine Kehle und in die Lungen. Das Zeug kam wie ein Keulenschlag, und ich ließ mich tiefer ins Wasser gleiten, bis es unter meinem Kinn plätscherte. »Toll«, sagte ich. Ich kam wieder hoch und nahm noch einen Zug, gab Fiona den Joint zurück und nahm den Drink in die Hand. »Es ist schön, hier zu sein«, sagte ich.

»Es ist schön, dich zu sehen.«

Ich blieb über eine Stunde in der Wanne, füllte alle paar Minuten heißes Wasser nach. Wir redeten über Gott und die Welt, nur nicht über Wanda. Während wir sprachen, flocht Fiona ihre Haare zu einem dicken Zopf und steckte ihn hoch.
Als wir beide Joints geraucht und die Kanne Cocktails getrunken hatten, war ich hin und weg. Ich sah sie durch den dunstigen Raum an. »Willst du reinkommen?«
»Ich dachte schon, du würdest nie mehr fragen«, sagte sie, stand auf und zog mit beiden Händen die Druckknöpfe ihres Hemdes auf. Darunter trug sie einen winzigen, weißen BH. Sie griff hinter sich, öffnete den Verschluß und streifte ihn ab. Ihre Brüste wirkten fest wie Tennisbälle, und ich sah, wie ihre Brustwarzen steif und größer wurden. Sie knöpfte die Jeans auf und schob sie zusammen mit der Strumpfhose und dem weißen Slip in einer fließenden Bewegung über die Hüften und stand nackt vor mir. Ihre Haut war weiß und glatt, und das Dreieck ihres Schamhaares dicht und schwarz und sah zwischen den Beinen ölig aus. »Sieht so aus, als bekäme ich das Ende mit den Wasserhähnen«, sagte sie.
»Sieht so aus.«
»Ich kriege Dellen in den Rücken.«
»Macht sich bestimmt gut.«
Sie betrachtete sich in dem großen Spiegel hinter der Tür. »Findest du, ich werde langsam fett?«
Eine gefährliche Frage von jeder Frau. Doppelt gefährlich aus dem Mund eines Models. Fiona war noch nie mager gewesen, aber ihr Fleisch war anders als das der meisten Menschen. Es war weich, und doch fest, so als befände sich eine Schicht Gummi zwischen der Haut und dem darunterliegenden Gewebe. Aber was auch immer ich jetzt sagte, ich wußte, daß ich über ein potentielles Minenfeld wanderte, besonders wenn ich so von der Rolle war, daß ich schon Schwierigkeiten hatte, die einfachsten Worte herauszubringen. »Nein«, sagte ich.
»Bist du sicher?« Sie packte eine Pobacke und drückte zu. »Ist das hier Orangenhaut?« fragte sie.
Jetzt bewegten wir uns auf wirklich gefährlichem Boden. »Nein«, antwortete ich.
»Dreckiger Lügner!«
Verstehen Sie, was ich meine? »Du wirst nicht dick, Fiona, aber du machst mich wahnsinnig an, wenn du da so posierst.«

Sie turnte es auch an, und es gefiel ihr, daß ich es sagte.
Sie kam zur Wanne, faltete ein Handtuch und legte es über die Wasserhähne. »Du bist kein echter Gentleman«, sagte sie.
»Und werde es mit jeder weiteren Minute weniger.«
Sie rümpfte die Nase, trat in die Wanne und ließ sich mir gegenüber hineingleiten, schob ihre Beine an mir vorbei. Ich hielt ihre Schenkel in den Händen. Sie fühlte sich so gut an. Ihre Brüste schwebten auf dem Wasser, und ich griff nach oben und berührte eine. »Du bist schön«, sagte ich.
Sie schob eine Hand zwischen meine Beine. »Und ich glaube, du hast hier drinnen mit einem U-Boot gespielt. Ich habe gerade das Periskop gefunden.« Sie kniete sich hin und verursachte dabei eine Welle im Badewasser, die über die Seite der Wanne schwappte, und küßte mich. Dann hob sie meinen Schwanz und setzte sich darauf. Wir schnappten beide nach Luft, als sie über mich glitt. »Heiß«, sagte sie.
Ich nickte, und sie bewegte sich sanft auf und ab, versuchte, nicht zuviel Wasser überschwappen zu lassen, bis sie mit einem kleinen Schrei kam. Ihr Gesicht und ihre Brüste waren leuchtend rot, und der Schweiß hatte ihren Pony auf ihre Stirn geklebt. Sie zog sich von mir zurück und setzte sich wieder ins Wasser. »Nett«, sagte sie. »Du darfst jetzt gehen.«
Ich legte mich zurück und wünschte, wir hätten noch eine Kanne Margeritas.

Später im Bett ließ sie *mich* nach oben, und danach aßen wir kalte, fettige Pizza und teilten uns eine Flasche *Bud*. Dann machten wir es noch mal. Es war schon lange her. Als wir fertig waren, legten wir uns zurück und rauchten zusammen eine Zigarette.
»Willst du einen Tee?« fragte sie.
»Gern.«
»Ich setze den Kessel auf.« Das war gar nicht ihre Art. Sie sprang aus dem Bett, streifte ihren Bademantel über und ging nach unten. Ich zog ein frisches T-Shirt und Boxershorts an, die ich mitgebracht hatte. Ich setzte mich auf und drehte den Fernseher lauter. Ich hatte vergessen, daß es als Spätfilm *The Italian Job* gab. Er hatte gerade erst angefangen. Das ist einer meiner absoluten Lieblingsfilme, und ich kenne größere Dialoge auswendig.

Matt Monro sang sich das Herz aus dem Leib, und Rossano Brazzi und sein Ferrari würden jeden Augenblick in einem Tunnel in den Alpen von einem Bulldozer zermalmt, als ich die Lautstärke korrigierte. »Setz deine Brille auf, Rossano«, sagte ich zum Bildschirm. Was er natürlich machte.

Dann fuhr er in den Tunnel, um eine Kurve und ... bammm!

»Schöne Scheiße, Babe«, sagte ich. »Eines Tages wirst du's noch lernen und den Flieger nehmen.«

»Du und dieser verdammte Film«, sagte Fiona, als sie mit zwei Porzellantassen Tee und einem Päckchen Keksen auf einem Tablett zurückkam. »Kriegst du ihn nie satt?«

»Bei manchen Filmen ist das eben so.«

»Ich will mit dir reden.«

»Reicht's, wenn ich einfach nur etwas leiser stelle?«

»Sharman!«

Ach, Himmel, jetzt geht's los, dachte ich. Der Augenblick ist gekommen, an dem ich für den Spaß bezahlen muß. Widerwillig machte ich den Fernseher leiser, als Noël Coward seinen ersten Auftritt hatte, und schenkte Fiona meine ungeteilte Aufmerksamkeit. »Was gibt's denn?« sagte ich und tunkte meinen Keks in den Tee.

»Ich gebe die Wohnung auf.«

»Was? Die hier?«

»Welche sonst.«

»Warum? Ich dachte, sie gefällt dir.«

»Tut sie ja auch. Aber ich kann mir jetzt eine eigene leisten.«

»Wo?«

»Ich habe an Guildford gedacht.«

»Guildford?« wiederholte ich. »Wieso ausgerechnet da?«

»Warum nicht?«

»Aus Guildford kommt nur eine einzige gute Sache«, sagte ich.

»Ich weiß. Die A3 nach London«, erwiderte sie. »Sehr witzig.«

»Okay, also Guildford«, sagte ich. »Warum auch nicht? Da unten gibt's ein paar sehr nette Immobilien.« Immobilien! Ich war immer noch halb stoned.

»Ja, die gibt's. Ich habe mich umgesehen.«

»Du hast nie eine Silbe davon erwähnt.«

»Ich sag's dir ja jetzt.«

»Klar tust du das.« Ich war überzeugt, daß dieser spezielle kleine Skorpion einen Stachel besaß, und ich hatte recht.

»Womit verdienst du deine Brötchen?« fragte sie.
»Ich ruhe mich auf meinen Lorbeeren aus.«
»Schaffst du nicht länger als eine Woche. Höchstens.«
»Sehr amüsant«, sagte ich.
»Womit du deine Brötchen verdienst, ist Scheiße.«
»So ist mein Job eben«, sagte ich. »Das hast du mir schon mal gesagt. Du erinnerst dich?«
Sie wollte nicht. »Ich möchte dir einen Vorschlag machen«, sagte sie.
»Was – noch einen Fick? Glaube nicht, daß ich schon wieder kann.«
»Halt den Mund, Sharman, und hör mir einfach zu, ja?« Ich linste über ihre Schulter. Michael Caine war mit ungefähr fünfzehn Frauen in einem Hotelzimmer. Alle trugen nur Unterwäsche. Das war eine meiner Lieblingsstellen in dem Film. Fiona sah, wohin ich schaute, drückte auf die Fernbedienung, und Michael und die Damen entschwanden in den Äther.
»Du wolltest gerade etwas sagen«, meinte ich und steckte mir eine *Silk Cut* an.
»Komm und arbeite mit mir.«
»Was?«
»Du hast es vielleicht noch nicht bemerkt, aber es läuft bei mir beruflich ganz gut. Sehr gut sogar. Man hat mir Filmaufnahmen angeboten.«
»Wann?«
»Letzte Woche. Stock, Aitken und Waterman.«
»Ist ja toll.«
»Und ich habe als Model mehr Angebote, als ich annehmen kann. Und dann die Schauspielerei. Vielleicht sogar ein Film. Ich werde schon bald ziemlich viel unterwegs sein, und ich brauche jemanden, der mich begleitet. Du könntest das machen.«
»Was machen?«
»Alles. Mein persönlicher Manager werden.«
»Wie zum Beispiel deine Dessous bügeln?«
»Dir gefallen meine Dessous doch.«
Und gebügelt hatte ich sie auch schon, als ich sie zusammen mit meinem Kram im Wäschekorb gefunden hatte. Ich bin berühmt für mein geschicktes Händchen mit Seide. »Zehn Prozent?« fragte ich.

»Was auch immer. Bist du interessiert?«
»Ich weiß nicht.«
»Hör zu, Sharman, versuchen wir's doch zur Abwechslung mal mit der Wahrheit. Du irrst herum wie jemand im Nebel. Du hast nichts vorzuweisen.«
»Ich habe die Wohnung und den Wagen.«
»Diese Wohnung hast du dir ausgesucht, weil sie die kleinste Wohnung auf der Welt war. Du hast nichts aus ihr gemacht. Sie war schon fix und fertig eingerichtet. Du hast nicht mal die Gardinen ausgesucht. Und dein Auto löst sich in seine Einzelteile auf. Du wirst auch nicht jünger, weißt du? Findest du nicht, daß du langsam zu alt wirst für diesen ganzen Scheiß? Wenn du nicht verdammt aufpaßt, endest du noch als Leiche in irgendeiner Gosse, und ich will verdammt sein, wenn ich diejenige bin, die dich im Leichenschauhaus identifizieren muß.«
Das war ein bißchen arg, angesichts der Sache mit Wanda und allem, aber ich verstand schon, worauf sie hinauswollte. »Und Guildford?« fragte ich.
»Wir könnten zusammen dort einziehen. Ich werde mich nicht mit zwei Zimmern oben, zwei unten begnügen. Ich brauche Platz zum Atmen.«
Und Pferde, dachte ich. »Klingt idyllisch.«
Sie suchte in meiner Stimme nach Sarkasmus. Konnte nichts finden und wartete. Ich meinte es wirklich. Es klang tatsächlich so. Für jemand anderen. »Kann ich drüber nachdenken?« fragte ich.
»Natürlich. Es wäre für uns beide eine ziemliche Umstellung. Aber ich brauche jemanden, der für mich arbeitet und dem ich vertrauen kann.« Jetzt hieß es schon »für mich«, nicht mehr »mit mir«. »Jemanden, der die Spesen nicht manipuliert und seine Hände bei sich behalten kann.«
»Das kann ich dir nicht versprechen.«
»Du weißt schon, was ich meine.«
Leider wußte ich es.
Sie gähnte. »Ich bin müde«, sagte sie, kam zu mir ins Bett, küßte mich und war praktisch sofort eingeschlafen. Ich habe schon immer Leute beneidet, die das können. Ich stand auf, öffnete die Vorhänge und rauchte eine letzte Zigarette, während ich auf die Lichter Londons weit unter mir starrte.
Es war ein guter Abend gewesen. Einer der letzten, die wir je

wieder zusammen haben würden. Es hatte noch erheblich mehr nicht gestimmt, als selbst mir klar gewesen war. Der Sex war gut gewesen, aber irgendwie hatte sich das nicht wie ein spontaner Beweis von Liebe und Zuneigung angefühlt, nicht mal wie der Versuch, mich über den Tod eines Freundes hinwegzutrösten. Es war mehr so was wie ein besonders schmackhafter Happen gewesen, den man einem Hund zuwarf, damit er Manieren lernte. Ein Happen, der genauso leicht vorenthalten werden konnte, wenn das Hündchen nicht spurte. Ich hatte das Gefühl, wenn ich einwilligte, dann wäre das nur der Anfang, und Fiona würde es als Beweis auffassen, daß ich auch in Zukunft leicht zu manipulieren war.

Außerdem wußte ich, daß ich nicht für eine Karriere im Showbusiness geschaffen war. Ich ging wieder ins Bett, schaltete den Fernseher an und sah noch den Schluß des Filmes. Ich habe immer schon behauptet, da steckt noch genug Stoff für eine Fortsetzung drin.

16

Es hat in meinem Leben schon bessere, und auch schlimmere Zeiten gegeben, aber nur selten war ich einsamer. Die Stunden schleppten sich dahin, als wären sie zu Eis erstarrt. Ich blieb soweit wie möglich in der Wohnung. Der Gedanke, wie billig Schrotpatronen waren, war dafür verantwortlich. In dieser Woche sah ich im Fernsehen eine Menge alter Filme. BBC 2 brachte eine Jack Lemmon-Retrospektive. Ich sah *Das Apartment* und *Days of Wine and Roses*. Großartige Filme, aber irgendwie fühlte ich mich danach nur noch einsamer.

Ich trank zuviel und zog los, um mir unter der Eisenbahnbrücke von Balham eine Unze Gras zu kaufen. Es war ein guter Deal. Jede Menge Blätter und nicht zu viele Stengel und Samen.

Ich saß vor dem offenen Fenster und ließ die sanfte Frühsommerbrise den Geruch des Dopes davontragen, während ich die Augen nach fremden Wagen aufhielt, die vielleicht draußen auf der Straße parkten.

Ich dachte auch eine Menge nach. Über das, was Robber gesagt hatte, den Fall weiter durchzuziehen. Aber ich traf keine klaren

Entscheidungen. Soweit es mich anging, war die Sache erledigt. Zur Zeit machte ich mir über andere Leute Sorgen.
Am Sonntag vor der Beerdigung saß ich in meiner Wohnung, trank eine Tasse Kaffee und las Zeitung. Fühlte mich komisch und nervös wie immer. Das Telefon klingelte. Es war Laura, meine Ex-Frau.
»Nick«, sagte sie. Ich erkannte ihre Stimme sofort. Manche Dinge vergißt man einfach nicht. Genau so hatte sie auch das Telefongespräch begonnen, als sie mir mitteilte, daß unsere Ehe am Ende wäre.
»Laura«, antwortete ich. Wie damals.
»Nick«, sagte sie wieder, »ich habe mich gefragt, ob du mir wohl einen Gefallen tun könntest?«
Soweit es mich betraf, hatte ich bereits alles getan, was ich für sie tun konnte, außer mir die Pulsadern aufzuschneiden. Vielleicht war das der Gefallen, um den sie mich jetzt bitten wollte.
»Was?« fragte ich.
»Nimm Judith ein paar Wochen zu dir. Louis und ich wollen verreisen.«
Judith ist meine zehnjährige Tochter. Louis ist Lauras neuer Mann. Er ist Zahnarzt. Sie haben zusammen einen kleinen Sohn.
»Wohin?« fragte ich. Es ging mich zwar nichts an, aber sie versuchte, mich herumzukriegen, daher verkniff sie sich eine entsprechende Bemerkung. Ausnahmsweise. »In der Schweiz ist ein Zahnärztekongreß. In Genf. Wir werden hinfahren. Und auf dem Rückweg möchten wir gern ein paar Tage in Frankreich bleiben. Bei einem von Louis' Verwandten.«
»Aha, ein Zahnärztekongreß in der Schweiz«, sagte ich. »Die Aufregung könnte dich umbringen.«
»Sei nicht so sarkastisch, Nick. Du weißt, daß ich das nicht mag.«
»Ich weiß, daß du eine Menge nicht magst«, erwiderte ich. »Aber es macht dir nichts aus, unsere Tochter zu mir abzuschieben, wenn es dir gerade in den Kram paßt.«
»Siehst du es so? Daß ich sie abschiebe?«
»Du weißt genau, daß ich es nicht so sehe. Wie die Dinge liegen, sehe ich Judith sowieso viel zu selten. Was machst du mit deinem Sohn?« Und wieder ging es mich nichts an, aber auch diesmal sagte sie nichts.

»Er bleibt bei Louis' Mutter. Mit Judith zusätzlich würde sie nicht fertig. Sie ist auch nicht mehr die Jüngste.«
Ist das überhaupt einer von uns? dachte ich. »Oder sie will nicht«, sagte ich.
Laura erwiderte nichts, was Antwort genug war. »Ich weiß nicht, ob das jetzt eine besonders gute Zeit ist«, sagte ich.
»Mal wieder typisch!« zischte sie. »Du beklagst dich dauernd, daß du sie nicht oft genug siehst, und wenn du die Möglichkeit hast, paßt es gerade nicht. Wann würde es denn passen? Was wäre denn eine gute Zeit?«
»Du verstehst nicht ...«
»Natürlich verstehe ich nicht. Ich habe dich ja nie verstanden, Nick, hab ich recht?«
Himmel, es gibt Dinge, die manche Leute *nie* vergessen.
»Laß uns nicht wieder damit anfangen, Laura«, sagte ich. »Wir sind nicht mehr verheiratet.«
»Gott sei Dank!«
Es ist schon komisch, sich vorzustellen, daß wir uns mal geliebt haben. Daß wir uns darauf gefreut haben, zusammen sein zu können. Daß wir im gleichen Bett geschlafen haben. Ich fragte mich flüchtig, wie sie heute wohl nackt aussah, und konnte es mir nicht vorstellen. »Was ist mit der Schule?« fragte ich.
»Eine Woche hat sie noch Ferien. Für die zweite Woche habe ich die Erlaubnis der Schulleiterin, daß sie nicht zu kommen braucht. Sie geben ihr Hausaufgaben mit, und ich möchte, daß du dafür sorgst, daß sie sie auch macht. Es ist eine gute Schule«, fügte sie herausfordernd hinzu.
Das war sie allerdings. Besser als alles, was ich mir selbst zu meinen besten Zeiten hätte leisten können. Was ein Witz war. Eine Privatschule mit Uniform wie in der Zeit vor dem Krieg. Aber sie war gut. Das konnte ich nicht bestreiten. »Und das reicht dir«, sagte ich. »Hausaufgaben?« Ich wußte, daß ich Judith niemals für eine Woche von der Schule genommen hätte.
»Sie ist sehr intelligent, Nick«, sagte Laura und überhörte den unausgesprochenen Tadel. »Fast schon zu intelligent.«
»Das hat sie von mir.«
»Das kannst du laut sagen! Du warst schon immer cleverer, als gut für dich war. Ich wünschte, es wäre bei ihr anders. Eines Tages wird sie stolpern und fallen. Das ist sie nicht gewohnt. Es wird sehr weh tun.«

»Dann werden wir eben dafür sorgen müssen, daß es nicht soweit kommt.«
»Das kann niemand, Nick.« Was die Wahrheit war, einen aber doch nicht davon abhalten kann, es zu versuchen. »Und?« fragte sie.
»Natürlich kann sie kommen.«
»Du bist ja *so* freundlich.« Jetzt war sie es, die sarkastisch war, aber ich erwähnte es nicht.
»Und wann reist ihr ab?« fragte ich. »Ich muß mich vorher noch um Verschiedenes kümmern.« Ich erzählte ihr nicht, um was.
»Diesen Samstag. Tut mir leid, daß es so kurzfristig ist, aber die Reise hat sich erst gestern ergeben.«
»Fein«, sagte ich. Was es auch war. Es würde mich von anderen Dingen ablenken.
»Gut. Dann werde ich sie und alles, was sie braucht, am Freitag nach der Schule zu dir bringen.«
»Ist sie jetzt da?« fragte ich.
»Nein, sie ist mit Louis unterwegs. Sie fahren am Wochenende immer auf Flohmärkte.«
»Wie vorstädtisch«, sagte ich. Laura ließ sich nicht ködern, obwohl ich ihr jede Gelegenheit gab. »Bitte sie doch, mich kurz anzurufen, ja?«
»Natürlich. Und, Nick, danke, das ist wirklich sehr nett von dir.« Ihre Stimme klang jetzt erheblich sanfter. Natürlich war sie das. Sie hatte ja schließlich ihren Willen bekommen.
»Gern geschehen.«
»Also dann, bye. Wir telefonieren bald wieder.«
»Bye«, antwortete ich und wartete, daß sie zuerst auflegte. Das habe ich schon immer gemacht.
Sie tat es. Und als sie es getan hatte, legte auch ich auf.

17

Wandas Beerdigung war sehr schlicht, genau wie sie es gewollt hatte. Ein kurzer Trauergottesdienst und dann die Einäscherung. Es waren eine Menge Leute da. Der einzige, den ich kannte, war John Rice. Gegen Wandas ausdrücklichen Wunsch brachten ein paar Leute Blumen mit. Ich eingeschlossen. Ich legte eine einzelne weiße Rose auf ihren Sarg. Um dem Leichenwagen zu folgen, hatte ich mir keine Limousine bestellt, weil ich nicht allein darin sitzen wollte. Ich folgte ihm in meinem schwarzen Jaguar, den ich gründlich gewaschen und gewienert hatte. Die Farbe der Weißwandreifen hatte ich auch aufgefrischt. Es muß ein bißchen komisch ausgesehen haben, aber ich glaube, Wanda hätte es verstanden.

Es war ein freudloses Ereignis an einem freudlosen Tag. Während der Nacht und am frühen Morgen hatte es geregnet, gegen Mittag aber aufgehört. Die Wolken hingen tief über Süd-London, und jeder Baum und jeder Grashalm auf dem Friedhof schien zu tropfen. Nach der Beerdigung hielt ich am Grab der Kellermans. Der Strauß Blumen, den ich gekauft hatte, stand immer noch da. Sie waren längst verwelkt. Das Grab begann ein wenig vernachlässigt auszusehen, so, als wäre außer mir seit Wochen kein Besucher mehr da gewesen. Ich blieb einen Moment, kehrte dann zum Auto zurück.

Ich kannte den Wirt eines nahegelegenen Pub und hatte mit ihm vereinbart, den oberen Gastraum zu öffnen, damit die Trauergäste auf Wanda trinken konnten. Fast jeder, der auf dem Friedhof gewesen war, kam auch auf einen Drink. Ich hatte keine Lust, den Gastgeber zu spielen, aber da ich alles organisiert hatte, geriet ich automatisch in diese Rolle.

Wanda hatte eine Menge Leute gekannt, und offensichtlich hatten sich viele von ihnen die Zeit genommen, sich von ihr zu verabschieden. Das hätte ihr bestimmt gefallen. Es war ein ziemlich bunt gemischter Haufen. Manche waren in Schwarz, aber viele trugen leuchtend bunte Farben, wodurch das ganze weniger wie eine Beerdigung, sondern vielmehr wie eine Party wirkte.

Der Raum, den ich im Pub gemietet hatte, war kalt, als ich dort eintraf. Ich legte eine Hand auf einen Radiator, und er war warm. Aber ob die Heizung gerade anging oder aus, konnte ich nicht erkennen.

Die hohen Wände des Raumes waren mit Velourssamt tapeziert, und der Teppichboden paßte dazu wie die Faust aufs Auge. Deckenhohe, kastanienbraune Samtvorhänge vor großen Fenstern. Man konnte den Friedhof sehen. Vor einer Wand befand sich eine auf Hochglanz polierte Holztheke. Dahinter ein halbes Dutzend Schnapsflaschen. Auf dieser Seite der Theke standen mehrere Tische mit jeweils vier Stühlen. An der gegenüberliegenden Wand waren Klappstühle aufgestapelt. In einer Ecke des Raumes stand ein abgedeckter Pool-Tisch, daneben ein Queue-Ständer. Der Raum hatte seine eigenen Toiletten. Zwei Türen. Auf jeder ein kleines Schild. Silbern, das eine mit einem in Schwarz hervorgehobenem Mann, das andere zeigte eine Frau.

Hinter der Theke standen zwei echte Frauen, beide in weißen Blusen und schwarzen Röcken. Die eine war jung, hatte dichtes, blondes Haar und ein ausdrucksloses Gesicht, dessen Kinnlade sich auf einem Kaugummi auf und ab, von links nach rechts bewegte. Die andere Frau war älter, schlanker und wirkte abgespannter. Ihre kupferfarbenen Locken waren ein paar Jahre zu jung für sie. Auf ihren Handrücken tauchten die ersten Altersflecken auf. Sie trug einen Ehering. Die jüngere nicht.

Ich schnappte mir Bob, dem der Laden gehörte, gab ihm meine *Access*-Karte und sagte, er solle einmal laut brüllen, falls es aussah, als würde die Rechnung fünfhundert Pfund übersteigen. Was zu diesem Zeitpunkt nicht sehr wahrscheinlich schien. Es gab *half pints* und kleine Schnäpse für alle. Die Stimmen waren gedämpft, und ich bat die ältere Frau hinter der Theke, eine Kassette einzulegen. Sie entschied sich für ein Album von Nat Cole. Die perfekte Musik für diesen Anlaß. Die Melodien waren alt und traurig, die Streichinstrumente satt, und seine Stimme klang nach gebrochenem Herzen und verlorenen Träumen, mariniert in samtweichem Likör. Ich bestellte mir einen sehr großen Wodka mit Orangensaft und viel Eis.

»Haben Sie ihr nahegestanden?« erkundigte sie sich, während sie mir den Drink mixte.

»Entschuldigen Sie?« sagte ich.

»Sie wissen schon, die Verstorbene.«

»Es hätte ihr bestimmt nicht gefallen, wenn Sie sie so nennen. Aber, ja, wir haben uns nahegestanden. Wenn auch wieder nicht so nahe, wie es hätte sein können.«

»So ist es oft, bis es zu spät ist.«

»Wie wahr.«

»Sie muß noch jung gewesen sein?«

»Um die vierzig.«

»Eine Schande ist das.«

»Das können Sie laut sagen.«
»Wir machen so was hier öfter. Wo wir so nah am Friedhof liegen«, sagte sie. »Einen Leichenschmaus, so nennt man das.«
»Ich weiß nicht«, meinte ich skeptisch. »Früher hat man doch so was Totenwache genannt, oder?«
»Eine Totenwache findet vor der Beerdigung statt. Wenn möglich mit Aufbahrung der Leiche in einem offenen Sarg.«
»Sie wissen eine Menge.«
»Ich bin Irin«, erklärte sie. »Wir sind berühmt für Totenwachen. Wir scheinen mehr Tote zu haben als andere.«
»Ja, das Gefühl kenne ich.«
»Tut mir leid«, sagte sie. »Natürlich kennen Sie es.« Sie wußte nicht mal die Hälfte. »Hinten stehen die Sandwiches«, wechselte sie schnell das Thema. »Sie geben Bescheid, wann wir servieren sollen, ja?«
»Ich denke, damit warten wir noch ein bißchen«, sagte ich. »Lassen wir die Leute erst ein paar Drinks nehmen. Ich melde mich dann bei Ihnen.«
»Ich bin hier.«
»Ich glaube, ich sollte wohl jetzt besser mit dem einen oder anderen ein paar Worte reden.«
»Viel Glück.«
»Danke.«
Ich nahm mein Glas und schlenderte die Theke entlang. Die erste, zu der ich kam, war eine kleine, dunkelhäutige Frau Mitte zwanzig. Sie trug eine große, runde Brille und dazu ein klassisches schwarzes Kostüm mit sehr kurzem Rock, hochhackigen Lackpumps und dunklen Strümpfen über sehr guten Beinen.
»Hallo«, begrüßte ich sie.
»Hallo«, erwiderte sie und lächelte mich an, wobei sie gleichmäßige, weiße Zähne aufblitzen ließ.
»Ich bin Sally.« Sie bot mir die Hand an.
»Nick Sharman«, stellte ich mich vor. Und schüttelte ihre Hand.
Sie sprach in Staccato-Sätzen, sehr schnell, so als hätte sie schon vor einer halben Stunde woanders sein müssen. »*Sie* haben also wegen der Beerdigung angerufen. Danke. Andernfalls hätte ich das mit Wanda nie erfahren. Freut mich wirklich sehr, Sie kennenzulernen. Auch wenn die Umstände angenehmer sein könnten. Ich hasse Beerdigungen, Sie auch? Ich kann immer noch

nicht glauben, daß es wirklich wahr ist. Sie wird mir sehr fehlen. Waren Sie ihr Lover?«

»Nein«, erwiderte ich. »Einfach nur ein Freund.«

»So was wie *einfach nur* ein Freund gibt es nicht. Echte Freunde sind sehr selten. Was sehen Sie tagsüber am liebsten im Fernsehen?«

Der plötzliche Themenwechsel überrumpelte mich. »*The Magic Rabbits* und *Invitation to Love*«, antwortete ich, ohne groß nachzudenken.

»Was für ein Zufall«, sagte sie. »Ich auch.«

Im gleichen Moment registrierten wir beide, daß ich immer noch ihre Hand hielt. »Sie sollten sie eigentlich irgendwann loslassen«, meinte sie, und dabei waren ihre Augen hinter der Brille groß und grün.

»Ach, ja? Ich muß aus der Übung sein.«

Ich ließ ihre Hand los. »Was trinken Sie?« fragte ich.

»Irish. Pur. Nichts zum Nachpülen.«

»Ein typisches Männergetränk.«

Sie lächelte, und zwei Grübchen tauchten auf. Auf jeder Wange eines. »Stimmt.«

»Wollen Sie noch einen?«

»Warum nicht?«

Bei der blonden Bardame bestellte ich ihr noch einen Whisky.

»Danke«, sagte sie und prostete mir zu, bevor sie einen Schluck trank.

»Kannten Sie Wanda schon lange?« fragte ich.

»Jahre. Wir haben uns immer mal wieder getroffen, zusammen Gin getrunken und uns an der Schulter der anderen ausgeheult. Meistens war ich's, die geheult hat. Ich habe so meine Probleme mit dem anderen Geschlecht.«

Höchstwahrscheinlich die, sich die Männer vom Leib zu halten, dachte ich, als ich sie anschaute. »Haben wir das nicht alle?« sagte ich.

»Hätte nicht gedacht, daß Sie bei Frauen viel Schwierigkeiten haben.«

»Sie würden staunen.«

Der Blick, den sie mir dann zuwarf, sagte, daß schon eine ganze Menge nötig war, um *sie* noch zum Staunen zu bringen. Das glaubte ich ihr gern.

»Was machen Sie so, Nick? Ich meine, beruflich.«

»Im Moment gar nichts.«
»Guter Job.«
»Ja, die Arbeitszeit ist nicht schlecht, aber die Bezahlung ziemlich mies. Und Sie?«
»Ich bin beim Fernsehen. In der PR bei *Thames.*«
»Na, *das* klingt aber wirklich nach einem guten Job.«
»Ist es auch. Dicke Spesen. Lange, ausgiebige Arbeitsessen. Schnelle Autos.«
»Wenn Sie wollen, können Sie mich gern mal zum Mittagessen einladen.«
»Geschäftlich oder privat?«
»Was auch immer.«
»Sie haben ja meine Nummer«, sagte sie. »Benutzen Sie sie. Dann können Sie mir alles über Ihre Schwierigkeiten mit Frauen erzählen.«
»Das werde ich. Allerdings müßte es dann schon ein längeres Mittagessen sein.«
Sie grinste breit und trank einen großen Schluck von ihrem Whisky. »Ich habe alle Zeit dieser Welt.«
»Hören Sie«, sagte ich, »ich hasse nichts mehr, als etwas zu trinken und gleich weiterzuhetzen, aber ich muß noch mit ein paar anderen Leuten sprechen.«
»Sie wollen mich verlassen?«
»Vorübergehend. Ich komme wieder.«
»Ich nehme Sie beim Wort.«
»Verlassen Sie sich drauf«, sagte ich, lächelte und ging zu John Rice. Bei der Trauerfeier hatten wir nur kurz ein paar Worte wechseln können. Im spärlichen Licht, das durch die Fenster der Kapelle fiel, hatte er blaß und abgespannt ausgesehen. Falls überhaupt möglich, dann sah er jetzt noch schlimmer aus. Er unterhielt sich mit einem untersetzten, rotgesichtigen Mann in einem schlechtsitzenden Anzug. Rice sah mich kommen und schaffte es, den Anflug eines Lächelns zustande zu bringen.
»Nick«, sagte er. »Freut mich, Sie zu sehen.«
»Wie geht's Ihnen, John?«
»Unter den gegebenen Umständen gar nicht mal so schlecht. Ich hätte wirklich nicht gedacht, daß es mir so an die Nieren gehen würde. Und Ihnen?«
»Bei mir ist's ungefähr genauso. Verdammt hart, sie zu verlieren.«

»Das können Sie laut sagen. Ich habe sie schon vor Jahren verloren. Was mir heute leid tut. Und das hier ist jetzt, als würde ich sie noch mal verlieren.« Wieder versuchte er ein Lächeln, doch diesmal ohne Erfolg. »Darf ich vorstellen, das hier ist Dermot«, sagte er.

Ich schüttelte dem stämmigen Mann die Hand. Sein Griff war fest und trocken. »Sehr traurig, das alles«, sagte er. »Eine echte Tragödie.« Er war Ire. Dem Akzent nach tippte ich auf den Süden.

Ich stimmte zu.

»Ich habe sie geliebt, wissen Sie«, sagte er, zog dann ein weißes Taschentuch aus der Brusttasche seiner Jacke und putzte sich geräuschvoll die Nase.

»Ich kenne keinen, der sie nicht geliebt hat«, sagte ich. »Kannten Sie sie schon lange?«

»Jahre. Wir haben uns in Dublin kennengelernt. John hatte geschäftlich mit meiner Firma zu tun. Wir stellen Bierflaschen her, können Sie sich so was vorstellen?«

Bei dem Bauch und der Gesichtsfarbe schon, ja.

»Er hat sie mitgebracht«, fuhr Dermot fort. »Sie hat diese Stadt erleuchtet wie eine Fackel. Wohin auch immer sie ging, erstrahlte alles.«

Ich nickte. »Ja, das habe ich selbst auch schon erlebt.«

Er schüttelte den Kopf und putzte sich wieder die Nase. »Als John mir erzählt hat, daß sie gestorben ist, habe ich mich in die nächste Maschine gesetzt und bin sofort rübergeflogen. Ich mußte mich einfach von ihr verabschieden.«

Ich wußte nicht, was ich sagen sollte. Also sagte ich nichts.

»Es waren viele Leute da«, meinte Rice. »In der Kapelle. Es gab nur noch Stehplätze. Wanda wäre begeistert gewesen.«

»Ja«, pflichtete ich ihm bei. »Ist Ihre ...?« Es war eine ungeschickte Frage.

Er sah mich an und verstand. »Meine Frau? Gott, nein. Ich glaube fast, sie hat mich nur gehen lassen, um sicher zu sein, daß Wanda auch wirklich tot ist.«

»So schlimm?« fragte ich.

»Schlimmer, falls das überhaupt möglich ist. Sie waren doch auch schon mal verheiratet, oder?«

Ich nickte. Ich hatte es bei unserer ersten Begegnung beiläufig erwähnt.

»Dann wissen Sie ja wahrscheinlich, was ich meine. Manchmal wünschte ich mir, ich wäre allein geblieben.«

Ich ließ es dabei bewenden. Ich hatte keine Lust, mich auf das Thema meiner Ex-Frau einzulassen. Mein Orangensaft hätte dabei gerinnen können.

»Ich mische mich noch etwas unter die Leute«, sagte ich. »Werde mit dem einen oder anderen ein paar Worte wechseln. Mich bedanken, daß sie gekommen sind. Auch wenn ich niemanden kenne.«

»Ich schon«, sagte Rice. »Brauchen Sie Hilfe? Es würde mich ein bißchen ablenken.«

»Sehr nett von Ihnen, John. Wenn es Ihnen nichts ausmacht.«

»Und vielen Dank, daß Sie das alles organisiert haben.«

»Ich hab's mir nicht ausgesucht. Sie haben den Brief gelesen, den sie hinterlassen hat.« Betreten standen wir da. Vielleicht dachte er in diesem Augenblick das gleiche wie ich: daß Wanda nicht ihn darum gebeten hatte. »Wir sehen uns später noch«, sagte ich.

Ich schlenderte durch den Raum, stellte mich Leuten vor, denen ich noch nie in meinem Leben begegnet war und die ich wahrscheinlich auch nie wiedersehen würde. Alle hatten sie ihre eigenen Geschichten über Wanda, und ich hörte jedem höflich zu. Ich sah, wie John Rice sich in der entgegengesetzten Richtung vorarbeitete. Gelegentlich unterbrach ich meinen Rundgang und kehrte zur Theke zurück.

In diesem Raum war ganz sicher eine interessante Mischung von Menschen versammelt. Ich hatte nicht alle eingeladen. John Rice mußte sein eigenes Adreßbuch durchgegangen und einige verständigt haben. Andere hatte die Neuigkeit von Leuten erfahren, denen ich es gesagt hatte, und waren einfach gekommen.

Irgendwann unterhielt ich mich mit Wandas Müllmann, dem Burschen, der ihr Bad eingebaut hatte, und mit einem Mann, der Sit-coms für die BBC schrieb. Die drei waren in eine hitzige Diskussion vertieft, ob Elvis nun wirklich tot war oder nicht. Der Müllmann war überzeugt, daß er zusammen mit Jim Morrison gesund und munter in einer Seitenstraße der Stockwell Road lebte.

Ich lernte auch Brian und David kennen – keine Nachnamen bitte –, denen in den Sechzigern ein Design Center in Notting

Hill gehörte, in dem Wanda vorübergehend gearbeitet hatte. Wie sie mir erzählten, besaßen sie heute eine gut laufende Import-Export-Firma in den Docklands.

Gegen fünf hatte sich die Trauergemeinde etwas gelichtet, und diejenigen, die noch blieben, machten auf mich den Eindruck echter Kampftrinker.

Ich winkte Bob zu mir und bestellte einen Drink. »Und, wie sieht's aus?« fragte ich.

»Deine fünfhundert sind schon eine Ewigkeit aufgebraucht«, sagte er, wobei er sich fast die Hände rieb. »Aber ein anderer Kerl« – er stellte sich auf die Zehenspitzen und schaute sich suchend um; »der da«, sagte er und zeigte auf John Rice – »hat seine American Express-Karte für weitere fünfhundert hinterlegt. Und sein Kumpel, dieser irische Bursche, hat mir ein paar Hunderter in bar gegeben. Also, kein Problem hier. Und wenn das Geld auch weg ist, können die Leute selbst bezahlen.«

»Das hier gefällt dir, Bob, stimmt's?«

»Es ist mein Geschäft, Nick. Man muß sehen, wie man zurecht kommt. Das mit deiner Freundin tut mir leid, wirklich. Auch wenn ich die Lady nie persönlich kennengelernt habe. Ich sehe, daß es dich ziemlich mitnimmt. Aber das Leben geht weiter. Paß auf, die Sandwiches gehen auf meine Rechnung, und weil du's bist, kriegst du die Soft-Getränke zum Selbstkostenpreis. Ist doch fair, oder?« Er spreizte die Arme und forderte mich mit einem fragenden Gesichtsausdruck auf, ihm zu widersprechen.

Ich lachte. »Leg noch ein paar Schweinefleischpasteten drauf, und ich glaub's dir.«

»Abgemacht, mein Freund. Und dieser Drink geht auf deinen alten Kumpel Bob. Sag nie, ich würde dir nicht entgegenkommen. Trink auf das Wohl deiner Freundin im Himmel.« Er schenkte einen dreifachen Wodka ein, fügte Eis und Orangensaft zu und schob ihn mir über die Theke zu. Ich bedankte mich, nahm das Glas und schaute mich wieder um. Der ganze Raum schwirrte von Stimmen. Nat Cole sang schon lange nicht mehr, und die Leute brüllten, um sich gegen Madonnas *Greatest Hits* Gehör zu verschaffen.

Während ich mich noch umschaute, wurde die Tür des Raumes geöffnet, und das Gesicht einer jungen Frau, gekrönt von sehr langem, sehr blondem Haar, tauchte in dem Spalt auf. Es war

ein ungewöhnliches Gesicht. Nicht gerade mein Schönheitsideal, aber trotzdem sehr attraktiv. Und die Haare waren einfach eine Wucht.
Sie drückte die Tür ganz auf und kam herein. Sie sah aus wie neunzehn, aber ich vermutete, daß sie älter war. Sie trug einen langen, schwarzen Mantel und schwarze Handschuhe, wodurch ihre Haare noch blonder wirkten. Sie blieb in der Tür stehen, unsere Blicke begegneten sich, ich lächelte und nickte ihr zu. Sie kam herüber. Sie hatte einen großen, feuchten Erdbeermund. Die Farbe ihres feuerroten Lippenstiftes stand in alarmierendem Kontrast zu ihrer Haarfarbe. Aber bei ihr sah es einfach nur perfekt aus. Urplötzlich kam mir in den Sinn, wie es wohl sein würde, diesen Mund zu küssen. Von ihm verschlungen und aufgesaugt zu werden. »Hallo«, sagte ich, als sie nahe genug war.
»Ein ekelhaftes Zucken haben Sie da«, sagte sie. »Ist das erblich?«
Oh, oh, dachte ich. Eine von der Sorte.
»Nein«, antwortete ich.
»Ich suche jemanden namens Nick Sharman«, sagte sie. Ihre Stimme war rauchig und tief, und ich war fasziniert, wie ihr Mund sich bewegte, während sie sprach.
»Sie haben ihn gefunden.«
Sie legte eine Hand auf meinen Arm. Der Druck war nur ganz leicht, trotzdem spürte ich ihn am ganzen Körper. Ihre Fingernägel waren blutrot lackiert. »Dann sind Sie also Nick«, sagte sie. »Wanda hat gesagt, Sie wären ein süßer Typ.«
»Hat sie?«
Sie trat ein wenig näher, und ihre Finger glitten wie eine Horde kleiner roter Küchenschaben den Ärmel meiner Jacke hinauf. »Klar hat sie. Ich glaube, sie hat auf Sie gestanden.« Und bei dieser Vorstellung mußte sie rauh lachen.
»Ist das wahr?«
»Aber sie hat auch gesagt, Sie wären ein bißchen prüde.«
»Bei was?« fragte ich. »Prüde? Ich?«
»Genau das hat sie gesagt. Und auch, daß man Sie leicht aufziehen kann.« Sie lachte laut. »Ich glaube, Sie hatte recht.«
Ich ließ ihr den Spaß. »Warum suchen Sie mich?« fragte ich dann.
»Weil Sie eine Nachricht auf meinem Anrufbeantworter hinter-

lassen haben. Mein Name ist Juanita O'Caine. Ich bin erst heute morgen aus Paris zurückgekommen. Ich hatte ja keine Ahnung, was mit Wanda los war. Ich wußte nicht mal, daß sie überhaupt krank war. Ich habe sie schon eine Ewigkeit nicht mehr gesehen.« Sie klang schuldbewußt.

»Ja, ich auch nicht«, sagte ich, damit sie sich ein wenig besser fühlte. »Sie hat keinem Menschen etwas erzählt.«

»Als ich die Nachricht erhielt, bin ich so schnell wie möglich hergekommen. Tut mir leid, daß ich die Trauerfeier verpaßt habe.«

»Ach, so toll war das auch wieder nicht ...«

»Das sind Beerdigungen selten.«

»Was haben Sie gemacht?« Ich wechselte das Thema.

»Wo?«

»In Paris.«

»Geschäfte. Ich bin in der Verlagsbranche.«

»Bücher?«

»Das ist so üblich. Schon seit Caxton, glaube ich.«

»Sind Sie immer so sarkastisch?« fragte ich. Es machte mir nichts aus. Ich wollte es einfach nur wissen.

»Nein. Heute zeige ich mich von meiner besten Seite. Wieso? Haben Sie Probleme damit?«

Es hätte ihr gefallen, wenn es so gewesen wäre.

»Nicht im geringsten.«

»Gut«, sagte sie und schürzte dabei ungeheuer attraktiv die Lippen. »Sie müssen Geschmack haben.« Sie schaute unter langen Wimpern zu mir auf, und ihre Augen hatten die Farbe von Kornblumen. »Außerdem haben Sie wahrscheinlich auch eine Freundin, nehme ich doch an?«

»Nicht, daß Sie was davon merken würden.«

»Ich bin sicher, daß Sie nur bescheiden sind, Nick. So, ist diese Party hier schon trocken oder besteht die Gefahr, daß ich noch einen Drink kriege, bevor der Pub schließt?«

»Was darf's denn sein?«

»Gin Tonic, bitte. Einen großen. Mit Eis und Limone.«

Ich bestellte ihren Drink. Sie schaute sich um. Ich beobachtete sie. Ich brachte ihr das Glas und erkundigte mich nach dem Namen des Verlages, für den sie arbeitete. Sie nannte ihn mir. Es war eine alteingesessene Firma mit Büros in Bloomsbury. Wir plauderten noch ein paar Minuten, ohne viel zu sagen. Schließ-

lich fragte sie: »Kennen Sie all diese Leute hier?« wobei sie mit ihrem Blick den ganzen Raum umfaßte.
»Nein, eigentlich nicht«, erwiderte ich. »Ich meine, einigen habe ich Hallo gesagt. Wandas Ex habe ich letzte Woche kennengelernt. Er ist mein ältester Bekannter in diesem Raum.«
»Ich habe auch nie einen ihrer Freunde kennengelernt«, sagte Juanita. »Ich glaube, sie hat ihre verschiedenen Lebensbereiche ziemlich gut voneinander getrennt halten können.«
»Woher kennen *Sie* sie denn?« fragte ich.
»Aus einem Restaurant. Ich hatte einen Streit mit einem Ex. Zum damaligen Zeitpunkt war er's noch nicht. Sie kennen so was. All dieses Gezische und laute Getuschel.« Ich nickte. Ich kannte es nur zu gut. »Sie saß mit irgendeinem Typ am Nachbartisch. Wir kamen ins Gespräch. Nach dem Streit war das eine Wohltat, das kann ich Ihnen sagen. Wir sind zusammen auf die Toilette gegangen und nicht mehr zurück an unsere Tische. Am Ende sind wir dann in irgendeinem Club gelandet, wo uns ein Scheich Champagner spendiert hat.«
»Klingt gut.«
»War's auch. Dann hat er von uns erwartet, daß wir mit in sein Hotel gingen. Sie wissen, was ich meine?«
»Ich kann's mir vorstellen.«
»Also haben wir den gleichen Trick wieder abgezogen. Das wurde so was wie unsere feste Nummer für Parties.«
»Wann war das?«
»Ach, vor ein paar Jahren. Wir haben uns von Zeit zu Zeit immer mal wieder getroffen.« Sie unterbrach sich. »Tja, jetzt werden wir das leider nicht mehr können.« Wieder unterbrach sie sich. »Und wie haben Sie sie kennengelernt?«
»Ich war Bulle. Bei ihr wurde eingebrochen. Wir sind vorbeigefahren.«
»Wir?«
»Ein anderer Polizist und ich. Sie hat uns sturzbesoffen gemacht. Ich bin mit ihr in Verbindung geblieben. Ich wußte immer, wo man eine streunende Katze unterbringen konnte.«
»Die Katzen«, sagte sie. »Was ist aus ihnen geworden?«
»Denen geht's gut«, antwortete ich und wurde urplötzlich sentimental. So erwischt es einen: Man vermißt Menschen, wenn man es am wenigsten erwartet. Ich entschuldigte mich und ging auf die Toilette. David und Brian, die Unternehmer aus den

Docklands, waren auch dort. David zog eine Linie Koks auf der Ablage über dem Waschbecken. Import-Export, dachte ich. Nichts ändert sich. Er schaute auf, als ich hereinkam.

»Hallo, Nick«, sagte er. »Kommen Sie, nehmen Sie auch eine Nase.«

»Taugt der Stoff was?« fragte ich.

»Es ist der beste. Direkt aus der bolivianischen Diplomatenpost.«

»Was Besseres gibt's einfach nicht.«

Er gab mir einen zusammengerollten Zwanziger. Ich beugte mich vor und nahm eine Ladung. Einen Augenblick glaubte ich, mir würde der Kopf explodieren.

»Hab's Ihnen ja gesagt«, meinte er.

Als ich in den Raum zurückkehrte, hatte ich ungefähr achtzig Mäuse durch die Nase gezogen und spürte keinen Schmerz mehr. Mein Drink war verschwunden, also ging ich zur Theke und bestellte mir einen neuen. Plötzlich zupfte mich jemand am Ärmel. Ich drehte mich um und sah Sally. Sie hielt einen Tumbler in der Hand, der zu zwei Dritteln mit etwas gefüllt war, das wie guter irischer Whisky aussah. »Sie haben mich einfach allein gelassen«, sagte sie vorwurfsvoll.

»Ich bin ein Schuft«, antwortete ich. »Was kann ich tun, um wieder ein paar Pluspunkte zu sammeln?« Das Dope und der Alkohol hatten sich zusammengetan, um mich in eine dieser Stimmungen zu versetzen.

»Sie sind vergnügt.«

»Dafür sind Beerdigungen doch da, oder?«

»Ist das Ihre Freundin?«

»Wer?«

»Die Blondine mit den wunderbaren Haaren.«

»Nein. Nur jemand, dem ich zufällig über den Weg gelaufen bin – wie Schiffe, die nachts ineinander donnern.«

Sie lachte. »Sie sind stoned.«

Ich legte eine Hand auf mein Herz. »Sie haben recht.«

»Sie ist sehr attraktiv«, sagte Sally.

»Sie hat eine spitze Zunge.«

»Ich auch.« Und zur Illustration steckte sie ihre lasziv ins Glas. Ich verstand, was sie meinte. »Finden Sie, ich sollte mir Kontaktlinsen besorgen?« wechselte sie wieder das Thema.

»Warum?«

»Männer machen nie Annäherungsversuche.«
»In Ihrem Fall bezweifle ich das aber stark.«
»Ist das jetzt ein Annäherungsversuch?«
»Wenn Sie so wollen.«
»Ich will. Aber nicht heute abend. Ich habe noch eine Verabredung.«
»Mit wem?«
»Mit dem da drüben. Mit dem großen.«
Ich drehte mich um und sah einen gutaussehenden Burschen in einem dunklen Anzug, der sich im Rhythmus der Musik bewegte und dabei einen Drink über seinen Handrücken schwappen ließ.
»Er ist Psychiater«, sagte sie.
»Er ist sehr betrunken«, sagte ich.
»Ich weiß. Das werde ich schamlos ausnutzen.«
»Privat oder beruflich?« erkundigte ich mich. »Körperlich oder geistig?«
»Rein körperlich«, erwiderte sie trocken. »Aber man kann ja nie wissen, vielleicht springt für mich auch noch eine kostenlose Sitzung dabei raus. Haben Sie eine Vorstellung, wieviel die Shrinks heutzutage ihren Patienten abknöpfen?«
»Meinen habe ich immer auf Krankenschein gekriegt«, sagte ich. »Wo gehen Sie hin?«
»Zu Freud.«
»Ist das Ihr Ernst?«
»Ich war noch nie ernster. Sehen Sie, ich schnappe mir jetzt den Typ, bevor er noch umkippt. Rufen Sie mich bald mal an.«
»Das werde ich, Sally. Versprochen.«
Sie winkte mir noch einmal kurz zu, schnitt unter ihrer Brille eine verführerische kleine Grimasse, rauschte von dannen und krallte sich ihren Shrink. Ich sah den beiden nach, wie sie, sich gegenseitig stützend, aus dem Raum schwankten. Es wurde langsam heiß hier. Ich lockerte meine Krawatte und folgte ihnen nach draußen. Ich hielt mich links, abseits von der Treppe und der Richtung, in die sie verschwunden waren, ging den Flur hinunter zu dem Notausgang, der auf das Flachdach über der Saloon Bar des Pubs führte. Die Tür war nur angelehnt. Ich drückte sie vorsichtig auf. Juanita O'Caine stand auf dem Dach und schaute über die Lichter Londons hinaus, die sich zum Fluß hin erstreckten.

»Hallo«, sagte ich leise.
Sie wirbelte herum. »Schleichen Sie sich immer so an?« Ein wütender Unterton schwang in ihrer Stimme mit.
»Vielleicht hat im Flur jemand die wahre Liebe gefunden. Ich wollte nicht stören.«
»Gibt es so was wie die wahre Liebe überhaupt?« fragte sie bitter.
»Mich dürfen Sie nicht fragen. Ich bin da kein Experte.«
»Nicht? Sie scheinen mit dieser Brillenschlange da drin doch wunderbar klargekommen zu sein.«
»Komisch«, sagte ich. »Sie hat fast genau das gleiche über Sie und mich gesagt.«
»Was weiß die schon?« sagte sie verächtlich.
»Sie ist mit einem Shrink abgezogen«, sagte ich.
»Ja, auf mich hat sie auch den Eindruck gemacht, als hätte sie sich den Kopf untersuchen lassen wollen, so wie die an Ihnen geklebt hat.«
»Der Psychiater wird ihr schon den richtigen Weg zeigen«, sagte ich.
»Wohin? Ins Terrarium des Londoner Zoos?«
»Mecker, mecker, mecker«, sagte ich.
»Was wissen Sie schon?«
»Nichts. Deshalb bin ich heute abend ja auch allein.« Ich lehnte mich an die Brüstung des Daches und steckte mir eine Zigarette an. »Wollen Sie auch eine?« Sie nickte. Ich steckte ihr eine an. Genau wie in einem alten Film. Paul Henreid und Bette Davis. »Aber meine Tochter kommt mich bald besuchen.«
»Ja, Wanda hat mir erzählt, daß Sie Daddy sind.«
»Aber kein sehr guter, fürchte ich.«
»Beim nächsten Mal klappt's besser«, sagte sie, und traf damit mehr ins Schwarze, als mir gefiel.
»Sie sind vielleicht eine Nummer«, sagte ich. »Wissen Sie das? Eines Tages verpaßt Ihnen jemand eine Ohrfeige, daß Ihnen die Zähne nur so klappern.«
»Wer? Sie vielleicht?«
»Nein«, sagte ich. »Ich erkenne nur die Symptome.«
»Welche Symptome?«
»So von sich selbst die Schnauze voll zu haben, daß man jemand anderen verletzen muß, nur, damit man sich ein bißchen besser fühlt.«

Im schwachen Glühen der Stadt fixierte sie mich scharf. »Tut mir leid«, sagte sie dann. »Was ich über Ihre Tochter gesagt habe, war unmöglich.«

»Vergessen Sie's.«

»Holen Sie mir noch einen Drink? Ich will nicht mehr da rein.«

Von Norden wehte eine frische Brise, und ich roch, daß Regen in der Luft lag. Ich stand dicht genug neben ihr, um beinahe ihr Frösteln spüren zu können. »Aber hier wollen Sie doch sicher auch nicht bleiben«, sagte ich. »Es gibt noch einen Raum. Ich vermute, er wird offen sein.«

Ich hielt leicht ihren Arm, während ich sie einen kurzen Flur zu einem kleinen Raum hinunterführte, der für Konferenzen des örtlichen *Rotary Clubs* und ähnliche Veranstaltungen benutzt wurde. Ich drückte die Tür auf und knipste das Licht an. Das Mobiliar bestand aus einem großen Tisch und einem halben Dutzend Stühlen. »Warten Sie hier«, sagte ich. »Bin gleich wieder da«.

Ich ging zur Bar und bestellte einen Gin Tonic und einen Wodka Orange. Inzwischen wurde getanzt, und irgendwer hatte die Abdeckung des Pool-Tisches abgenommen. Dort war ein lebhaftes gemischtes Doppel um die nächsten Drinks im Gange. Neben einem umgestürzten Tisch lag der Müllmann in einer Lache verschütteter Drinks und Glasscherben. Er mußte von seinem Stuhl gerutscht sein und ihn dabei umgerissen haben. Kein Mensch kümmerte sich um ihn. Ich kontrollierte, ob er noch atmete, lockerte seine Krawatte und ließ ihn liegen. Vielleicht schlief er gern auf nassen Teppichen.

Ich holte die Drinks und ging wieder hinaus. Als ich in den kleinen Raum zurückkehrte, saß Juanita auf einem der Stühle und starrte ins Leere. »Nachschub«, sagte ich und stellte die Gläser auf den Tisch.

Sie schaute mit einem Gesichtsausdruck zu mir auf, der einem das Herz brechen konnte. »Sie halten mich für eine dumme Fotze, stimmt's?«

»Nein«, sagte ich.

»Es ist einfach nur, daß ich Schwierigkeiten habe, meine Gefühle auszudrücken. Wanda hat mich verstanden.«

»Sie hat eine Menge verstanden.«

»Ja, da haben Sie recht. Sie wird mir fehlen.«

»Mir auch.«

»Haben Sie noch eine Zigarette?« fragte sie.
»Klar.« Ich bot ihr eine *Silk Cut* an und nahm selbst auch eine. Als ich ihr Feuer gab, bemerkte ich im Licht der Flamme Spuren von Tränen auf ihrem Gesicht. Sie sah, daß ich es sah. »Kein hübscher Anblick«, sagte sie.
»Mir gefällt's.«
»Kommen Sie mir nicht mit dem alten Scheiß, Nick. Mir haben schon wahre Experten auf diesem Gebiet unsittliche Anträge gemacht.«
Zum zweiten Mal an diesem Tag wollte ich sie küssen. Ich wollte diesen Marmeladenmund schmecken und herausfinden, ob er wirklich so weich war, wie er aussah. Ich wollte an ihren Lippen knabbern, ihre Zähne ablecken und ihrem Atem atmen. Ich beugte mich vor und machte es einfach. Sie erwiderte meinen Kuß. Sie schmeckte, wie Blumen duften. Wir küßten uns ziemlich lange. Als wir aufhörten, war mir schwindlig, und das nicht nur wegen dem Koks und dem Alkohol. Sie nahm einen Zug von ihrer Zigarette. Der Rauch kringelte sich um ihr Gesicht und nahm die Farbe ihrer Haare an. Sie sah aus wie eine gottverdammte Göttin.
Ich setzte mich ihr gegenüber an den Tisch und trank einen Schluck. »Warum hast du aufgehört?« fragte sie.
Ich zuckte mit den Achseln.
»Prinzipien, Nick? Wanda hat gesagt, du würdest total auf Prinzipien abfahren.«
»Vielleicht«, sagte ich. »Oder vielleicht schleppe ich hier oben auch einfach nur zuviel Gepäck mit mir rum.« Ich tippte gegen meine Schläfe.
»Es war nett«, sagte sie. »Ein netter Augenblick an einem ansonsten miesen Tag. Meine Reise nach Paris war Scheiße. Nichts hat geklappt. Der Flug nach Hause war der reinste Alptraum. Auf meinem Anrufbeantworter dann die Nachricht, daß eine meiner besten Freundinnen tot ist. Und ich hab nicht mal gewußt, daß sie überhaupt krank war. Ich komme zu spät zur Beerdigung. Und jetzt will ein Mann mich nicht mehr küssen, von dem ich will, daß er mich küßt.«
Sie weinte und wurde von langen, tiefen Schluchzern geschüttelt. Ich ging zu ihr, zog einen Stuhl heran, setzte mich und nahm sie in die Arme. Um ehrlich zu sein: es war unbeholfen und unbequem. Aber es fühlte sich gut an. Ich küßte sie wieder.

Sie schmeckte nach Zigarettenqualm. Nach Zigarettenqualm und nassen Blumen. Eine Mischung, die süchtig macht. Versuchen Sie's mal irgendwann. Sie werden sehen. Ich berührte ihre Haare. Sie waren so fein und leicht, ich spürte sie kaum. Sie biß auf meine Lippe, und ich schmeckte Blut. Ich ließ eine Hand über ihren Körper gleiten. Ihre Brüste waren weich und gleichzeitig fest. Sie trug ein kurzes schwarzes Kleid und dunkle Strumpfhosen. Sie schleuderte ihre Schuhe fort. Ich ließ eine Hand die Innenseite ihrer Schenkel hinaufgleiten. Sie spreizte leicht die Beine. Sie fühlte sich da unten heiß und feucht an. Ich schob ihr Kleid bis zur Taille hoch, hakte meine Daumen hinter den elastischen Bund der Strumpfhose und zog. Sie hob sich ein Stück vom Stuhl, um mir zu helfen. Ich zog die Strumpfhose die Beine hinunter, und sie schüttelte sie schließlich ab.
Sie war eine echte Blondine.
»Was ist mit deinen Prinzipien?« fragte sie.
»Ich glaube, ich habe sie an der Tür abgegeben.«
»Mit deinem Gepäck?«
»Wahrscheinlich.«
»Und wieso bumst du mich dann nicht?« fragte sie. Also tat ich's. Auf der polierten Tischplatte in diesem engen, kleinen Raum. Es war toll und wurde noch erregender durch den Gedanken, daß jeden Augenblick jemand hereinkommen und uns entdecken konnte.
Danach trat ich einen Schritt zurück und sah sie an. Sie lag auf dem Tisch, ein nackter Fuß berührte leicht den Boden. »Das war nett, Nick«, sagte sie, ließ eine Hand in ihr Schamhaar gleiten und wickelte ein oder zwei Strähnen um ihre roten Fingernägel. Was mich fast wahnsinnig machte. Ich streckte die Hände aus, zog sie hoch und küßte sie wieder. Sie schlängelte sich aus meinen Armen. »Du bringst mich um meinen klaren Verstand, Nick. Normalerweise mache ich so was nicht.«
»Ich auch nicht«, sagte ich.
Sie raffte Strumpfhose und Slip vom Boden auf, stopfte alles in ihre Handtasche und schlüpfte mit nackten Füßen wieder in die Schuhe. »Ich glaube, ich fahre jetzt nach Hause.«
»Willst du, daß ich mitkomme?«
»Ich glaube kaum, daß der Typ, mit dem ich zusammenlebe, das besonders gut finden würde.« Sie grinste. »Ich glaube, Wanda hat sich geirrt. Ich halte dich überhaupt nicht für prüde.

Hör zu, ruf mich an. Wenn ich nicht da bin, hinterlaß eine Nachricht. Du weißt doch, wie man so was macht. Falls mein Freund sie nicht vor mir abhört, rufe ich dich sofort zurück.«
Sie warf mir einen Kuß zu und ging. Ich setzte mich, steckte mir eine Zigarette an und trank mein Glas aus. Es brannte an der Stelle, wo sie mich gebissen hatte. Wäre das nicht gewesen, hätte ich mich vielleicht gefragt, ob ich mir die ganze Sache nur eingebildet hatte.
Ich kehrte in die Bar zurück. Sie und ihr Mantel waren verschwunden. Ich besorgte mir einen neuen Drink und lief wieder dem Sit-com-Schreiber in die Arme. Wir diskutierten die aktuelle Verschwörungstheorie über den Mord an John Lennon im Zusammenhang mit den CIA-Aktivitäten in Mittelamerika Ende der siebziger und Anfang der achtziger Jahre. Der Kerl war besessen von toten Pop-Stars. Ich hörte seinem monotonen Gefasel zu und dachte an Juanita O'Caine.
Gegen Mitternacht ging ich schließlich. Ich konnte nicht mehr fahren und rief mir ein Taxi. Bob versprach, ein Auge auf meinen Wagen zu werfen. Ich sagte, ich käme am nächsten Morgen vorbei, um den Wagen und meine Kreditkarte abzuholen.

18

Mit einer Lage Schmirgelpapier zwischen den empfindlichen Geweben meines Gehirns und der Innenseite meines Schädels wachte ich auf. Wenigstens fühlte es sich jedesmal so an, wenn ich den Kopf bewegte. Außerdem besaß ich im Augenblick weder ein Auto noch eine Kreditkarte und hatte kaum mehr als zwei Pfund in der Tasche.
Ich stand auf und stellte mich unter die Dusche, bis ich mich wieder halbwegs wie ein Mensch fühlte, trocknete mich ab und rasierte mich. Wer auch immer der Bursche im Spiegel war, er erinnerte mich an jemanden, den ich mal gekannt hatte. Allerdings nicht besonders gut. Als ich aus dem Bad kam, stand Cat in der Küche auf der Spüle und sah aus, als wollte er Harakiri im Mülleimer begehen, sofern er nicht sofort was zu beißen bekam. Sobald er mich sah, ging das Gekreische los. Ich gab ihm zu fressen, bevor ich ihn noch erwürgte. Ich glaube nicht, daß

ich mich jemals an den Geruch von Katzenfutter am frühen Morgen gewöhnen werde.
Während er sein *Whiskas* mit Thunfisch verschlang, machte ich mir einen Tee und versuchte, langsam wieder in die Gänge zu kommen. Ich dachte an Juanita O'Caine, als ich den Teebeutel in meinen Becher tunkte. Jesus, ich hörte gar nicht mehr auf, an sie zu denken. Sehr schlechtes Zeichen. Sie war doch noch ein Kind. Halb so alt wie ich, mehr oder weniger. Ich war ihr nur einmal begegnet, und wir hatten mit besoffenem Kopf gebumst, und ich dachte an sie. Ich hasse das. Besonders, wo es auf der Hand lag, daß ich ihr absolut nichts bedeutete. Das hasse ich sogar noch mehr.
Ich wußte nicht, ob mich wegen Fiona das schlechte Gewissen plagte. Ich war nicht mal sicher, ob ich sie überhaupt betrogen hatte. Ich wußte nicht mal, ob man noch sagen konnte, daß wir beide ein Paar waren. Wo zieht man die Grenze? Vielleicht hatte ich einfach das Gefühl, daß ich mich selbst betrog. Himmel, aber manches hatte sich verändert. Während meiner Ehe war ich der größte Frauenheld der Welt. Ich fühlte mich betrogen, wenn ich nicht noch was nebenbei laufen hatte. Heute war ich eher Pussikatze als Pussi-Jäger.
Ich wollte nicht länger darüber nachdenken. Ich beschloß, meinen Wagen zu holen. Ich bestellte mir ein Taxi auf Kredit, das mich zum Pub fahren sollte. Ich gab dem Fahrer meine letzten beiden Pfund als Trinkgeld und versprach, das Geld später vorbeizubringen. Die Taxizentrale liegt direkt neben meinem Büro. Ich habe das schon früher gemacht.
Während der Fahrt wollte der Taxifahrer mit mir reden. Ich aber nicht mit ihm. Mir gingen andere Dinge durch den Kopf. Ich dachte über Wandas Bemerkung nach, daß ich den Kellerman-Fall aufgegeben hatte. Ich dachte daran, daß sie sich nicht aufgegeben hatte, bis ihr gar keine andere Wahl mehr blieb. Und wie tapfer sie selbst dann noch dagegen angekämpft hatte. Ich fühlte mich beschissen. Außerdem dachte ich an das vernachlässigte Grab der Kellermans und an die welken Blumen in der Vase. Dabei fühlte ich mich irgendwie noch schlechter. Vielleicht hatte Wanda recht gehabt. Vielleicht war ich ja wirklich die letzte Chance der Kellermans auf Frieden. Ich zitterte, und das nicht nur, weil ich einen fürchterlichen Kater hatte.
Ich dachte über Fionas Angebot nach, ihr Manager zu werden.

Nein, das war nicht ich, sehen wir der Sache nüchtern ins Auge. Auch wenn es sicher stimmte, daß der Job seine Vorzüge haben würde, war ich am besten bei dem, was ich am besten konnte. Wenigstens sagte ich mir das. Auch auf die Gefahr hin, daß ich sie verlieren würde, wenn ich wie bisher weitermachte. Ich fragte mich, wie das Leben wohl ohne sie wäre. Traurigerweise gelangte ich zu dem Schluß, daß es auch nicht soviel anders sein würde als jetzt. Ein ziemlich deprimierender Gedanke.

Ich hatte mehrere Male mit ihr gesprochen und sie einmal gesehen, seit sie das Angebot gemacht hatte. Sie war gut drauf gewesen. Und auch sehr sexy. Eben ganz sie selbst. Aber irgendwie wirkte es immer noch aufgesetzt. Ich hatte die Beerdigung als Vorwand benutzt, meine Entscheidung bezüglich des Jobs hinauszuzögern. Als ich ihr sagte, Judith würde für eine Weile zu mir kommen, war sie ganz aus dem Häuschen. Was mich irgendwie traurig machte – als ob dazu in letzter Zeit viel nötig wäre. Während der seltenen Besuche meiner Tochter waren Fiona und Judith sich einige Male begegnet und wunderbar miteinander ausgekommen.

Als ich den Pub erreichte, machten sie gerade auf. Bob grinste wie ein Honigkuchenpferd und spendierte mir einen Drink. Was mich nicht weiter überraschte, als er mir die Rechnung, meine Kreditkarte und den Belastungsbeleg präsentierte. Er sagte, es wäre der beste Abend gewesen, den er seit Jahren gehabt hätte – wir oben und das Heimspiel der Darts-Mannschaft in der Public Bar unten.

Ich gab ihm, dem Personal und mir selbst einen Drink aus und unterschrieb den Beleg. Im Gegensatz zu mir war er in Plauderstimmung, daher war ich erleichtert, als ein Lieferant hereinkam.

Ich setzte mich mit meinem Bier an den am weitesten von der Theke entfernten Tisch. Um diese frühe Uhrzeit war ich der einzige Gast.

Ich saß da, ließ das Bier vor mir warm werden und grübelte über mein Leben. Und genau in diesem Augenblick fällte ich die Entscheidung, die es verändern würde – und auch das Leben einer ganzen Reihe anderer Menschen –, manche Leben beenden und andere freier machen würde. Ich beschloß, den Kellerman-Fall wieder aufzunehmen.

19

Ich fuhr nach Hause und rief James Webb an. Er war genauso überrascht, von mir zu hören, wie vermutlich ich selbst.

»Ich möchte den Fall etwas gründlicher untersuchen«, sagte ich.

»Warum? Wenn ich mich recht entsinne, konnten Sie es doch gar nicht erwarten, die Sache wieder loszuwerden.«

»Ich hab's mir anders überlegt.«

»Warum?«

»Einfach so«, sagte ich. »Sind Sie noch interessiert oder nicht?«

»Ich habe das Geld, wenn es das ist, was Sie meinen.«

»Nein, kein Geld. Beim letzten Mal haben Sie von mir keinen Gegenwert für Ihr Geld bekommen. Diesmal geht's auf meine Rechnung. Außerdem werde ich es jetzt auch nur als Teilzeitjob machen können.«

»Was soll das wieder heißen?«

»Familiäre Verpflichtungen.«

»Also, wenn's nichts kostet ...«

»Das tut's nicht.«

»Dann bleibt es Ihnen überlassen.«

»Ist Ihnen vielleicht noch etwas eingefallen, das von Bedeutung sein könnte?«

»Nein.«

»Schön«, sagte ich. »Zuerst werde ich noch mal altes Gelände beackern, und falls sich dabei irgend etwas ergeben sollte, lasse ich sofort von mir hören.«

»Gut«, sagte er.

»Gut«, wiederholte ich, und wir legten beide auf.

Dann rief ich Robber an. Er war in seinem Büro. Der Kerl schien immer zu arbeiten. Ich sagte ihm, was ich zuvor Webb gesagt hatte.

»Warum?« fragte er. Plötzlich interessierte sich jeder für meine Motive.

»Jemand ist gestorben«, sagte ich.

»Was?«

»Keine Panik, es war eine natürliche Todesursache«, versicherte ich. »Sie war eine gute Freundin. Vor ihrem Tod hat sie mir gesagt, ich hätte zu schnell aufgegeben. Sie hatte recht. Daher habe ich beschlossen, es noch mal zu versuchen.«

»Ich hoffe, Sie werden es nicht bereuen.«
»Ich auch.«
»Passen Sie auf sich auf, Sharman«, sagte er. Sein Tonfall änderte sich. Mußte wohl mein angeborener Charme sein.
»Das werde ich.«
»Und treten Sie Detective Constable Hackett nicht auf die Füße, falls Sie ihm begegnen. Er mag Sie nicht.«
»Ich bin am Boden zerstört«, erwiderte ich.
»Halten Sie mich auf dem laufenden.«
»Sicher.«
Und das war das. Nachdem er aufgelegt hatte, stand ich mit dem Hörer in der Hand da und fragte mich, wo ich anfangen sollte. Ganz von vorne war vermutlich das Beste. Also steuerte ich meinen Wagen wieder einmal Richtung Crown Point.
Ich hatte bislang nur mit der Hälfte der Nachbarn gesprochen, und jetzt war eine gute Gelegenheit, sich mit den übrigen zu befassen. Ich kehrte zu dem Haus zurück, wo das betörende Aupair wohnte, doch diesmal antwortete niemand auf mein Klingeln. Dann ging ich zum Tor einer bescheidenen kleinen Hütte namens *Southfork* hinüber. Das Ding hatte durchaus seinen Reiz, wenn man gern in einer Hochzeitstorte lebt. Ich schlenderte die Auffahrt hoch und klingelte. Eine Frau kam zur Tür. Auf ihrem Gesicht stand in Großbuchstaben: »Wir kaufen nichts.« Ich setzte mein rechtschaffenstes Lächeln auf und erklärte, wer ich war und was ich wollte. Ihre Miene veränderte sich. »Kommen Sie herein«, sagte sie, was ich dann auch tat.
»Kaffee?« fragte sie. »Ich mahle ihn selbst.«
Jede Wette, dachte ich. »Ich sage niemals nein.«
»Dann gehen Sie bitte dort hinein«, sagte sie und deutete auf ein großes Wohnzimmer, aus dem man durch die Verandatüren einen Blick auf den Rasen hinter dem Haus hatte. Außer mir schien jeder, den ich in letzter Zeit kennenlernte, eine Terrasse zu besitzen. Vielleicht machte ich irgendwas falsch.
Am hinteren Ende des Gartens zappelte jemand herum, beugte sich über ein Blumenbeet und richtete sich wieder auf.
Ich setzte mich auf ein unbequemes Sofa mit einem dick bestickten, gobelinartigen Blümchenmusterbezug und schaute zu, wie der Unbekannte eine Schubkarre von seinem Arbeitsplatz zu einem Komposthaufen schob.
»Schwarz oder weiß?« erkundigte sich meine Gastgeberin, die

sich mir bei ihrer Rückkehr als Babs vorstellte. Sie war eine gutaussehende Vierzigerin mit einem blonden Bubikopf.
»Weiß«, erwiderte ich, als sie ein Tablett auf einen niedrigen Couchtisch stellte, sich daneben kniete und den Kaffee einschenkte. Sie hatte ein nettes Hinterteil in einem engen, grauen Rock. Unter dem Stoff, der sich über ihren Hintern spannte, malte sich nichts ab, und ich fragte mich, ob sie wohl Unterwäsche trug.
»Zucker?«
»Einen Löffel, bitte.«
Sie reichte mir Tasse und Untertasse, die so dünn waren, daß ich sie in den Fingern hätte zerbrechen können wie eine Muschel. Der Kaffee duftete verlockend, und ich nahm einen vorsichtigen Schluck. Er war gut. »Ausgezeichnet«, sagte ich.
»Es gibt nichts besseres«, sagte sie. »Ich habe eine dieser schicken Maschinen, die alles machen. Nur trinken muß man das Zeug noch selbst. Mein Mann hat sie mir zum Geburtstag geschenkt.«
»Nett.«
Sie verzog das Gesicht. »Er benutzt sie häufiger als ich.« Sie nahm ihre Tasse und setzte sich mir gegenüber auf das Pendant zu meinem Sofa. Ihr Rock war kurz, und sie zeigte mir ein gutes Stück sonnengebräunten Schenkel *sans* Strumpfhose.
Ich hatte durchaus nichts dagegen, mir ihre Beine anzusehen, aber absolut keine Lust, mir anzuhören, wie schlecht ihre Ehe war, deshalb kam ich direkt zur Sache. »Kannten Sie die Kellermans gut?« fragte ich.
»Ja«, antwortete sie. »Sandra ist regelmäßig vorbeigekommen. Wir waren gut befreundet. Die Kinder waren einfach wunderbar. Zwei so hübsche Jungs.«
»Dann muß es ein ziemlicher Schock für Sie gewesen sein.«
»Ich hatte noch Monate später schreckliche Angst«, sagte sie. »Fast wären wir sogar von hier fortgezogen. Aber wir konnten keinen angemessenen Preis für das Haus bekommen.«
Mir blutete das Herz ...
»Die Leute auf der anderen Straßenseite sind umgezogen. Ich weiß, wieviel die bekommen haben. Es war ein Skandal.«
... und erstickte fast vor Mitgefühl.
»Haben Sie in der fraglichen Nacht irgend etwas gesehen oder gehört?« fragte ich.

»Nein, habe ich nicht. Aber ich war hier. Ich habe erst davon erfahren, als Geoffrey Goodbold rübergelaufen kam und es erzählte.«

»Ich habe vor ein paar Wochen mit ihm gesprochen. Seine Frau hat die Leichen gefunden«, sagte ich.

Babs nickte.

»Aber kein Mensch hat etwas gesehen oder gehört?«

»Nichts, nein. Diese Häuser sind ziemlich massiv gebaut, und die Gärten sind weitläufig. Man kauft sich kein Haus in dieser Gegend, um Lärm aus der Nachbarschaft zu hören.«

Nicht mal dann, wenn sie brutal ermordet werden, dachte ich. Ich trank meinen Kaffee aus.

Sie bot mir eine weitere Tasse an, und ich akzeptierte. »Natürlich war die Polizei wochenlang hier«, sagte sie.

Jede Wette, daß die Kaffeemaschine damals Überstunden geschoben hat, dachte ich. Sie war todsicher eine von der Sorte, die gern einen oder zwei stramme junge Bullen im Haus hatte. Ich verbot mir, weiter Werturteile zu fällen. »Aber Sie konnten ihnen auch nicht weiterhelfen?«

»Nein«, sagte sie traurig. Ich wußte, daß ich recht hatte.

»Aber vielleicht jetzt, wenn Sie zurückdenken ...« Ich fischte im Trüben, und nichts kam dabei heraus.

»Nein, tut mir leid. Wenn man sich vorstellt, daß die Täter immer noch frei herumlaufen ...! Da läuft's mir eiskalt den Rücken runter.« Sie schüttelte sich, als wollte sie mir zeigen, wie kalt ihr werden konnte. Wollte sie etwa aufgewärmt werden?

»Und dann wurde dort eingebrochen«, sagte ich.

»Ich weiß, ja. Es war schrecklich.«

»Haben Sie irgend etwas gesehen oder gehört, als das passierte?«

»Ich sehe und höre immerzu irgendwas. Mein Mann glaubt, ich spinne. Wir werden uns einen Hund anschaffen. Aber die Möbel ...«

Sie beendete ihren Satz nicht, und ich gab verständnisvolle Geräusche von mir.

»Aber nichts Außergewöhnliches?« fragte ich.

»Wir wissen nicht genau, wann dort eingebrochen wurde. Erst als James vorbeikam, um sich im Haus umzusehen, haben wir es überhaupt erfahren.«

»Sie kennen James Webb?« fragte ich.

»Oh, ja. David und Sandra haben unheimlich viele Parties gegeben. James und seine Frau waren immer da.«
»Wie ist seine Frau denn so?«
»Haben Sie sie noch nicht kennengelernt?«
»Nein«, sagte ich. »Ich bin nur ein kleiner Angestellter.« Ich lächelte schüchtern. Ich sah, daß ihr das gefiel, weil ihr Rock gleich weitere vier, fünf Zentimeter hochrutschte.
»Also, unter uns«, meinte sie verschwörerisch, »sie ist eine ganz schön dumme Pute.« Klar, in dieser Frage war Babs die geborene Expertin.
»Ach, wirklich?« sagte ich. Ich war nicht sehr interessiert, aber man kann nie wissen, wann boshafter Klatsch einen Fall weiterbringt.
»Ja. Ich glaube kaum, daß sie besonders viel für die Familie übrig hatte. Aber Jim, der ist ganz anders.«
»Inwiefern?«
»Er ist so ein netter Mann. Er hat seine Familie abgöttisch geliebt. Besonders die Jungs. Seine Frau konnte nicht, wissen Sie.« Ich nickte.
»Na ja, konnte nicht oder wollte nicht«, fuhr sie fort. Ich mag gehässige Frauen, wenn sie aus sich herausgehen.
Genau wie du, Babs, dachte ich. Die Möbel, weißt du ... »Haben Sie Kinder?« fragte ich unschuldig. Sie warf mir einen mißbilligenden Blick zu. »Nein, wie die Dinge liegen, habe ich keine Kinder. Sie?«
»Eine Tochter.«
»Wie alt ist sie denn?«
»Elf.«
»Sie sind bestimmt sehr stolz.«
»Bin ich, ja«, sagte ich. Und damit schien unsere Unterhaltung beendet zu sein. »Tja, ich muß mich wieder auf den Weg machen«, sagte ich.
»Müssen Sie wirklich schon?«
»Ich muß noch andere Leute aufsuchen.«
»Natürlich.« Sie sah enttäuscht aus.
»Danke für den Kaffee«, sagte ich, stellte die Tasse auf den Tisch und stand auf. Sie erhob sich ebenfalls, und dabei sah ich noch ein gutes Stück mehr von ihrem Oberschenkel und wünschte fast, ich könnte noch bleiben. Aber es hat nicht sollen sein. Ich schüttelte ihre Hand.

»Falls Sie noch irgend etwas brauchen, kommen Sie ruhig wieder vorbei«, sagte sie. »Ich bin nachmittags immer hier. Ich und der Gärtner.«

Lady Chatterley und der Wildhüter, dachte ich. »Wirklich?« fragte ich. Sie sah meine Blickrichtung und griff den Gedanken auf, lächelte und schüttelte den Kopf. »Sie haben ihn nicht gesehen«, sagte sie, »und auch nicht gerochen.«

Sie begleitete mich zur Tür. »Nochmals, vielen Dank«, sagte ich. Ich ging die Zufahrt hinunter und drehte mich am Tor noch einmal um. Sie stand immer noch in der Tür. Ich winkte. Sie winkte zurück. Ich überquerte die Straße. Der Name auf dem Torpfosten des gegenüberliegenden Hauses lautete *Sierra Madre*. Es war niemand zu Hause.

Ich kehrte von der Haustür zur Straße zurück und sah einen alten Knaben vor dem Tor von *Southfork* stehen. Er war grauhaarig und gebeugt, trug eine alte Hose, Gummistiefel, eine Tweed-Jacke mit Lederflicken auf den Ellbogen und einen verbeulten alten Hut.

»Sind Sie derjenige, der sich nach dem Haus erkundigt?« fragte er und schaute an mir vorbei zum Haus der Kellermans.

Ich nickte.

»Sie hat's mir erzählt«, sagte er. »Mrs. Conway.«

»Babs.«

Er nickte. »Ich bin der Gärtner.« So schlimm roch er gar nicht.

»Sie sind Privatdetektiv?« erkundigte er sich.

Ich nickte wieder.

»Wie in der Flimmerkiste?«

Ich zuckte mit den Achseln.

»Sie sind da schon drin gewesen?« sagte er und warf einen Blick über die Schulter.

»Stimmt.«

»Sie hat's gesagt. Sie sollten sich vor ihr in acht nehmen. Wenn Sie nicht sehr aufpassen, fangen Sie sich noch was.«

»Ich werde aufpassen«, sagte ich.

»Sie würden staunen, wieviel junge Männer hier immer vorbeikommen.«

Jung. Das war schmeichelhaft. »Würde ich?«

»Ja, und ob. Versicherungsfritzen. Handwerker. Das sagt sie wenigstens. Verfluchtes Flittchen! Ich sehe so manches.«

»Darauf würde ich wetten.«

»Und ich weiß auch so manches.«

»Davon bin ich überzeugt«, sagte ich. Inzwischen hatte ich ihn satt.

»Ich weiß auch Sachen über dieses Haus.«

»Über welches, das von den Kellermans?« fragte ich. Das war schon interessanter, wenn auch nicht sehr. Als Bulle muß man sich dauernd Scheiße wie diese anhören. Aber ich habe gelernt, so was niemals zu ignorieren.

»Ja.«

»Was denn zum Beispiel?«

»Alles mögliche.«

»Waren Sie am Mordabend auch hier?«

»Nein«, sagte er verächtlich. »Ich wohne nicht hier. Ich wohne in South Norwood. Ich war in einer Kneipe.«

»Und was wissen Sie?«

»Wieviel wär's Ihnen denn wert?«

Ich schüttelte den Kopf und tat, als wollte ich ihn einfach stehen lassen. Er packte mich am Arm. Seine Hand fühlte sich durch den Stoff meiner Jacke hart und knochig an. »Ich hab's Ihnen doch gesagt, ich weiß so manches.«

»Zum Beispiel was?« Auch sein Ratespiel hing mir langsam zum Hals raus.

»Es ist was wert.« Er ließ mich los. »Ich lüge nicht.«

Mir wurde klar, daß es nur eine Möglichkeit gab, herauszufinden, wovon er redete. Ich nahm ein paar Scheine aus der Tasche, schälte zwei Zehner ab und gab sie ihm. »Ist das alles?« sagte er.

»Erzählen Sie's mir, und wir sehen weiter.«

»Seit dem Mord steht hier regelmäßig ein Auto, parkt immer draußen vor dem Tor. Die Fahrerin starrt einfach nur zum Haus rüber. Ich kann sie immer sehen, wenn ich vor dem Haus arbeite.«

»Sie?«

»Ja. Ein Mädchen in einem Kleinwagen. Blau ist er.«

»Dunkelblau?«

»Genau.«

»Kennen Sie auch das Nummernschild?« fragte ich.

Er schüttelte den Kopf, wirkte plötzlich niedergeschlagen. Der Superspitzel hatte es verpfuscht. »Aber das Auto hat schon was Besonderes«, sagte er.

»Was?«
»In der Scheibe hat es einen Aufkleber.«
»Was für einen Aufkleber?« fragte ich. Wahrscheinlich *Windsurfer tun's im Stehen*, dachte ich. Das schränkt die Zahl der Möglichkeiten ein.
»Einen orangenen.«
»In der Windschutzscheibe?« Plötzlich war ich sehr interessiert.
»Ja«, sagte er.
»Einen runden Aufkleber mit schwarzer Schrift?«
»Stimmt.«
Verdammt, dachte ich. Ein Behinderten-Aufkleber. Und wer war behindert und rief nie zurück? Nun, die schwer faßbare Miss Hooper, genau die. Kellermans Sekretärin. Ich lächelte, und er grinste ebenfalls, war plötzlich wieder vergnügt, als er mehr Bargeld witterte. »Wie oft ist der Wagen hier?« fragte ich.
»Alle paar Wochen.«
»Haben Sie das schon jemandem erzählt?«
»Nein.«
»Nicht mal der Polizei?«
»Sie ist erst hier aufgekreuzt, nachdem die Polizei längst weg war. Außerdem würde ich denen sowieso nie was erzählen. Ich mag die Polizei nicht.«
»Wer mag die schon?« fragte ich.
Er antwortete nicht.
»Danke«, sagte ich.
»Dann ist es also was wert?«
Ich nickte. Mehr, als ich dir gegeben habe, dachte ich. Er machte ein langes Gesicht, als ich dann ging. Ich blieb stehen, schälte noch einen Zehner vom Bündel und reichte ihn rüber. »Trinken Sie einen auf mich«, sagte ich und ging zu meinem Wagen.

20

Es wurde langsam spät, und mein Kater, der mittlerweile etwas nachgelassen hatte, machte sich wieder voll bemerkbar. Ich fuhr nach Hause und rief Natalie Hooper an, doch wieder be-

kam ich nur den unvermeidlichen Anrufbeantworter an die Strippe. Es lag auf der Hand, daß ich sie persönlich aufsuchen mußte. Ich schlug ihre Adresse im Telefonbuch nach. Epsom. Ich war nicht in der richtigen Verfassung für den Rush-hour-Verkehr aus der Stadt hinaus und wollte frisch sein, daher beschloß ich, dieses Projekt auf den nächsten Tag zu verschieben. Ich machte mir ein paar Käse-Sandwiches, die ich mit einer Flasche *Rolling Rock* runterspülte, und dachte über David Kellermans schwer faßbare und geheimnisvolle Sekretärin nach.
Ich sah ein bißchen fern, konnte mich aber nicht konzentrieren, und ging dann ins Bett, um meinem müden Kopf etwas Ruhe zu gönnen.
Ich wurde früh wach und fühlte mich erheblich besser als am vergangenen Tag. Ich fütterte Cat und machte mir zum Frühstück ein Sandwich mit Speck. Beim Essen sah ich mir einen *Deputy Dawg*-Comic im Fernsehen an. Um halb elf hatte ich gespült und die Wohnung aufgeräumt. Ich beschloß, noch Juanita O'Caine anzurufen, bevor ich das Haus verließ. Fragen Sie mich nur nicht, warum. Vielleicht hatte ich einen Todeswunsch. Aus dem Telefonbuch suchte ich die Nummer des Verlages heraus, für den sie arbeitete. Die Zentrale meldete sich, und ich ließ mich zu ihrem Apparat durchstellen. Es klingelte dreimal, bevor der Hörer abgehoben wurde.
»Hallo«, sagte eine schroffe Frauenstimme. Sie war's. Sogar nach einer so kurzen Bekanntschaft hätte ich diese Stimme überall wiedererkannt. »Juanita?« sagte ich trotzdem. Mit einem Fragezeichen am Ende. Wie man's eben so macht.
»Ja?«
»Nick Sharman.«
»Wer?« Sie wußte es genau.
»Wir haben uns auf Wandas Beerdigung kennengelernt.«
»Oh, ja. Ich erinnere mich. Haben wir nicht ...?«
»Ja.«
»War's gut für dich?«
»Ja. Und für dich?«
»Angemessen.« Fein, fein. Ich stellte die Männchen auf, sie schlug sie wieder um. »Was willst du?« fragte sie.
Sie kam direkt zur Sache. Das mag ich an Frauen. Um die Wahrheit zu sagen, ich hatte keine Ahnung, was ich wollte. Was ich ihr natürlich nicht sagte. Ich mag es, wenn die Leute mich für

einen Menschen halten, der weiß, was er will. »Ich dachte, wir könnten uns vielleicht mal treffen.« Es klang ziemlich lahm.

»Warum in aller Welt sollten wir so was tun wollen?« fragte sie. Es mußte sich für sie auch ziemlich lahm angehört haben.

»Keine Ahnung«, sagte ich. »In Erinnerung an alte Zeiten vielleicht.«

Sie lachte dieses rauhe Lachen, das sich anhörte, als hätte sie fünfzig Jahre lang zuviel geraucht und zuviel gesoffen, auch wenn sie aussah, als hätte sie gerade mal die zwanzig erreicht. Es turnte mich an, auch wenn ich sie nicht wirklich richtig mochte. Vielleicht war das der Grund. Frauen, die ich nicht mag, machen mich oft mehr an als Frauen, die ich mag. Wenn ich so drüber nachdenke, eigentlich ist's immer so.

»So ist es immer«, sagte sie.

»Und?«

»In Ordnung, Nick. Du darfst mich zum Dinner einladen. In irgendein richtig exklusives Restaurant.«

»Und natürlich soll's auch teuer sein?«

»Natürlich.«

»Dann sollte ich vielleicht besser meinen Anzug in die Reinigung geben.«

»Keine schlechte Idee.«

»Wie geht's übrigens deinem Freund?«

»Welchem Freund?«

»Der, mit dem du zusammenlebst.«

»Ich lebe allein. Schon immer. Und das wird vermutlich auch immer so bleiben. Ich lade niemals jemanden zu mir nach Hause ein, wenn wir nicht wenigstens einmal zusammen ausgegangen sind. Deshalb erzähle ich fremden Männern immer, daß ich mit meinem Lover zusammenlebe.«

»Sehr weise«, sagte ich.

»So brauche ich niemanden zu kränken.«

»Und das würdest du ja nie wollen, richtig?«

»Natürlich nicht.«

»Also, wann haben wir unseres?« fragte ich.

»Unser was?«

»Unser erstes Date?«

»Heute abend?« schlug sie vor.

»Du bist schnell.«

»Nicht so schnell wie du, Nick, wenn ich mich recht erinnere.«

Sie lachte wieder. »Holst du mich ab?«
»Wo wohnst du denn?« fragte ich.
»In Chelsea.«
»Hätt's mir denken können.«
»Und wieso hast du nicht?« Sie war stachlig wie ein Igel. Und auch das turnte mich an.
»Wie ist die Adresse?« fragte ich.
Sie nannte sie mir, und ich schrieb sie neben ihre Telefonnummer in Wandas Adreßbuch. »Ich hole dich ab. Hast du irgendeinen besonderen Wunsch, wo du hin möchtest?«
Sie sagte es mir. Bei Erwähnung des Restaurants erschauerte meine Access-Karte. »Wir können zu Fuß hingehen«, sagte sie. Das dürfte dann auch schon die einzige Sparmaßnahme des Abends sein. »Ich reserviere uns einen Tisch«, sagte ich. »Acht Uhr?«
»Gut.«
»Werde ich vor dem Dinner auf einen Cocktail eingeladen?« Ich wurde keß.
Sie dachte darüber nach. Ich hörte sie ins Telefon atmen, und ich wünschte, ich könnte wieder ihren Atem schmecken. »Sicher, warum nicht? Ist sieben Uhr okay?«
»Ich werde da sein«, sagte ich. Kein Mensch würde mich aufhalten können, dachte ich. Ich war wirklich ein Masochist.
»Also, bis dann«, sagte sie. »Ciao.« Und sie hängte ein.

21

Ich legte den Hörer auf, zog meine Jacke an, ging zum Wagen runter und fuhr raus nach Epsom. Die gesuchte Straße lag am Stadtrand. Ich mußte dreimal fragen, bis mir endlich jemand den Weg erklären konnte. Das Haus lag in einer neuen Siedlung, ein Bungalow am Ende einer ganzen Reihe ähnlicher einstöckiger Häuser. Direkt neben einer Baustelle, die aussah, als hätten die Maurer eines Tages zum Mittagessen ihr Werkzeug aus der Hand gelegt und wären nie wieder zurückgekommen. Für meinen Geschmack waren die Siedlung und die Grünanlagen viel zu neu, aber was wußte ich schon?
Was ich jedoch wußte, war, daß ich am richtigen Ort war. Auf

der kurzen Zufahrt vor der Garage stand ein dunkelblauer Mini mit einem Behindertenaufkleber hinter der Windschutzscheibe. Ein kurzer Blick ins Wageninnere genügte, um zu sehen, daß die Wagensteuerung für jemanden umgebaut worden war, der seine Beine nicht benutzen konnte. Außerdem war es das einzige Haus in der Straße, zu dessen Haustür keine Stufen, sondern eine Rampe führte. Ich ging hinauf und drückte auf die Klingel. Sie befand sich in Kniehöhe. Ich stand einen Moment da, klingelte dann wieder. Von der anderen Seite der Haustür hörte ich eine Frauenstimme.

»Wer ist da?« rief sie.

»Nick Sharman«, antwortete ich.

»Das sagt mir nichts.«

»Sie sollten mal Ihren Anrufbeantworter abhören«, sagte ich. »Ich habe vor ein paar Wochen angerufen und mehrere Nachrichten hinterlassen. Und gestern abend habe ich wieder angerufen.«

»Um was geht es?«

»David Kellerman.«

Es folgte ein langes Schweigen. »Wer sind Sie?« fragte sie schließlich.

»Ich bin Privatdetektiv aus London. Ich arbeite für James Webb, Kellermans Schwager, und untersuche die näheren Umstände der Morde. Hören Sie, muß ich die ganze Zeit durch die Tür brüllen? Ich möchte nicht auf diese Weise darüber sprechen. Warum lassen Sie mich nicht einfach rein?« Wieder Schweigen.

Dann hörte ich das Rasseln von Sicherheitsketten und das Geräusch eines sich drehenden Schlosses. Die Tür öffnete sich. Vor mir saß eine Frau in einem Rollstuhl. Etwa fünfundzwanzig Jahre. Braunes Haar. Ein herzförmiges Gesicht, das keinerlei Gefühlsregung zeigte. Tote Augen. Eine große Strickjacke machte es unmöglich zu erkennen, ob sie nun dick war oder dünn, und die Beine lagen unter einer Decke mit dem Schottenkaro der *Black Watch*.

»Was wollen Sie?« fragte sie.

»Reden.«

»Über Mr. Kellerman? Warum? Warum jetzt? Es ist schon so lange her. Worüber wollen Sie reden? Ist irgend etwas passiert?«

Ich beantwortete nur ihre letzte Frage. »Nein, nichts ist passiert. Genau das ist der Grund, warum James Webb mich engagiert hat.«
»Und warum sind Sie *hier*?« Sie betonte das letzte Wort.
»Wie ich schon sagte, um mit Ihnen zu sprechen.«
»Worüber wollen Sie mit mir sprechen?«
»Über alles, das Sie möglicherweise wissen.«
»Ich weiß gar nichts«, sagte sie.
»Sie haben für Kellerman gearbeitet.«
»Und?«
»Also können Sie mir vielleicht helfen.«
»Das bezweifle ich.«
»Darf ich trotzdem reinkommen?«
»Woher soll ich es wissen?« fragte sie.
Ich verstand nicht ganz. »Was?«
»Daß Sie auch wirklich der sind, der Sie zu sein behaupten.«
»Das können Sie nicht wissen«, sagte ich, zog meine Brieftasche aus der Jacke und nahm eine meiner Visitenkarten heraus. Ich gab ihr die Karte.
Sie nahm sie mit ihrer kräftigen Hand. Sie hatte kurze, nicht lackierte Fingernägel und trug keinen Ring. Beim Lesen knickte sie die Karte.
»Das hier besagt gar nichts.«
»Was schon?« fragte ich. »Aber ich bin wirklich Nick Sharman. Rufen Sie James Webb an, falls Sie mir nicht glauben. Ich möchte nur ein paar Minuten mit Ihnen reden. Ich will Ihnen nichts tun, Miss Hooper. Nur ein paar Fragen, und dann bin ich schon wieder weg.«
Ich dachte schon, sie würde sich weigern. Dann sagte sie: »Wenn's unbedingt sein muß«, und rollte den Stuhl aus dem Weg. Ich trat in die Diele und schloß hinter mir die Tür. »Die Polizei hat mich mehrere Male vernommen, als das alles passiert ist. Warum jetzt wieder alles aufwühlen?« sagte sie.
»Die Polizei hat den Fall nicht aufklären können. James Webb hat mich gebeten, unabhängig davon alles noch einmal zu untersuchen.« Stan McKilkenney und die Tatsache, daß der Fall wieder heiß war, verschwieg ich.
»Was für einen Sinn soll es haben, mir die gleichen Fragen noch mal zu stellen?« fragte sie lustlos.
»Vielleicht sind es ja nicht dieselben Fragen«, sagte ich.

»Sie kommen besser mit nach hinten«, sagte sie, rollte sich rückwärts die Diele hinunter und weiter durch eine breite Tür in ein Wohnzimmer. Ich folgte ihr. Hier gab es keine Verandatüren. Nur ein Fenster, das auf einen kleinen Garten hinausführte, der kaum mehr war als ein Flecken schwarzer Erde. Sie deutete mit dem Kopf auf einen blauen, mit Samt bezogenen Sessel. Ich nahm das Angebot an.

»Wollen Sie eine Tasse Tee?« fragte sie.

»Ja«, sagte ich. »Wenn Sie wollen, mache ich ihn.«

»Seien Sie nicht albern«, sagte sie. »Ich komme sehr gut allein zurecht. Besonders wenn es darum geht, eine verdammte Tasse Tee zu machen.« Zum ersten Mal tauchte in ihren Augen eine Spur Leben auf.

»Ein Löffel Zucker«, sagte ich.

Sie fuhr in die Küche, die sich ohne Verbindungstür direkt an das Wohnzimmer anschloß. Sämtliche Arbeitsflächen befanden sich auf Rollstuhlhöhe. Ich bemerkte, daß das gleiche für sämtliche Lichtschalter und Steckdosen im Wohnzimmer galt. Das Haus war speziell für einen Behinderten eingerichtet. Teuer. Besonders für eine Sekretärin, die Zeit genug hatte, an einem normalen Arbeitstag regelmäßig das Haus ihres verstorbenen Arbeitsgebers aufzusuchen, und die nachmittags in der Woche zu Hause war.

»Wo hat die Polizei Sie vernommen?« fragte ich.

»Zweimal im Büro, und einmal auf dem Revier.«

»Nicht hier?«

»Nein.«

»Aber damals haben Sie auch schon hier gewohnt?«

»Ich war gerade erst eingezogen.«

»Nett haben Sie's.«

»Mir genügt's.«

»Wo haben Sie denn vorher gewohnt?«

»Zu Hause bei meinen Eltern.«

»Warum sind Sie ausgezogen?«

»Sie haben mich zu sehr eingeschränkt. Sie haben mich wie ein kleines Kind behandelt. Ich wollte etwas Freiheit.«

»Arbeiten Sie zur Zeit?«

»Nein. Ich bekomme Sozialhilfe.«

»Sie haben nicht versucht, einen neuen Job zu finden?«

»Versucht? Mein Gott! Jobs sind nicht so leicht zu haben, nicht

für Leute wie mich. Nicht alle Arbeitgeber sind so verständnisvoll, wie David es war.«
Aha, jetzt hieß es schon David, bemerkte ich. Nicht mehr Mr. Kellerman. Ich saß auf dem Sessel und beobachtete, wie sie in der Küche den Kessel aufsetzte, Tee aufgoß und zwei Tassen aus der Kanne einschenkte.
»Kommen Sie und holen Sie sich Ihren Tee«, sagte sie.
Was ich auch tat. Ich kehrte zu meinem Sessel zurück und stellte Tasse und Untertasse auf den Beistelltisch daneben. Sie montierte ein kleines Tablett an eine Armlehne des Rollstuhles und stellte ihre Tasse darauf. Dann kam sie ins Wohnzimmer zurück und manövrierte den Rollstuhl so lange, bis sie mir auf der anderen Seite des verloschenen Kamins gegenübersaß.
»Haben Sie zufälligerweise eine Zigarette?« fragte sie. »Ich bin heute noch nicht rausgekommen.«
»Sicher«, sagte ich, nahm ein Päckchen *Silk Cut* und mein Feuerzeug aus der Jackentasche. Sie schob sich ein Stück vor und nahme eine. Ich gab ihr Feuer. Sie rollte auf die andere Seite des Kamins zurück und trank einen Schluck Tee. Ich steckte mir selbst auch eine Zigarette an. »Haben Sie einen Aschenbecher?« fragte ich.
»In der Küche auf dem Abtropfbecken. Da stehen zwei. Bringen Sie mir bitte auch einen mit.« Ich ging und holte sie. Ein passender Satz von *Harrods*. Ich wußte nicht, wo ich ihren hinstellen sollte. »Auf meinen Schoß«, sagte sie. Also stellte ich einen der Aschenbecher auf die Decke. Es war auf eine merkwürdige Weise sehr intim. Den anderen Aschenbecher stellte ich auf die Lehne meines Sessels und setzte mich wieder.
Sie rauchte und sah mich an. Ich rauchte und sah sie an. Und der Rauch hing wie ein grauer Schleier zwischen uns.
»Wie lange haben Sie für Kellerman gearbeitet?« fragte ich.
»Drei Jahre.«
»Und vorher?«
»War ich auf der Sekretärinnenschule.«
»Der erste Job?«
»Der einzige Job.«
»Sie waren seine Privatsekretärin?«
»Seine persönliche Assistentin.«
»Dann wußten Sie demnach alles, was so los war?«
»Ich kann nicht ganz folgen.«

»Jemand hat ihn, seine Frau und seine beiden Kinder umgebracht. Ich habe die Fotos gesehen. Kein schöner Anblick. Jemand mochte ihn nicht, um es milde auszudrücken. Sie haben für ihn gearbeitet. Sie könnten diesen Jemand kennen.«
»Ich glaube kaum, daß ich jemanden kenne, der zu so etwas fähig wäre.«
»Er hatte Schulden«, sagte ich.
»Wer nicht? Am Ende lief das Geschäft ziemlich schlecht. Die Rezession, wissen Sie. Es hat den Einzelhandel übel getroffen. Er hatte seine Konten weit überzogen. Seine Firma war nicht die einzige. Und ich bin sicher, heute ist es für kleine Firmen mindestens genauso schwer, wenn nicht sogar noch schwerer.«
»Ich habe mit Ihrem Steuerberater gesprochen. Er war nicht besonders mitteilsam. Aber er hat mir gesagt, daß mehr Geld in der Firma steckte, als zu diesem Zeitpunkt eigentlich hätte drin sein dürfen. Und dann, wie aus heiterem Himmel, plötzlich nichts mehr.«
»Ich fürchte, davon weiß ich leider nichts.«
»Ich weiß, daß es laufende Bankdarlehen gab«, sagte ich. »Gab es auch irgendwelche Privatdarlehen? Kredithaie vielleicht, die ihr Geld mit Schrotflinten zurückholen wollten, als sie rauskriegten, daß die Firm den Bach runterging?«
»Ich habe es Ihnen doch schon mal gesagt, ich weiß es nicht.«
»Sie sollten aber, wo Sie seine persönliche Assistentin waren.«
»Ich wußte nicht alles.«
Ich versuchte es anders. »Hatte er eine Freundin?« fragte ich. Sie wurde kreidebleich und ließ ihre Zigarette fallen. Sie rollte über den Teppich auf mich zu. Ich beugte mich vor und hob sie auf, gab sie ihr zurück. Als sich unsere Hände einen Augenblick berührten, durchzuckte mich ein elektrischer Schlag, wie bei statischer Aufladung. Ich merkte, daß sie es auch spürte.
»Was meinen Sie damit?« fragte sie.
»Hat er in der Gegend herumgebumst?«
»Nein. Er war ein guter Mann.«
»Ich bitte Sie. Hatte er nebenbei noch eine Geliebte? Eine verheiratete Frau vielleicht? Und dann stellte sich heraus, daß Kellerman den Ehemann unterschätzt hatte?«
»Nein.«
»Sie wirken aber ziemlich sicher für jemanden, der nicht vollständig informiert sein will«, sagte ich.

»Ich kann nur wiederholen: Ich weiß es nicht. Die Polizei ist das alles mehrere Male mit mir durchgegangen.«

»Welcher Beamte?« fragte ich.

»Ich kann mich nicht erinnern.«

»Robber?« fragte ich. »Inspector Robber?«

»Genau der«, sagte sie. »Ein widerlicher Mann. Bei dem habe ich immer eine Gänsehaut bekommen.«

»Sie und eine Million anderer Leute.«

Sie drückte ihre Zigarette aus, beugte sich vor und stellte den Aschenbecher auf den Kamin.

Während ich ihr zuschaute, wußte ich, daß ich irgend etwas nicht mitbekam. Irgend etwas Wichtiges. Ich schaute mich im Zimmer um. In einer Ecke, fast unter der Decke, spann eine winzige Spinne ihr Netz. Sie pendelte an einem seidenen Faden vor und zurück. Zwei, drei Sekunden schaute ich zu, wie sie eine Falle für die Unvorsichtigen baute.

»Er hat gesagt, Sie wären dumm«, sagte ich.

»Wer?«

»Der Inspector.«

»Hat er das?«

»Ja, er hat. Genaugenommen hat er Sie, wenn ich mich recht entsinne, einen armen, verkrüppelten, dummen Spastiker genannt. Einen Krüppel. Wissen Sie, was das bedeutet?«

»Ja, das weiß ich. Wie nett von ihm.«

Ihre Miene änderte sich nicht, aber falls so etwas möglich war, wurde sie noch bleicher, und ich bemerkte, daß ihre Hände zitterten.

Sie sah meinen Blick und faltete sie schnell, um sie still zu halten. Ich kam mir wie der letzte Dreckskerl vor. Aber ich machte weiter: »Ich nehme an, so was sind Sie gewöhnt. So wie Sie aussehen.«

»Wie sehe ich denn aus?« Ihre Stimme war belegt.

»Unansehnlich, ohne jeden Schick, ausgenutzt. Wenigstens ist das der Eindruck, den Sie bei Robber hinterlassen haben. Dumm. Verkrüppelt. Aber das sind Sie nicht, richtig?«

»Bin ich nicht?«

»Nein, nichts davon ist wahr. Und arm sind Sie auch nicht. Nicht, wenn man nach diesem Haus hier geht. Wer hat es bezahlt?«

»Das geht Sie nichts an. Ich denke, Sie gehen jetzt wohl besser.«

»Ach, ja?«
»Ja.«
»Und wenn ich nicht gehe?«
»Dann rufe ich die Polizei.«
»Warum rufen Sie nicht Robber? Lassen Sie ihn rauskommen. Ich bin sicher, er wird seine Bekanntschaft mit Ihnen nach all dieser Zeit liebend gern auffrischen. Wird Sie fragen, wie es kommt, daß Sie so eine nette Wohnung haben, bei dem bißchen Geld, das der Staat zahlt.«
Ihr Blick wanderte zum Telefon, dann sah sie mich wieder an. »Warum lassen Sie mich nicht in Ruhe?«
»Ich mache doch gar nichts. Es gefällt mir nur nicht, daß Sie mich behandeln, als wäre ich so blöd, wie Sie gern von jedem gehalten werden möchten. Sie sind ein bißchen aus der Übung, Miss Hooper. Sie machen das heute nicht besonders gut.«
»Was?« Ihre Augen loderten, und Farbe kehrte in ihr Gesicht zurück. So schlecht sah sie gar nicht aus.
»Sie sind kein bißchen dumm, nicht wahr?«
»Nicht so dumm wie ihr Freund Robber. Er hat nur den Rollstuhl gesehen, nicht den Menschen, der drin sitzt.«
»Robber ist nicht mein Freund, glauben Sie mir. Dann hat also Kellerman das alles hier bezahlt? Ist hier das ganze Geld geblieben?«
»Ich habe dafür bezahlt.«
»Wovon? Von Ihrem Girokonto?«
»Ich habe private Mittel.«
»Beweisen Sie's mir.«
»Das habe ich nicht nötig. Nicht Ihnen gegenüber.«
»Aber vielleicht der Polizei. Der Fall ist noch nicht abgeschlossen. Wird es auch nie sein.«
Sie sah mich wieder an. »David ist tot, und damit ist Schluß«, sagte sie.
Ich lächelte. »Nein«, sagte ich. »Es wird ganz und gar nicht Schluß sein.«
»Was meinen Sie damit?«
Wieder wechselte ich das Thema. »Waren Sie schon mal am Grab?« fragte ich.
»An welchem Grab?«
»Dem der Familie Kellerman.«
»Nein.«

»Ich gehe jede Wette ein, daß Sie dort waren. Zweimal. Es ist ein trauriger Ort.«
»So ist das normalerweise bei Gräbern.«
»Nicht immer.«
»Und wieso sollte ich dort hingehen?« Ich wußte, daß sie das fragen mußte.
»Sie besuchen sein Haus«, sagte ich.
Sie starrte mich schockiert an. »Nein«, leugnete sie.
»Oh, doch, das tun Sie.«
»Tue ich nicht.« Aber es war nur ein kläglicher Versuch.
»Ich habe Sie gesehen«, sagte ich. »Da wußte ich zwar noch nicht, daß Sie es waren, aber ich habe Sie gesehen.«
»Quatsch!«
»Es war Ihr Wagen. Und ich bin auch nicht der einzige, der Sie gesehen hat. Der alte Knabe, der auf der anderen Straßenseite die Rosen beschneidet, hat Sie auch gesehen. Alle paar Wochen, seit die Polizei verschwunden ist. Sagt er.«
Sie senkte ihren Kopf, und am Scheitel ihrer braunen Haare konnte ich ihre Kopfhaut sehen, blaß und sauber. »Ich habe es Ihnen doch schon mal gesagt, er war ein guter Mann.«
Plötzlich machte es Klick. Es hätte nicht so lange dauern dürfen. Ich war aus der Übung. »Hatten Sie ein Verhältnis?«
Sie schaute auf, und in ihren Augen standen Tränen. »Und wenn's so war?«
Ich antwortete nicht.
Ihre Oberlippe kräuselte sich verächtlich. »Oder ist das in Ihrer Welt verboten? Nur Leute mit perfekten Körpern können sich lieben, ist es das? Ist es Ihnen peinlich? Oder turnt es Sie sogar ein bißchen an?«
Wieder gab ich ihr keine Antwort. Hinter der Strickjacke und dem ordentlichen Haar und dem fehlenden Make-up und Schmuck spürte ich eine Flut aufgestauter Emotionen. Ich hatte es das erste Mal gespürt, als ich den Aschenbecher auf ihren Schoß stellte, und dann wieder, als sich unsere Hände berührt hatten. Ich wollte, daß sie ihre Gefühle herausließ.
Das vermisse ich am meisten daran, nicht mehr bei der Polizei zu sein. Kein richtiger Polizist mehr zu sein. Ein Detektiv. Fragen zu stellen. Nett zu sein oder auch widerlich. Manchmal beides. Dinge ans Licht zu zerren, die andere Menschen nicht sehen können. Dinge, die andere Menschen im Verborgenen hal-

ten möchten. Menschen, die erheblich intelligenter sind, als ich es je sein werde. Das konnte ich gut. Ausgezeichnet sogar. Es ist ein Talent. Ich besaß es. Es ist so was wie ein weiterer Sinn. Ich wußte, was in anderen Leuten vorging. Was sie liebten und was sie fürchteten. Ich wußte, auf welche Knöpfe ich drücken mußte, und das machte mir manchmal eine Scheißangst.

Ich war sehr lange Detective Constable. Und meine Sergeant-Prüfung schaffte ich auch. Aber meine Zwischenberichte waren immer lausig.

Das beunruhigte mich nicht. Ich war nicht auf Beförderung aus. Ich wollte in kleinen Räumen sitzen, die nach Angst und Kippen und Schweißfüßen stanken, und tief in die Menschen hineinsehen und Gefühle ans Tageslicht zerren, von denen sie manchmal selbst nicht wußten, daß sie da waren. Das war Macht, und ich habe sie besessen.

DC zu sein ist der beste Job bei der Polizei. Keinerlei Dienstpflichten – zumindest nicht viele. Allerdings auch nicht viel Geld. Das ist das Problem. Nicht, daß man nicht klar kommt. Ich hab's geschafft. Ich hab immer so getan, als würde es keine Rolle spielen. Aber das tat es. Dadurch habe ich die Macht verloren. Wenn ich an die Leute denke, die mich korrupt gemacht haben. Diese Ärsche mit den Umschlägen voll großer Scheine. Diese Bastarde mit ihren »Nimm das Geld und geh spielen, kleiner Mann«-Attitüden. Diese Pisser, die einfach nur gern einen Bullen in der Tasche haben. Diejenigen, die wußten, daß ich die Macht hatte, und sie mir einfach wegnahmen. Wenn ich an sie denke, möchte ich all das Geld nehmen, das ich je eingesteckt habe, zurückgehen und es ihnen in den Rachen stopfen, bis sie dran ersticken. Sie haben mir alles genommen, was mir etwas bedeutet hat, und sind mit ihren handgearbeiteten italienischen Schuhen darauf herumgetrampelt. Und ich habe sie gelassen.

Das Schweigen dauerte an, und ich schaute zu ihr hinüber. Laß sie immer zuerst reden, das ist eine der Grundregeln. Und sie tun's immer.

»Und, turnt es Sie an?« fragte sie.

Ich zuckte mit den Achseln.

»Er hat gesagt, ich hätte einen wunderschönen Körper. Können Sie sich so was vorstellen? Er war der einzige Mann, der so etwas je zu mir gesagt hat. Schöne Beine. Auch wenn sie tot sind. Wollen Sie sie sehen?« Sie schob die Decke von den Knien.

Darunter trug sie einen langen, vorn zugeknöpften Rock. Sie zog ihn hoch. Sie trug kurze Wollsocken, aber ihre Beine waren nackt. Nackt und blauweiß, und sie sahen schrecklich kalt aus. Aber er hatte recht gehabt, es waren schöne Beine. Sie schlug auf ein Knie, und es hörte sich an, als hätte sie auf ein Stück totes Fleisch geschlagen. »Nicht schlecht, was?« sagte sie. »Zu blöd, daß sie nicht funktionieren. Alles andere funktioniert bestens. Wollen Sie mal sehen?« Sie zog den Rock höher.
Ich schämte mich. »Hören Sie auf«, sagte ich.
»Ihnen fehlen wohl die Nerven, was? Haben Sie Angst? Keine Panik, es ist nicht ansteckend. Es ist alles da. Alles, was normale Frauen auch haben. Wenn Sie das nächste Mal irgendein Mädchen bumsen, denken Sie dran. Ich bin da drin genauso warm und feucht wie jede normale Frau auch. Wahrscheinlich sogar noch feuchter. Wollen Sie mal probieren? Oder mein Mund? David hat gesagt, ich hätte den dreckigsten Mund, dem er je begegnet wäre. Nicht wie diese eiskalte Ziege von Ehefrau.«
Urplötzlich tat sie mir unheimlich leid. Das war die Kehrseite der Medaille. Mein Einfühlungsvermögen in andere Menschen schlug mir manchmal deren freigelegte Gefühle um die Ohren. Ich erhob mich aus meinem Sessel und kniete mich neben sie. Ich löste ihre verschränkten Hände und hielt sie fest. Sie fühlten sich so kalt an, wie ihre Beine aussahen. Aber da war wieder dieses Knistern zwischen uns, als wir uns berührten. Unsere Gesichter waren keinen halben Meter voneinander entfernt. Und auf einmal begann sie zu weinen. Lautlos. Die Tränen rollten ihr einfach übers Gesicht und tropften von ihrem Kinn.
»Nicht«, sagte ich.
»Ich habe ihn geliebt. Ich habe noch nie jemand anderen geliebt. Er wollte sie verlassen und herziehen und mit mir leben. Er hat mich auch geliebt. Er hat mich immer sein Baby genannt. Es hat ihm nichts ausgemacht, daß ich bin, was ich bin. Er hat es gemocht. Er konnte alles mögliche für mich tun.«
»Ich weiß, daß er das getan hat«, sagte ich. »Ich weiß es. Nicht weinen, Baby.«
Als ich das sagte, weinte sie nur noch mehr. Ich nahm sie in die Arme und streichelte ihren Kopf. Das schien ich in letzter Zeit ziemlich oft zu machen.
Sie zog sich zurück und schniefte. »Könnten Sie mir die Papier-

tücher geben?« sagte sie. »Da drüben.« Neben dem Telefon stand eine Schachtel *Kleenex*. Ich holte sie, sie zog eine Handvoll heraus, wischte sich über die Augen und putzte sich die Nase. »Besser?« fragte ich.

Sie lächelte.

»Dann hat er das hier also alles bezahlt?« fragte ich leise.

»Und was ist, wenn er's getan hat? Es war sein Geld.«

»Nicht ganz. Wie lange ist das gelaufen?«

»Was?«

»Sie und er.«

»Ein paar Jahre.«

»Hat sonst noch jemand davon gewußt?«

»Nein. Alle haben dasselbe gedacht wie Ihr Polizist. Die Menschen sehen nicht, daß Behinderte auch Gefühle haben. Die sind einfach nur da, damit man Mitleid mit ihnen haben kann.«

»Aber nicht David Kellerman?«

»Nein, er nicht. Er hat mein wahres Ich gesehen.«

»Wo haben Sie es gemacht?« fragte ich.

»Was meinen Sie damit?«

»Sie sind doch gerade erst hier eingezogen, als er ermordet wurde. Wo haben Sie sich vorher getroffen? Doch bestimmt nicht da, wo Sie mit Ihren Eltern gelebt haben.«

»Auf der Arbeit.«

»Sonst nirgendwo?«

»Nein.«

»Sie lügen«, sagte ich. »Sie müssen mich jetzt nicht mehr anlügen, Natalie. Vertrauen Sie mir.«

»Ich lüge nicht«, sagte sie. Aber es war kaum mehr zu übersehen.

»Doch, das tun Sie«, sagte ich behutsam. »Ich glaube einfach nicht, daß ein Mann wie er, oder, was das betrifft, eine Frau wie Sie, es zwei Jahre lang auf dem Sofa im Büro getrieben haben.«

Sie gab nach. Ich sah sogar, wie sie in ihrem Rollstuhl zusammensackte. »Sie haben recht. Es *gab* noch einen anderen Ort.«

»Wo?«

»Ein Cottage. Außerhalb von East Grinstead. Es war lächerlich. Ich bin mit dem Rollstuhl nicht durch die Haustür gekommen. Er mußte mich reintragen.«

»War das Haus gemietet?«

»Nein, es hat David gehört.«

»Und was ist daraus geworden, als er starb?«
»Nichts.«
»Was? Es steht einfach so leer?«
»Ja. Er hat geheimgehalten, daß es ihm gehört. Er mußte das tun. Wir wollten dort zusammen leben. Aber, wie ich schon sagte, es war wirklich ein lächerliches Haus. Er wollte mich mit dem Kauf überraschen. Er hat nicht richtig darüber nachgedacht. Und dann hat er statt dessen dieses hier gekauft. Er hat darauf geachtet, daß es genau richtig für mich war. Nur eine Etage. Alles auf die Bedürfnisse eines Rollstuhlfahrers zugeschnitten. Er hat es sogar auf meinen Namen im Grundbuch eintragen lassen. Es war fast, als hätte er gewußt, daß ihm was zustoßen würde.«
Ich hob den Kopf und schnupperte. Ja, vielleicht hatte er das, dachte ich. Vielleicht hatte er.
»Ich dachte, er würde das Cottage sofort verkaufen.« Sie redete weiter. »Aber er hat's behalten. Er hat gesagt, es wäre unsere Versicherung gegen die Inflation. Ich habe nie richtig verstanden, was er damit meinte. Der Immobilienmarkt ist zusammengebrochen, wissen Sie, kurz danach. Ich nahm an, daß er es verkaufen wollte, sobald sich der Markt wieder erholt hatte.«
»Und es ist immer noch da und steht jetzt leer?«
»Das sagte ich doch schon.«
»Hat er sonst noch irgendwelche Vorkehrungen für Sie getroffen, als er dieses Haus gekauft hat?« fragte ich.
Sie wandte den Kopf ab und errötete.
»Hat er?« wiederholte ich. »Es könnte wichtig sein.«
»Ja. Er hat etwas Geld auf ein hochverzinstes Konto eingezahlt. Niemand weiß davon. Die Sozialhilfe ...« Sie beendete den Satz nicht.
»Davon leben Sie also?« sagte ich.
»Von den Zinsen, ja. Ich werde es doch nicht zurückzahlen müssen, oder?«
»Ich werd's keinem verraten, falls Sie das meinen«, sagte ich. »Ich bin selbst kein großer Freund der öffentlichen Wohlfahrt.«
»Danke«, sagte sie.
»Wissen Sie zufälligerweise, wo sich die Übertragungsurkunde des Cottage befindet?« fragte ich.
»Ich bin sicher, daß er sie dort aufbewahrt hat. Warum?«
»Weil James Webb Kellermans Besitz geerbt hat. Und beson-

ders viel war das nicht. Er hat nie ein Cottage oder etwas ähnliches erwähnt. Ich bin sicher, daß er es zum Verkauf anbieten würde, falls er davon wüßte. Wenn ich die Übertragungsurkunde finde und sie Webb gebe, müßte ich ihm vielleicht nichts von dem Geld erzählen, das Kellerman Ihnen gegeben hat.«

»Sie muß immer noch irgendwo dort sein. Das Haus steht nicht zum Verkauf. Da bin ich mir ziemlich sicher.«

»Waren Sie in letzter Zeit dort?«

»Nicht im Haus. Aber ich bin runtergefahren. Genau wie ich zu seinem anderen Haus in Crown Point fahre. Irgendwie scheine ich ihm dann näher zu sein, auch wenn dort diese schrecklichen Dinge passiert sind. Aber ich habe es Ihnen ja schon mal gesagt, ich könnte nicht ins Cottage, selbst wenn ich's wollte.«

»Haben Sie einen Schlüssel?« fragte ich.

»Ja. Warum?«

»Ich würde mich dort gern mal umsehen.«

»Warum?«

»Reine Neugier.«

Sie dachte darüber nach. »Nehmen Sie mich mit?« fragte sie.

»Ja, später«, sagte ich. »Aber zuerst lassen Sie mich allein rausfahren.«

»Warum?«

Ich zuckte mit den Achseln. »Ich will es so sehen, wie Sie es verlassen haben. Ohne Ablenkung.«

»Wäre ich eine Ablenkung?« fragte sie, und in ihrer Stimme und ihren Augen lag ein Flirt.

»Wahrscheinlich.«

»Aber Sie werden mich hinbringen? Versprochen?«

»Natürlich.«

»In Ordnung.« Sie rollte sich zu einem Sekretär vor der Wand neben dem Fenster, zog eine Schublade auf und nahm einen Yale-Schlüssel an einem Schlüsselring heraus. Sie kam zu mir zurück. Ich nahm den Schlüssel. Wieder berührten sich unsere Finger, und wieder bekam ich einen winzigen Stromschlag, und sie schaute in meine Augen. Wir waren uns in diesem kleinen Raum sehr nahe, und ich spürte ein plötzliches Verlangen nach ihr. Sie wußte es, lächelte und rollte fort. Diese kleine Schlacht hatte sie gewonnen. Ich steckte den Schlüssel in meine Tasche.

»Sie brauchen die Adresse«, sagte sie. Ich zog mein Notizbuch heraus und schrieb mit, während sie die Anschrift diktierte und mir den Weg von East Grinstead zum Cottage erklärte. Das Notizbuch verstaute ich wieder in meiner Tasche. »Ich fahre dann jetzt«, sagte ich.

»Sie kommen doch zurück und besuchen mich wieder?«

»Das habe ich doch gesagt, oder?«

»Wenn Sie wiederkommen, ziehe ich auch etwas ganz Besonderes für Sie an und zeige Ihnen, was ich mit meinem Mund tun kann.«

»Ich werd's mir merken«, sagte ich. Und wußte, daß ich es tun würde. »Ich finde allein hinaus.« Ich beugte mich zu ihr und gab ihr einen Kuß auf die Wange. »Auf Wiedersehen, Natalie.«

»Auf Wiedersehen.«

Ich ließ ihr meine Zigaretten auf dem Tablett zurück, das an die Armlehne ihres Rollstuhles befestigt war.

Ich spürte ihre Blicke auf meinem Rücken, als ich ging.

Draußen blieb ich ein paar Minuten bewegungslos im Wagen sitzen. Ich bekam Kopfschmerzen. Das passierte oft, wenn ich jemanden verhört hatte. Ich saß da und dachte über Natalie Hooper nach. Ich fragte mich, ob sie mir alles erzählt hatte, was Sie wußte. Angelogen hatte sie mich nicht, dessen war ich mir sicher. Nicht, daß man mich nicht belügen konnte – die besten hatten mich schon belogen –, aber sie wollte reden, mußte mit jemandem reden. Nur Robber hatte nie eine wirkliche Chance bei ihr. Er war für diesen Job total ungeeignet. Ich fragte mich nur, ob sie vielleicht noch ein kleines Geheimnis für sich bewahrt hatte, damit ihr nachts nicht kalt wurde.

Ich nahm den Cottage-Schlüssel aus der Tasche und sah zuerst ihn an und dann auf meine Uhr. Die Zeit war wie im Flug vergangen. Ich hatte keine Lust, jetzt noch nach East Grinstead zu fahren, dort ein einsames, leerstehendes Cottage vorzufinden und es zu durchsuchen. Der Kopf tat mir weh, ich hatte eine wichtige Verabredung und noch nicht mal einen Tisch reserviert. Außerdem würde Judith morgen kommen, und vorher waren noch verschiedene Dinge zu erledigen.

Ich beschloß, nach dem kommenden Wochenende rauszufahren. Wozu sollte die Eile auch schon gut sein? Ich hatte alle Zeit dieser Welt.

Wegen solcher kleinen, zögerlichen Überlegungen sind schon ganze Nationen verloren worden.

22

Als ich in meine Wohnung zurückkam, klingelte das Telefon. Ich nahm den Hörer ab. Es war James Webb.
»Hallo, Jim«, sagte ich.
»Wie läuft's?« fragte er.
Er klang so unglücklich, daß ich beschloß, ihm die guten Neuigkeiten mitzuteilen.
»Nicht schlecht«, sagte ich.
»Haben Sie irgend etwas herausgefunden?«
»Vielleicht. Ich habe mit einem alten Knaben gesprochen, der sich bei einem der Häuser an der Straße um die Gartenarbeit kümmert. Er hat mich auf eine Spur gebracht.«
»Auf welche?«
»Haben Sie noch etwas Geduld, Jim. Lassen Sie mir noch ein bißchen Zeit. Ich werde es am Montag überprüfen.«
»Geht es nicht früher?«
»Vielleicht ist es ja nichts. Ich habe Ihnen ja bereits gesagt, daß ich mich um einige familiäre Verpflichtungen kümmern muß. Es sind doch auch nur ein paar Tage. Wir sprechen uns Dienstag wieder. Okay?«
»Ist wohl nichts zu machen, oder?«
»Keine Sorge, Jim. Ich verspreche Ihnen, Sie werden der erste sein, der etwas erfährt. Hören Sie, ich muß jetzt wieder los. Wir reden nächste Woche.«
»Gut«, sagte er und legte auf.
Ich steckte mir eine Silk Cut an und nahm den Hörer ab, um das Restaurant anzurufen.

Exakt um sechs Uhr neunundfünfzig traf ich bei der Adresse ein, die Juanita O'Caine mir gegeben hatte. Ich parkte im Halteverbot direkt gegenüber. Es war ein schönes georgianisches Reihenhaus, das in drei Wohnungen aufgeteilt worden war. Ihre befand sich im Souterrain.
Ich hatte meine Garderobe sorgfältig ausgesucht. Einen dunkelgrauen, fast schwarzen Zweireiher aus einem leichten Stoff mit Aufschlägen an der Hose. Ein weißes Button-down-Hemd mit doppelten Manschetten, schwarze bequeme Schuhe und eine Krawatte, die die reinste Explosion an Primärfarben war. Ich sah ziemlich gut aus.

Ich stieg die Stufen zu ihrer Tür hinab und klingelte. Sie brauchte nur fünf Minuten. Mir kam schon der Gedanke, daß sie allein ausgegangen war und mich völlig vergessen hatte. Oder einfach nicht mehr wollte.

Als sie schließlich aufmachte, sah sie einfach nur atemberaubend aus. Sie trug ein schwarzes Abendkleid aus Samt. Kurz, eng und so tief ausgeschnitten, daß der Saum des Dekolletées knapp über ihren Nippeln wie ein Triumph über die Schwerkraft wirkte. Ihr blondes Haar fiel glatt über den Rücken. Um den Hals trug sie etwas, das verdächtig nach einem echten Diamantcollier aussah. Dazu die passenden Ohrringe. Falls sie wirklich echt *waren*, hätte ich sie auf der Stelle gegen meine Wohnung getauscht und wäre überzeugt gewesen, bei dem Geschäft noch einen ordentlichen Schnitt zu machen.

»Hallo«, sagte sie mit einem Lächeln, blendender als ihre Klunker. »Ich war noch nicht fertig.«

»Fast wäre ich wieder nach Hause gegangen«, sagte ich.

»Bist du aber nicht«, sagte sie. »Komm rein.«

Sie war kühler als Eis. Aber Sie wissen ja, wie man so sagt: Das Leben ist ein Miststück, und dann trifft man eins.

Sie ging den kurzen Flur der Wohnung hinunter, ich trat ein, schloß die Tür und folgte ihr. Es war dunkel in der Wohnung, und duftete nach Parfum. Sie führte mich ins Wohnzimmer. Es war eine Gartenwohnung, wobei der Garten eine Etage tiefer lag als der Bürgersteig vor dem Haus. Ich schaute mich um. Die Einrichtung war *Minimal art*. Der Boden war poliertes Parkett und kahl bis auf einen Teppich, der genauso teuer aussah, wie er alt war. Dann stand da noch ein Sofa und ein passender Sessel mit dunkelrotem Bezug. Der Fernseher war von *Bang & Olufson*. Genau wie der Videorecorder und das CD-System. Auf Regalen an der einen Wand standen mindestens tausend CDs, tausend Bücher an der anderen. Die Punktstrahler waren pink, und das war's dann auch schon. Juanita besaß offensichtlich Geld und Geschmack.

Was, verdammt noch mal, wollte sie von mir? Aber vielleicht war ich ja entwicklungsfähig.

Vergiß es, dachte ich.

Sie drehte sich auf einem hohen Absatz und sah mich an. Ich weiß nicht, ob ihr gefiel, was sie sah. Mir schon. »Ein Drink?« fragte sie.

»Fahre ich?« antwortete ich mit einer Gegenfrage. Wieder ganz schön verwegen.
»Weiß ich noch nicht.«
»Ich versuch's mal«, sagte ich. »Hast du Gin da?«
»Ist der Papst katholisch?«
Es hatte was von einem Ping-pong-Spiel.
»Tonic?« fragte sie. »Limone oder Wermut?« Die perfekte Gastgeberin.
»Tonic ist schon okay.«
»Leg uns Musik auf. Ich bin sofort zurück.«
»Irgendwas Bestimmtes?«
»Such dir was aus.«
Sie hatte für so ziemlich jeden Geschmack etwas. Und etwas von so ungefähr jedem Interpreten. Ich entschied mich für Van Morrison. Ich glaube, sie besaß alle Alben, die er gemacht hatte. Ich wählte *Into the Music*. Das ist eine meiner Lieblingsplatten. »Gute Wahl«, sagte sie, als sie mit zwei Tumblern zurückkam, von denen jeder locker eine ganze Goldfisch-Familie hätte beherbergen können. Fast hätte ich mich auf den Rücken gelegt und mir von ihr das Fell kraulen lassen, als sie das sagte. Fast, aber nicht ganz. Meine Willenskraft war stark. Genau wie der Gin-Tonic. Doch bedauerlicherweise habe ich entdeckt, daß der Wille umso schwächer wird, je stärker der Gin ist.

Wir tranken beide zwei Cocktails. Ich bekam langsam einen Schwips, und sie sah von Minute zu Minute besser aus. Um zwanzig vor acht fragte ich: »Gehen wir?«
»Sicher, ich hole nur meinen Mantel.« Sie stellte ihr Glas auf eines der Regale und verließ den Raum. Sie war keine Minute fort. Als sie zurückkam, trug sie einen weißen Nerzmantel mit einem so altmodischen Schnitt, daß er schon wieder total up to date war. Sie bemerkte, wie ich ihn anstarrte. »Was ist los?« fragte sie.
»Ach, nichts«, sagte ich. »Solche Mäntel sieht man heute nicht mehr besonders oft.«
»Bist du Umweltschützer?«
»Ich habe eine Katze«, erwiderte ich.
»Meine Großmutter hat diesen Mantel 1948 auf der Fifth Avenue gekauft«, sagte sie. »Diese kleinen Biester wären inzwischen sowieso längst tot.«

»Fein«, sagte ich. »Aber hast du keine Angst, daß irgendwer von der Tierbefreiungsfront daran Anstoß nehmen und ihn mit Farbe bespritzen könnte?«
»Falls irgend so ein weltverbessernder kleiner Scheißhaufen das je versuchen sollte, mache ich das Arschloch mit meiner chemischen Keule fertig«, zischte sie und öffnete ihre Handtasche. Ganz oben lag eine Dose Tränengas. Ich trat einen Schritt zurück und ergab mich mit erhobenen Händen.
»Ich glaube dir«, sagte ich. »Ich esse auch Fleisch.«
Sie grinste. »Ich auch. Gehen wir und essen welches.«
Zusammen traten wir auf die Straße hinaus. Sie entdeckte meinen Wagen sofort. »Ist das deiner?«
Ich nickte.
»Hätte ich mir denken können«, meinte sie. »Penis-Ersatz.«
Du mußt es ja wissen, dachte ich, sagte aber nichts. Lächelte einfach nur. Was zum Teufel? Ich amüsierte mich prächtig.
Das Restaurant lag an der King's Road. Es erstreckte sich über drei Etagen. Die Böden waren aus undurchsichtigem, rosafarbenem Plastikmaterial, in das Leuchten integriert waren – wie auf dem Boden eines Swimmingpools. Die Treppen waren aus poliertem Chrom. Auch die Tische waren aus Chrom, die Tischdecken dagegen waren pink. Das Frontfenster war gigantisch und bot einen freien Blick auf die Straße. Alles in allem aß man wie auf einer Bühne.
Wir bekamen einen Tisch auf der obersten Ebene, von wo aus wir einen wunderbaren Blick auf den Rest des Restaurants und die Dächer draußen vorbeifahrender Fahrzeuge hatten. Wir wurden von drei Kellnern bedient. Es herrschte ein solches Gedrängel um unseren Tisch, daß ich mir wie mitten in einem Rugby-Spiel vorkam.
Es war eines dieser Lokale, wo nur der eine Speisekarte mit Preisen bekommt, von dem der Oberkellner glaubt, daß er die Rechnung zahlt. Für das, was hier für ein Steak-Sandwich verlangt wurde, bekam man bei meinem Metzger um die Ecke eine ganze Kuh.
Juanita genoß jede einzelne Minute und jedes Gramm Aufmerksamkeit. Von so vielen dienstbeflissenen Geistern war ich nicht mehr umgeben gewesen, seit ich das letzte Mal auf einem Operationstisch gelegen hatte, und das machte mich ein bißchen nervös. Wir bestellten zwei Bloody Marys. Damit

nahm das Gedrängel ein wenig ab, und wir hatten wieder Platz zum Atmen.

»Wir bestellen, wenn wir unsere Drinks haben«, sagte ich.

»Natürlich«, erwiderte der Oberkellner und schlich fort, um jemand anderen zu stören. Der letzte aus dem Trio knallte die Servietten auf unseren Schoß, lächelte, erspähte dann andere Gäste an der Tür und entschwand in ihre Richtung.

»Gott sei Dank«, atmete ich auf.

»Ach, man gewöhnt sich dran«, sagte Juanita. »Sie finden, daß man eine gewisse Aufmerksamkeit verdient hat, wenn man soviel Geld ausgeben wird wie du heute abend.«

Genau in diesem Moment kamen unsere Bloody Marys. In den Gläsern befand sich soviel Gebüsch, daß ich mir schon Sorgen wegen Heckenschützen machte. Der Getränkekellner blieb einen Augenblick stehen, bis ich den Aperitif gekostet hatte. Er war perfekt, und das sagte ich ihm auch. Der Mann errötete und trat einen Schritt zurück, drehte sich dann um und trabte die Treppe hinunter zur Bar.

»Siehst du«, sagte Juanita. »Endlich allein.«

»Was möchtest du essen?« fragte ich.

Sie studierte ihre Speisekarte, und ich vertiefte mich in meine. Von jedem Erdteil plus Subkontinenten war was vertreten.

»Was meinst du?« fragte sie.

»Ist mir egal«, sagte ich. Und das war's wirklich. Ich war völlig zufrieden damit, einfach hier zu sitzen und sie den ganzen Abend anzusehen, auf einer Kruste trockenem Brot herumzukauen und ein einfaches Glas Wasser zu trinken. Auch wenn mich selbst das fünfundzwanzig Pfund gekostet hätte.

»Als Vorspeise Avocado-Salat, falls die Avocado genießbar ist. Danach Krebs mit gedünstetem Gemüse und Spaghettini.«

Ich nahm Gazpacho, Ente in Austernsoße und gebackenen Reis mit Hummer. Der Oberkellner stand an meiner Schulter, das Notizbuch im Anschlag, als ich die Speisekarte zuklappte. Nach einer kleineren Diskussion über den Geschmack und die Reife der Avocadobirne nahm er unsere Bestellung auf. Der Weinkellner lungerte bereits in den Kulissen und schlug weißen Burgunder vor. Ich befolgte seinen Rat.

Als wir wieder mal allein waren, steckte sich Juanita eine Marlboro an, lehnte sich zurück und nippte an ihrer Bloody Mary.

»Warum hast du mich angerufen?« fragte sie.

»Ich wollte dich wiedersehen.«

»Warum? Ich war dir gegenüber nicht besonders nett, als wir uns das letzte Mal gesehen haben.«

Ich zuckte mit den Achseln. »Warum nicht?«

»Meine beiden Lieblingsworte in der englischen Sprache«, sagte sie. »Werden wir Freunde sein?«

»Ich weiß nicht«, sagte ich. »Schon möglich.«

»Erwarte bitte nicht zuviel von mir. Ich neige dazu, die Leute zu enttäuschen, wenn sie das tun.«

»Werd's mir merken.«

Ich glaube, man kann eine Menge über einen Menschen sagen, indem man mit ihm zum Essen ausgeht. Ich mag Leute, die ihr Essen teilen. Hauptsächlich, weil alles andere auf dem Tisch immer erheblich besser aussieht, als das, was man selbst bestellt hat.« Juanita teilte. Sie wollte meine Suppe probieren und bestand darauf, daß ich ihren Salat kostete. Als die Hauptgerichte kamen, ließen wir die Teller in der Mitte stehen und aßen, worauf wir gerade Lust hatten. Ihr Krebs war ausgezeichnet, wenn auch ein wenig unschön zu handhaben, und wir mußten eine zweite Fingerschale kommen lassen.

Wir aßen alles auf und kümmerten uns nicht darum, wie fettig wir dabei wurden, und als wir fertig waren, dachte ich, ja, am Ende werden wir mindestens Freunde sein, wenn nicht sogar mehr als das. Das Essen war ausgezeichnet. Der Wein war so gut, wie der Kellner versprochen hatte, und er sorgte dezent für Nachschub. Zum Dessert nahm sie Limonensorbet. Ich winkte ab. Um halb elf saßen wir vor Sambuca und unverschämt kleinen Tassen Espresso. Ich hatte zuviel getrunken, um noch fahren zu können, und fragte mich, wo ich heute abend wohl meinen Kopf zur Ruhe betten würde. Juanita rauchte die fünfzehnte Marlboro dieses Abends und quasselte an einem Streifen über irgendeinen ihrer Schriftsteller, der versuchte, sie ins Bett zu kriegen. Zwei Seelen, ein Gedanke.

»Du hörst mir nicht zu«, sagte sie. »Fange ich schon an, dich zu langweilen?«

»Nein«, erwiderte ich. »Ich habe mich nur gerade gefragt, wenn ich meinen Wagen im Halteverbot vor deiner Wohnung lasse und mit einem Taxi nach Hause fahre, ob er dann morgen früh immer noch da ist. Oder ob er abgeschleppt wurde oder eine Kralle verpaßt bekommen hat oder was?«

»Wir sind ein bißchen besoffen, was?«
»Ich bin schon nüchterner gewesen. Weitaus nüchterner.«
Sie grinste verschlagen. »Du auch, was? Schicke ich dich also nun nach Hause oder nicht?«
»Sag du's mir«, sagte ich. Ich hatte schon mitgekriegt, daß ich nichts sagen oder tun konnte, um sie zum Schweigen zu bringen, wenn sie in der Stimmung war, mich aufzuziehen. Ich hätte sie höchstens knebeln können.
»Willst du noch irgendwo anders hin?« fragte sie. »Oder kommst du noch auf einen Schlummertrunk mit zu mir?«
»Mir egal«, sagte ich.
»Wir könnten tanzen gehen«, sagte sie. »Aber vielleicht lieber ein anderes Mal. Vielleicht sollten wir reden.«
»Vielleicht sollten wir das«, sagte ich. »Ich lasse die Rechnung kommen.«
Ich machte einen unserer Kellner auf mich aufmerksam, und er brachte eine kleine Ledermappe, in der die Rechnung steckte. Ich warf einen Blick darauf. Nicht schlecht. Nicht schlecht, verglichen mit dem Preis eines neuen BMW. Aber für ein Essen für zwei vielleicht doch ein bißchen gepfeffert. Ich bezahlte mit meiner *Access*-Karte, und zum Teufel damit.
Der Kellner brachte Juanitas Mantel und half ihr hinein. Wir wünschten unserer Kellnertruppe eine gute Nacht und gingen. Draußen wurde es frisch, und sie hakte sich bei mir ein. Wir gingen zu Fuß zu ihrer Wohnung, wobei sich unsere Körper berührten. Ich stand in der Haustür, während sie mit ihren Schlüsseln im Schloß herumfummelte. Ich sah auf ihren Hinterkopf, der in der Dunkelheit der Tür fast weiß wirkte. Sie sah aus wie ein Gespenst. Ich berührte ihre Schulter, nur um mich zu vergewissern, daß sie wirklich war.
»Was?« sagte sie.
»Nichts«, antwortete ich. »Hab mich nur vergewissert, daß du auch wirklich da bist.«
»Du bist komisch, Nick. Weißt du das?«
Sie drückte die Tür auf, trat in den Flur und schaltete das Licht an. Ich folgte ihr ins Wohnzimmer. Sie knipste die Punktstrahler an und drehte den Dimmer, bis sie nur noch ein rosa Glühen unter der Decke waren. Sie ging zum CD-Spieler und schaltete ihn ein. Diesmal suchte sie eine Disc aus, legte sie auf den Schlitten des Geräts und korrigierte die Lautstärke. Ich kannte das

Album sehr gut. Ray Charles und Milt Jackson – *Soul Meeting.* Ein Klavier- und Vibraphon-Instrumentalduett. Ich wußte nicht mal, daß es eine CD davon gab. Die Musik war himmlisch sanft und füllte den Raum wie kühles Wasser.
»Willst du einen Drink?« fragte sie.
»Klar.«
»Brandy?«
»Klingt gut.«
»Eine Sekunde«, sagte sie und verließ den Raum. Im Gehen schüttelte sie den Mantel ab. Ich saß auf dem Sofa und ließ mich von der Musik umspülen. Ich hatte keine Ahnung, warum ich dort war. Ich betrog Fiona. Ich hatte seit Jahren niemanden mehr betrogen. Ich wußte, daß es zwischen uns aus war, trotzdem war ich irgendwie traurig. Ich fragte mich, was ich statt dessen anfing. Vielleicht nichts. Vielleicht etwas. Ich kramte eine Zigarette aus dem Päckchen und steckte sie an.
Juanita kam mit zwei Cognacschwenkern und einer Flasche Brandy zurück, der älter war als wir beide zusammen. In jedes Glas schenkte sie einen guten Schluck ein. Ich nahm mein Glas und wärmte es zwischen den Handflächen. Der Rauch der Zigarette zwischen meinen Fingern kräuselte sich, während ich die Hände bewegte.
»Was mache ich hier?« fragte ich.
»Ich weiß es nicht.«
»Ich auch nicht.«
»Aber ich bin froh, daß du hier bist.«
»Meine Tochter kommt morgen zu Besuch«, sagte ich.
»Siehst du sie oft?«
»Nicht so oft, wie ich es gern hätte. Meine Frau – meine *Ex-*Frau«, korrigierte ich mich, »hält nicht besonders viel von mir.«
»Ich frage mich, warum wohl?« sagte Juanita. Und wir sahen uns an und lachten.
»Wenn deine Tochter morgen kommt, möchtest du dann lieber gehen?« fragte sie.
Ich hob den Cognacschwenker und betrachtete sie durch das Glas. Ich schüttelte den Kopf. »Sie kommt erst nach der Schule. Bis dahin ist es noch ein ganzes Leben.«
»Was willst du dann machen?« sagte sie. Falls sie von mir erwartete, daß ich jetzt »bumsen« sagte, hatte sie sich geirrt.

»Reden«, sagte ich. »Laß uns einfach reden, wie wir's uns auch vorgenommen haben. Wir haben guten Sprit. Gute Musik. Es ist warm hier. Laß uns einfach eine Weile reden.«
»Über was?«
»Über dich«, sagte ich. »Über mich weißt du von Wanda. Laß uns also über dich reden.«
Also redeten wir, oder, besser gesagt, sie redete. Sie erzählte mir, daß ihre Eltern tot waren. Daß ihr das Haus gehörte und sie die Miete der beiden anderen Wohnungen bekam. Sie hatte genug Geld von ihren Eltern geerbt, um eigentlich nicht mehr arbeiten zu müssen, daß ihr der Verlag aber viel Spaß mache. Sie verriet, daß sie fünfundzwanzig sei, doch das war schwer zu glauben. Sie erzählte von einer gerade beendeten, längeren Affäre. Sie hatte ihn heiraten wollen, doch er hatte andere Pläne gehabt. Sie wäre gerade sehr verwundbar gewesen, als sie mir auf Wandas Beerdigung begegnet wäre.
Ich sagte ihr, was das beträfe, könnten wir locker einen Verein gründen. Daß ich mich manchmal so verwundbar fühlte, als hätte ich eine ganze Ameisenarmee unter der Haut auf meinen Schultern. Sie sagte, ja, das Gefühl kenne sie auch.
Wir liebten uns auf dem Sofa und tranken dabei Brandy aus der Flasche. Irgendwann begann sie zu weinen, und ich spürte ihre Tränen wie Regentropfen auf meine Brust fallen. Ich zog sie ganz nah zu mir runter, und ihre Haare fielen über mein Gesicht wie ein herrlich duftender Vorhang. Ich weinte auch, und sie trocknete meine Augen mit ihrem Haar. Sie lag auf mir, und unsere Tränen vermischten sich, und ich hatte keinen Schimmer, um wen zum Teufel ich eigentlich weinte.
Sie schlief mitten im Durcheinander unserer abgelegten Kleider auf dem Sofa ein. Ich schob sie behutsam zur Seite, fand mein T-Shirt und meine Boxer-Shorts. Ich öffnete die Verandatür, stand in der frischen Morgenluft kurz vor Tagesanbruch und spürte, wie sich auf meinen Armen eine Gänsehaut bildete. Ich rauchte die letzte Zigarette des Päckchens und leerte die Flasche. Ich fand ihr Schlafzimmer, kam zurück, hob sie hoch und brachte sie ins Bett. Dann zog ich mich an und fuhr nach Hause. Inzwischen hatte ich mich nüchtern getrunken, auch wenn ich bezweifle, daß das Röhrchen mir da zugestimmt hätte. Aber ich sah kaum ein Auto auf den Straßen und überhaupt keine Bullen. Fünfzehn Minuten später war ich zu Hause und lag

kurz darauf im Bett, konnte aber nicht einschlafen. Das war nicht weiter ungewöhnlich. Ich konnte sie am ganzen Körper riechen, und zwischen meinen Beinen war es immer noch klebrig.

Ich fragte mich, ob wir uns wohl wiedersehen würden.

Schließlich döste ich irgendwann ein und wachte nicht vor Mittag auf.

23

Judith zog an diesem Nachmittag ein. Ich war aufgeregt wie eine Katze mit Jungen.

Ich hatte all den Kram besorgt, den ein fast elfjähriges Kind vielleicht brauchen konnte. Chips, Kekse, Coke, ein *New Kids On The Block*-Video, Malbücher und einen Haufen Comics. Nicht lachen. Ich bin etwas aus der Übung.

Ich hatte die Wohnung aufgeräumt, mein Bett frisch bezogen, ihr die Schlafcouch gemacht und anschließend wieder weggeklappt. Alles war wie aus dem Ei gepellt. Die Fotos vom Tatort der Kellerman-Morde, die ich von Robber erhalten hatte, versteckte ich. Ich wollte ganz bestimmt nicht, daß Judith sie fand wie Fiona.

Laura brachte sie kurz nach fünf vorbei. Meine Ex wollte nicht mit raufkommen, trat in der Haustür verlegen von einem Fuß auf den anderen. Judith stand mit einem hochnäsigen Gesichtsausdruck neben ihr, ihren Koffer in der Hand. Schließlich verkündete Laura, daß sie noch packen müßte, und ging. Ich wußte nicht, wer von uns dreien erleichterter war. Cat tauchte unter meinem Wagen auf, und wir marschierten zu dritt nach oben. Ich trug Judiths Koffer. Er war so schwer, daß sie gut und gerne die Spüle von Zuhause als Souvenir mitgebracht haben konnte. Auf dem Weg hinauf informierte sie mich, daß Laura schon vor zwei Tagen gepackt hatte. Was mich nicht weiter überraschte. Seit wir uns getrennt hatten, würde Laura lieber alles mögliche sagen oder tun, als nur eine Minute mit mir in einem Raum verbringen zu müssen.

»Mach dir nichts draus, Daddy«, meinte Judith. »Nimm's nicht persönlich.« Leider hatte ich keine Ahnung, wie ich es sonst nehmen sollte. Ich stellte den Koffer aufs Bett und setzte sie an die furnierte Abscheulichkeit, die der Makler *Frühstücksbar* genannt hatte. Das Ding trennte die Küche vom Rest meiner Atelierwohnung. Ach, sagen wir's ruhig schonungslos und offen: vom Rest des Zimmers.

»Was darf ich dir bringen?« fragte ich und rieb dabei die Hände wie ein irrer Barkeeper auf Dexedrine.

Sie zuckte mit den Achseln. »Eine Coke.«

»Kommt sofort. Was möchtest du zum Abendessen?«

»Ist mir egal. Was du hast.«

»Verdirb mir nicht den Spaß«, sagte ich. »Ich habe nicht oft Gäste.«

»Da sagt Mummy aber was ganz anderes.«

»Sie denkt wahrscheinlich, hier oben liefe eine Nonstop-Orgie.«

»Ja, ich glaube, das denkt sie.«

»Ich bin nicht glücklich darüber, daß du weißt, was ich meine.«

»Ach, Daddy, ich lese eine Menge.«

»Tja, das ist ja schon mal was.«

Sie warf einen Blick auf mein Bücherregal. »Liest du auch viel?«

»Wenn ich die Zeit habe.«

»Was denn so?«

»Im Augenblick lese ich James Crumley.«

»Wer ist das?«

»Ein Krimi-Autor. Einer der besten. Aber ich glaube nicht, daß er schon was für dich ist. Vielleicht in ein paar Jahren.«

»Mein Englischlehrer sagt, ich hätte einen ausgesprochen anspruchsvollen Geschmack.«

»Sagt sie das?«

»Also, eigentlich ist es ein er.«

»Sagt er das? Wie zum Beispiel was?«

»Eine Menge. Die sind alle im Koffer. *Watership Down*. Ein Buch über die Beatles in den Sechzigern. Die sind echt uralt, du kannst dich bestimmt noch an sie erinnern.« Kids, dachte ich. Wer will sie? »Clive James und *Farm der Tiere*. Ach, und eine alte Ausgabe von *Mrs. Tiggywinkle*. Aber darüber rede ich nicht viel.«

»Großer Gott!« sagte ich mit einem Blick auf die Comics und Malbücher. »Dein Lehrer hat recht. Eine eklektische Mischung, aber Clive James?«

»Ich mag ihn, er ist witzig.«
»Niemand ist perfekt«, sagte ich. »Wie steht's nun mit dem Abendessen?«
»Ist mir egal. Können wir ausgehen?«
»Klar. Tolle Idee.«
»Aber nicht in ein Pub.«
Ich verdrehte die Augen zur Decke. Darüber mußte ich unbedingt mal ein Wort mit Laura reden. Ex-Frauen können furchtbar sein. »Keine Pubs«, sagte ich.
»Aber gegen Weinstuben habe ich nichts.« Und sie kicherte. Ich machte mit. Ich bin es nicht gewöhnt zu kichern.
Nachdem sie ausgepackt, ihre Kleider in den Schubladen, die ich für sie freigeräumt hatte, verstaut und ihre Büchersammlung im Bücherregal aufgestellt hatte, gingen wir zur nächsten Weinstube.
Wir bestellten uns beide Hamburger. Sie trank mehr Coke, und ich nahm einen Kaffee, um zu beweisen, was für ein trockener Dad ich war. Das Personal und die wenigen Stammgäste, die dort waren und mich kannten, fanden *das* überaus komisch. Ich rettete meinen guten Ruf, indem ich zu meinem dritten Kaffee einen großen Brandy bestellte. Judith wollte mal probieren und verzog das Gesicht.
Ich mußte sie jedem vorstellen. Feierlich machte sie die Runde und schüttelte allen die Hand. Ich glaube, die Leute mochten sie. Was gab es an ihr auch nicht zu mögen? Anschließend machten wir einen Spaziergang durch Norwood. Es ist nicht Disneyland, aber was will man machen?
Gegen acht waren wir wieder in der Wohnung und sahen den ganzen Abend fern. Judith schlief mitten in einem Film ein; sie sah so süß aus, wie sie da saß, während Cat auf ihrem Schoß eingeschlafen war, daß ich sie nur äußerst ungern weckte. Aber schließlich blieb mir nichts anderes übrig. Sie ging ins Bad, putzte sich die Zähne und machte sich fertig fürs Bett. Dann betete sie, kletterte auf die Schlafcouch und war schon wieder eingeschlafen, bevor ich sie noch richtig zugedeckt hatte. Cat kuschelte sich dicht neben sie. Ich ging in mein eigenes Bett und lag wach, lauschte auf ihr Atmen.
Wie ich so im Dunkeln lag, die Lichtstreifen der Autos draußen beobachtete, die durch die Spalten hereinfielen, wo die Vorhänge nicht richtig zugezogen waren, und über die Wände flitzten

und das Innere des Raumes in ein Kaleidoskop verwandelten, dachte ich über John Rice und seine Theorien übers Single-Dasein nach. Judith war der einzige Grund, warum ich froh war, ihnen nicht gefolgt zu sein.

24

An diesem Samstag wollte ich mit Judith in die Stadt. Ich hatte mit Fiona ausgemacht, daß wir uns um vier im Café von *Selfridge's* trafen. Ich fühlte mich wirklich beschissen, wie ich sie benutzte, aber ich brauchte Zeit, um an dem Kellerman-Fall zu arbeiten, und sie sagte, sie würde sich in der kommenden Woche liebend gern ein paar Tage um Judith kümmern und mit ihr einkaufen gehen. Wegen Judith hatte ich auch ein schlechtes Gewissen. Aber ich rechtfertigte es vor mir selbst, indem ich mir sagte, sie würde bestimmt lieber mit einer jungen Frau einkaufen gehen als mit mir.

Judith und ich fuhren mit dem Bus in die Stadt. Fiona würde mit dem Auto kommen, und wir brauchten keine zwei. Sie hatte sich einen neuen Wagen gekauft. Sie wurde wirklich schrecklich vernünftig. Dabei wurde mir klar, das mir so manches durch die Finger glitt. Sie hatte ihr *Spitfire*-Cabrio ohne Verdeck und mit miesem Lack gegen einen brandneuen *Volkswagen Passat* eingetauscht. Himmel, ich war nicht mal sicher, wie ein *Passat* überhaupt aussah.

Als Judith und ich das Haus verließen, tätschelte ich die Kühlerhaube meines uralten E-Type. Fiona hatte recht gehabt. Er löste sich langsam in seine Einzelteile auf. Ein klappriger alter Benzinschlucker. Ich kannte das Gefühl. Aber ich liebte ihn trotzdem und würde ihn niemals gegen ein hochmodernes, anonymes Neunziger-Modell mit Katalysator eintauschen, das man auf dem Parkplatz eines Supermarktes nie wiederfinden würde.

Wir nahmen einen 68er Bus nach Aldwych und gingen zum Covent Garden. Jedesmal, wenn ich dort hinkomme, wirkt es immer weniger und weniger wie London und mehr und mehr wie eine unechte Mischung aus Venedig und Greenwich Village, New York.

Ich hasse Straßenmusiker und beschissene Straßentheater, das war schon immer so. Ich glaube, ein Pantomimenkünstler muß meine Mammi mal erschreckt haben, als sie schwanger war.
Natürlich liebt Judith das alles. Aber andererseits liebt sie auch MTV, was kann man da schon groß erwarten?
Ich war froh, daß ich den Wagen zu Hause gelassen hatte. Wenn ich den Tag überstehen wollte, würde ich den einen oder anderen Drink brauchen. Aber: keine Pubs. Ich hatte die Botschaft verstanden. Zum Glück ist Covent Garden voller Cafés, die auch Alkohol ausschenken dürfen. Um Viertel nach elf saßen wir auf unbequemen weißen Plastikstühlen vor einem. Judith trank Orangensaft und kaute auf einem Gebäckstück herum. Vor mir stand mein zweites Glas Weißwein, und ich schaute zu, wie die Welt an uns vorüberzog.
Judith hatte mich bereits um zehn Mäuse für grellbuntes Briefpapier und Umschläge und eine Handvoll Filzschreiber gebracht. »Ich muß doch meinen Freunden in der Schule schreiben«, informierte sie mich finster. »Manchmal glauben die mir nicht, daß Louis nicht mein richtiger Daddy ist.«
Darüber sinnierte ich, während ich meinen Wein trank. War das jetzt gut oder schlecht?
Als Gebäck und Saft verschwunden waren und sie mir ein weiteres Glas Wein ausgeredet hatte, begann der ernste Teil des Tages. Ich erspare mir, sämtliche Geschäfte aufzuzählen, in die sie mich schleppte. Dafür waren es einfach zu viele und zu verschiedene. Ich wußte nur, daß ich gegen ein Uhr kaltlächelnd einen ordentlichen Batzen Geld ausgegeben hatte und mit allen möglichen Einkaufstüten und Päckchen beladen war. Außerdem dämmerte mir allmählich, daß Judith verflucht schnell erwachsen wurde und einen immer anspruchsvolleren Geschmack entwickelte. Und wieder war ich nicht sicher, ob das nun gut oder schlecht war.
McDonald's war megaout. Statt dessen entschied sie sich zum Mittagessen für *Ed's Diner*. Der Laden sei absolut »in«, versicherte sie mir. Mir war nicht nach streiten. Wenigstens gab es bei *Ed's* Alkohol, und außerdem auch noch gute Burger. Wir vertilgten vier davon mit Käse, und zum Dessert Kuchen und Eiscreme. Judith entschied sich für einen Schoko-Milkshake, und ich trank amerikanisches Bier und ließ meinen Blick die Old Compton Street hinunterwandern. Was hatten sie nur aus

dem alten Soho gemacht? Die meisten Striptease-Schuppen und zwielichtigen Kneipen, die ich zu meiner Zeit bei der Polizei noch gekannt hatte, waren von T-Shirt-Läden und teuren Restaurants verdrängt worden. Himmel, es gibt Tage, an denen merkt man so richtig, daß man alt wird.

Nach dem Mittagessen kamen wir noch rechtzeitig zur 2 Uhr-15-Vorstellung des neuesten Lieblingsfilms aller Teenager in ein Kino am Leicester Square, wo ich mir wie der einzige Mann im ganzen Laden vorkam, der alt genug war, sich zu rasieren. Danach fuhren wir mit dem Taxi nach *Selfridge's*, um uns mit Fiona zu treffen, und waren um Viertel nach vier dort.

Sie saß an einem Tisch im Café, und Judith flitzte zu ihr, während ich mich in der Schlange für mehr Eßbares anstellen durfte. Das ist wieder so eine Sache, die man, was Kids betrifft, leicht vergißt. Egal, zu welcher Tages- oder Nachtzeit: immer scheinen sie Hunger zu haben.

Ich saß da und trank Kaffee, während Judith zwei Kaffee-Sahne-Eclair verdrückte und Orangina wegputzte. Sie und Fiona quasselten unentwegt über die Geschäfte, die sie nächste Woche aufsuchen würden. Fiona sah einfach atemberaubend aus, und wieder bekam ich ein schlechtes Gewissen wegen Juanita O'Caine, und wurde dann scharf auf beide und anschließend deprimiert. Keine meiner Begleiterinnen bekam davon etwas mit.

Wir saßen da, bis der Laden zumachte, während die zwei quatschten und quatschten. Ich war ziemlich überflüssig, aber sie waren so voller Energie und Lebensfreude, daß sich meine Laune bald wieder besserte. Als der Ladenschluß sich näherte, beschlossen sie, einen Schaufensterbummel zu machen. Ich tat so, als hätte ich keine Lust, ließ mich von ihnen aber überreden. Wir luden Judiths Päckchen und Pakete in Fionas neuen Wagen. Genau, was ich erwartet hatte: rot, glänzend, stromlinienförmig, vollgepackt mit Extras und ungefähr so individuell wie eine Klobrille. Aber sie schien ihn zu mögen, fuhr ihn wie der Blitz aus dem Parkhaus und fand wie üblich einen Parkplatz in der Nähe der Bond Street.

Wir schlenderten zum Piccadilly runter und über die Regent Street wieder zurück. Es war, als hätte ich wieder eine Familie. Ich hielt ihre Hände. Wir bummelten an den Schaufenstern entlang und gaben Geld aus, das wir nicht hatten.

Gegen acht gingen wir in ein chinesisches Restaurant in der Maddox Street, voll mit amerikanischen Touristen und entsprechenden Preisen. Was zum Teufel? *Access* konnte es verkraften, selbst wenn ich's nicht konnte.

Fiona setzte uns zu Hause ab. Judith schlief auf dem Rücksitz des Wagens, und ich trug sie nach oben. Sie kam gerade lange genug zu sich, um sich das Gesicht zu waschen, die Zähne zu putzen und das Nachthemd anzuziehen. Sie war so müde, daß sie sogar einen Keks und ein Glas Milch ablehnte. Sie ging schnurstracks mit Cat ins Bett, und ich sah mir den Spätfilm an, wobei ich die Lautstärke runterdrehte, um sie nicht zu stören.

25

Der Sonntag war friedlich. Judith war früh auf und kam gegen neun aus dem Bad. Ich lag im noch Bett und sah zu, wie sie Cat fütterte. Er warf mir einen Blick zu, der bedeutete, daß er sich an so einen Service durchaus gewöhnen konnte. Ich antwortete mit einem Blick, der besagte: Das kannst du vergessen.

Judith brachte mir den Tee ans Bett. Jetzt wußte ich, wie Cat sich fühlte. Sie schaltete den Fernseher ein, und *He-Man* verjagte mich aus den Federn ins Bad. Nachdem ich mich angezogen hatte, ging ich die Zeitung holen, während sie mir ein ausgewachsenes englisches Frühstück machte. Ich war zuerst ein wenig beunruhigt, doch es war exakt so, wie ich es mochte. Etwas, das ihre Mutter in all den Jahren unserer Ehe nie fertiggebracht hatte.

Judith aß nur Cornflakes, und während ich mich über Frühstücksspeck und Eier hermachte, ließ sie sich erbarmungslos und makaber über die Gefahren von Cholesterin für einen Mann meines Alters aus. Ich sagte ja schon, sie wurde erwachsen.

Wir lasen beim Essen, und sie genoß die *News of the Screws*, die ihre Mutter niemals ins Haus lassen würde. Wir schlossen einen Pakt, daß sie keine Märchen über das erzählen sollte, was wir während ihres Aufenthaltes bei mir unternahmen. Nach dem Frühstück stapelten wir das Geschirr in der Spüle, und es war Zeit fürs Kreuzworträtsel. Während ich noch mit drei waagerecht kämpfte, hing sich Judith an die Strippe, wie sie das Telefon hartnäckig nannte, und sprach mit Fiona. Sie tat der Telecom einen großen Gefallen und redete, bis ich bei vierzehn senkrecht angekommen war. Ich hörte nicht wirklich zu, bekam aber doch mit, daß sie noch mal zur Bond Street wollten. Traurig schüttelte ich den Kopf.

Als sie auflegte, informierte sie mich, daß wir uns zum Mittagessen mit Fiona in einem mexikanischen Restaurant in einer Seitenstraße der Shaftesbury Avenue trafen. Ich ging ins Bad und überprüfte meinen Vorrat an Alka Seltzer.

Gegen zwölf holte uns Fiona mit ihrem Passat ab. Sie war total in die Karre verliebt und wollte nichts anderes mehr fahren. An jeder Ampel mußte sie protzen und hängte alles andere auf der Straße ab. Falls Sie verstehen, was ich meine. Sämtliche jugendlichen Rennfahrer versuchten sich mit ihr anzulegen, aber sie hätten genausogut im Bett bleiben können. Fiona hatte die Seitenscheibe runtergekurbelt und ihr langes schwarzes Haar flatterte im Wind – sie hatten nicht die geringste Chance.

Um zwölf Uhr fünfundzwanzig hatten wir geparkt und saßen vor einer Kneipe in einer der winzigen Straßen am Rande von Soho. Vor mir mein erstes überteuertes Import-Bier des Tages.

War schon gut, daß ich nicht selbst gefahren war, da mich die Margaritas zum Mittagessen wieder leicht betrunken machten.

Beim Kaffee informierte mich Judith, daß sie den ganzen nächsten Tag einschließlich der Nacht mit Fiona verbringen würde. Einkaufen, anschließend so was wie eine Pyjama-Party in Fionas Wohnung. Nur für Mädchen. Was mir absolut in den Kram paßte. Ich hatte Wichtigeres zu tun.

»Fein«, sagte ich zu Judith. »Auf dem Nachhauseweg hole ich dir etwas Geld. Ich kann es nicht zulassen, daß Fiona ihre letzten Pennies für dich ausgibt.«

Fiona verzog das Gesicht. Judith auch.

»Was wirst du denn machen, Daddy?« fragte Judith.

»Ich werde schon was finden, womit ich die Zeit totschlagen kann, Prinzessin.«

Eine gemächliche Fahrt aufs Land in Richtung East Grinstead, dachte ich.

»Dienstagmorgen habe ich ziemlich früh einen Fototermin«, sagte Fiona. »Kannst du Judith abholen kommen?«

»Wann?«

»Ich muß um sieben aus dem Haus sein.«
»Kein Problem.«
»Ich mache dir auch ein Frühstück«, sagte Judith.
»Ist mir recht. Aber du kaufst besser was ein. Als ich das letzte Mal bei Fiona war, gab's nur kalte Pizza.«
Fiona verzog wieder das Gesicht. Fast wie früher. Fast, aber nicht ganz.
Nachmittags machten wir einen Ausflug auf dem Fluß. Es war warm und angenehm, und ich war eingeschlafen, bevor wir Chelsea Harbour erreichten. Anschließend fuhren wir zu mir und spielten Trivial Pursuit, ließen Judith gewinnen, besorgten uns Pizza und ein Video. Gegen elf ging Fiona nach Hause und versprach, Judith am nächsten Morgen um zehn Uhr abzuholen.
Sie hielt ihr Wort und tauchte pünktlich auf die Minute in ihrem neuen Wagen auf. Ich verabschiedete mich von beiden mit einem Kuß. Sagte, ich hoffe, daß sie sich glänzend amüsieren und nicht zuviel von meinem Geld ausgeben würden, und daß ich beide am nächsten Morgen wiedersehen würde.
Nachdem sie losgefahren waren, stieg ich in meinen Wagen und grub meine Landkarten aus dem Handschuhfach. Ich fand das Dorf in der Nähe von Kellermans Cottage sofort. Ich schätzte, daß ich etwa anderthalb Stunden brauchen würde.
Ich hatte richtig geschätzt. Nachdem ich bei East Grinstead die A22 verließ, hielt ich mich an Natalies Instruktionen und fand das Haus problemlos.
Das Cottage lag an einem versteckten Sträßchen abseits der B2110, einer ruhigen Landstraße zwischen Forest Row und Hartfield am Rand des Ashdown Forest.
Es wurde von einem Palisadenzaun umgeben, der früher irgendwann mal weiß gewesen sein mußte. Daneben ein Feld, daß mal zu einer Obstplantage gehört hatte. Kleine, gedrungene Bäume trugen verkümmerte Früchte, doch sie kämpften weiter eine aussichtslose Schlacht gegen jahrzehntelange Vernachlässigung.
Ich parkte so, daß der Wagen von der Straße aus nicht zu sehen war. Es wehte eine leichte Brise, und Wolken schoben sich über die Sonne, wodurch sie den Tag abwechselnd hell und dunkel machten. Das Cottage wirkte im Sonnenschein schon trostlos genug, aber wenn die Sonne verschwand und der Wind kalt

über das Land fegte, dann sah es wie ein Ort aus, den ich lieber verlassen, als daß ich dort ankommen wollte. Der Weg zum Haus war nach den Stürmen des letzten Winters übersät mit altem Laub und Ästen.

Ich öffnete das Törchen und ging zur Veranda. Die Fenster waren schmutzig, an einer Seite des Hauses war ein Teil der Regenrinne runtergekommen. Das Regenwasser hatte die Ziegel dort grün werden lassen. Ich schloß die Haustür auf. Sie blieb an einem Berg Post hängen, und ich drückte fester und zwängte mich durch den Spalt.

Im Haus herrschte eine Grabesstille. Keine Uhr tickte. Kein Verkehrslärm drang von draußen herein. Keine Vögel in den Bäumen auf dem Feld, nicht mal ein Flugzeug am Himmel. Stille füllte den Flur, und fast konnte ich meinen eigenen Herzschlag hören. Ich kniete mich, schob die Briefe zu einem großen Stapel zusammen und ging sie durch. Der älteste Poststempel, den ich finden konnte, stammte vom letzten Februar, was paßte. Nichts für David Kellerman. Alles, was nicht an »Den Wohnungsinhaber« adressiert war, war an Donald King gerichtet. David Kellerman. Donald King. D. K. Die gleichen Initialen. Der älteste Trick der Welt.

Aber wieso brauchte er einen falschen Namen, wenn er doch nichts anderes tat, als sein trautes Heim zu verlassen und sich ein Liebesnest mit seiner Freundin einzurichten? Allmählich glaubte ich, daß Robber, trotz all seiner Fehler und Mängel, recht hatte. Immerhin war er ein alter Ganovenjäger. Vielleicht hatte er recht gehabt, vielleicht hatte Kellerman tatsächlich Dreck am Stecken. Und es fiel mir ein, daß er das gleiche von James Webb behauptet hatte.

Bei der Post befanden sich Bescheide für die Kopfsteuer, Telefonrechnungen von blau bis rot, und eine Karte, die besagte, daß das Telefon abgestellt würde, sofern die offene Rechnung nicht umgehend bezahlt wurde. Datiert war sie auf den vergangenen Juni. Außerdem waren Rechnungen vom Elektrizitätswerk da. Als ich daraufhin den Lichtschalter in der Diele probierte, passierte nichts.

Ich durchsuchte das Haus von oben bis unten. Vom Flur gingen zwei Türen ab, und eine Treppe führte nach oben. Die Türe links führte in eine Küche. Sie war sauber, roch aber muffig, und auf allen Oberflächen lag eine dicke Staubschicht. Die

Spüle war trocken und leer. Eine Tür mit einer Glasscheibe führte auf einen Weg neben dem Haus, wo die Mülleimer standen. Sie war abgeschlossen, und der Schlüssel war nicht da. Eine zweite Tür führte in den Keller. Dahinter war es stockdunkel. Ich ging zum Wagen und holte meine Taschenlampe.
Ich leuchtete eine Treppe mit fünf oder sechs Holzstufen hinunter in den Keller. Der Keller verlief über die gesamte Länge und Breite des Hauses und schien leer zu sein. Ich ging nicht runter. Ich knipste die Taschenlampe wieder aus, kehrte in den Flur zurück und ging zur nächsten Tür. Sie führte in ein Wohnzimmer. Der Raum war mit einer bequem aussehenden, dreiteiligen Sitzgarnitur eingerichtet, einem Eßtisch, vier Stühlen, einem niedrigen Couchtisch zwischen Sofa und offenem, aus roten Ziegeln gemauertem Kamin, der fast die gesamte Wand zu meiner Rechten einnahm. Der Kamin war, bis auf alte Asche, leer. Die Wand gegenüber dem Kamin war mit Bücherregalen gesäumt. Auf den Brettern verloren sich einige Bücher. Agatha Christie. Jilly Cooper. Auf dem mittleren Regalboden stand das Telefon. Tot. Daneben ein Tablett mit Spirituosen, eingestaubten Gläsern und einem leeren Eiskübel. Mir gegenüber führte, hinter langen Vorhängen, eine Verandatür auf ein mit Steinplatten ausgelegtes Rechteck mit Büscheln von zäh aussehendem Unkraut, das durch den Zement zwischen den Platten gewachsen war. Die Wildnis, die wahrscheinlich mal ein gepflegter Garten gewesen war, drang unaufhaltsam auf die Terrasse vor. Rasen und Blumenbeete waren völlig heruntergekommen.
Ich ging nach oben. Ein Treppenabsatz. Wieder gab es zwei geschlossene Türen. Die Tür am Kopfende der Treppe führte ins Bad, die andere in das einzige Schlafzimmer. Das Schlafzimmer durchsuchte ich als erstes. Da war ein großes, ordentlich gemachtes Doppelbett. Zwei Nachttischchen, ein freistehender Kleiderschrank, eine Kommode, eine Frisierkommode mit einem dreiteiligen Spiegel, zwei Stühle, und das war's dann auch schon. Aber es war ziemlich teures Zeug, und alles neu. Ich nehme an, Kellerman hat Rabatt bekommen, wo er doch auch in der Branche war.
In der Decke befand sich eine Falltür. Ich zog einen der Stühle darunter und drückte die Tür auf. Es gab eine Leiter auf den Dachboden, die ich runterzog. Ich kletterte die Leiter hoch und steckte meinen Kopf durch die Öffnung. Nur ein Speicherraum.

Leer. Durch die Dachpfannen fielen schmale Lichtstreifen. Es sah schmutzig aus, also kletterte ich wieder hinab.
Ich durchsuchte alles im Schlafzimmer. Im Schrank hing ein Wollkleid, Größe zwölf, von *Fenwick's*; ein Herrenanzug, Größe 40. Ein blauer Mantel, die gleiche Größe. Beides mit Etiketten von *Harrods*. Drei weiße Hemden auf Bügeln und eine geblümte Krawatte, die um den Haken eines Kleiderbügels geschlungen war. Auf dem Boden des Schranks stand ein Paar Halbschuhe von *Paul Smith*, Größe neun. Ich ging die Taschen der Kleider durch. Leer. In der Kommode ein paar Männerpullover und Baumwollunterwäsche aus Geschäften in der Jermyn Street. Da war auch Damenunterwäsche. Sexy. Von der Bond Street. Ich dachte an Natalie Hooper, wie sie in ihrem Rollstuhl in ihrem Bungalow in Epsom saß, und ich muß zugeben, ich wunderte mich.
In der Frisierkommode fand ich Make-up, Reinigungscreme, Parfum, Kosmetiktücher, Wattebällchen, Ohrringe und ein silbernes Armband. Genau, was man auch erwarten würde, wenn man schon mit einer Frau zusammengelebt hatte. Sämtliche Kosmetika waren Spitzenprodukte, die Parfums stammten von *Christian Dior* und *Chanel*. Die Nachttischchen waren bis auf ein weiteres Agatha Christie-Taschenbuch in einer Schublade leer. Ich überprüfte den Teppichboden. Ein wertvoller Berber. Und ausgezeichnet verlegt. Ich riß ihn an den Ecken hoch. Nichts. Schließlich sah ich unter der Matratze nach. Nicht mal eine Wanze.
Ich durchquerte den Flur zum Bad. Es roch, genau wie in der Küche, muffig und verbraucht. Waschlappen und Handtücher waren knochentrocken, und in der Wanne hatten sich Spinnen eingenistet. Ich warf einen Blick ins Arzneischränkchen. Das übliche. Zwei trockne Zahnbürsten in einem Glas. Zahncreme, Shampoo, Mundwasser, Seife, Aspirin. Ich entfernte die Seitenverkleidung der Wanne. Nur eine tote Maus. Ich ließ sie in Frieden ruhen. Auf dem Treppenabsatz, der Treppe und in der Diele hob ich den Teppichboden hoch. Nichts.
Ich kehrte in die Küche zurück und schaute dort in den Schubladen nach. Nichts Besonderes. Ich ging die Lebensmittel durch, kippte die Mehl- und Zuckergläser aus und kontrollierte den Kühlschrank. Irgendwas war hier vergammelt. Ich schaute erst ins Gemüsefach und dann ins Eisfach. Nur die Re-

ste eines Kopfsalates, der den Zustand von Gemüse weit hinter sich gelassen hatte, und eine trockene Eisschale.
Diesmal ging ich in den Keller. Wie ich mir gedacht hatte, war er vollkommen leer. Der Boden war aus solidem Beton.
Allmählich wurde es langweilig.
Ich ging zurück ins Wohnzimmer, durchsuchte es und hob auch dort den Teppichboden an. Wieder nichts. Ich zog die Riegel der Verandatür auf und trat in den Garten hinaus. Ich entdeckte einen Pfad durch die Wildnis, dem ich folgte, bis ich zu einem großen Schuppen kam. Die Tür war nicht verriegelt. Ich ging hinein und hatte endlich etwas Glück. In dem Schuppen stand ein kleiner Generator. Ausgeschaltet. Daneben stand ein Zwanzig-Liter-Benzinkanister.
Ich überprüfte den Tank des Generators. Fast voll. Ich fand die Zündung und warf das Ding an. Jetzt hatte ich wenigstens Licht.
Auf den Regalbrettern an den Wänden des Schuppens waren Schachteln mit nach Größe sortierten Schrauben und Muttern und Nägeln gestapelt. Dann gab es noch zwei Bohrmaschinen und an ordentlich beschrifteten, in die Wände gebohrten Haken genug Werkzeug, um einen ganzen Handwerkerladen damit auszustatten. Alles gut geölt und – unter einer feinen Staubschicht – glänzend. War schon ein reiner Glücksfall, daß in all der Zeit, die das Haus leerstand, noch niemand den Schuppen ausgeräumt hatte. Abgesehen von dem Generator bot der Schuppen nichts.
Ich kehrte in den Garten zurück, rauchte eine Zigarette und dachte nach. Natalie hatte gesagt, die Übertragungsurkunde befände sich *im* Haus, aber da war sie nicht. Wenigstens nicht, soweit ich das sehen konnte, und ich hatte ziemlich gründlich gesucht. Und glauben Sie mir, ich hatte Übung in so was. Normalerweise würde ich also sagen, die Papiere sind nicht da, und würde es dabei bewenden lassen. Aber es gab überhaupt keine Papiere. Nichts. Nun wußte ich, daß Kellerman ein seltsames Doppelleben geführt hatte, daher mußte es irgendwo etwas geben, das sich auf die Donald King-Seite seines Lebens bezog, das er weder mit nach Hause noch mit ins Büro nehmen konnte. Und offensichtlich war bislang noch nichts aufgetaucht.
Die Polizei mußte alles, was ihnen in die Finger fiel, mit dem sprichwörtlichen feinen Kamm durchgegangen sein. Offen-

sichtlich gab es auch woanders keinerlei Dokumente, die auf die Existenz des Cottage hinwiesen, denn andernfalls wäre vor mir schon längst jemand hier aufgekreuzt. Außerdem war jemand lange nach den Morden und nachdem die Polizei fort war, in das Haus in Crown Point eingebrochen und hatte es auf den Kopf gestellt. Also wußte noch jemand, oder glaubte zu wissen, daß es *etwas* zu finden gab. Offenbar die Leute, die mir gefolgt waren, die Leute, die auch McKilkenney ermordet hatten. Aber was war es? Ganz sicher doch mehr als nur die Übertragungsurkunde des Cottage, oder? Warum sollte sich jemand dafür interessieren? Das Haus gehörte, soweit ich das beurteilen konnte, ganz eindeutig James Webb, selbst wenn Kellerman sich Weihnachtsmann genannt hätte. Und es war klar, daß Webb nichts davon wußte, denn andernfalls hätte er sicher längst seinen Anspruch darauf geltend gemacht.

Irgendwas mußte hier sein. Sofern Kellerman die Papiere nicht irgendwo draußen vergraben, ein Bankschließfach gemietet oder sie unter seinem falschen Namen bei einem Anwalt deponiert hatte, mußten sie irgendwo dort drinnen sein. Ich steckte mir eine weitere Zigarette an und schaute zum Haus hinüber. Da stand es: unnachgiebig und geheimnisvoll. Irgend etwas *war* da, dessen war ich absolut sicher. Es mußte so sein.

Ich kehrte zurück, um mir Dachboden und Keller genauer anzusehen. Also stieg ich wieder in das Obergeschoß, zog die Jacke aus und kletterte ein zweites Mal die Leiter hoch. Der Dachboden war vollkommen leer, und das Isoliermaterial zwischen den Dachsparren war alt und seit Jahren nicht mehr angerührt worden. Ich kletterte die Leiter wieder runter, nahm meine Jacke vom Boden und ging in die Küche. Ich hatte Durst. Ich öffnete den Kühlschrank, der wieder angesprungen war, und entdeckte eine Dose Pepsi. Ich riß den Verschluß auf und trank einen Schluck, ging dann ins Wohnzimmer und füllte die Dose aus der Wodkaflasche auf dem Bücherregal auf. Ich rauchte eine Zigarette und leerte die Büchse. Als ich wieder in den Keller hinabstieg, war es schon gut nach drei Uhr.

Im grellen elektrischen Licht sah er noch leerer aus als vorher. Die Wände waren weiß verputzt, und auf etwa zehn Zentimeter Höhe am Boden ragten die Ziegel des Fundamentes hervor. Ein Meter oder ein Meter zwanzig schmuddeliges Weiß, dann einen halben Meter dunkler Ziegel, dann wieder weiß, und das

über den ganzen Raum. Ich machte einmal die Runde, klopfte dabei mit dem Ende meiner Taschenlampe die Wände ab. Alles sah und fühlte sich massiv an, damit war also auch das abgehakt. Es machte wirklich keinen Spaß.
Ich ging wieder nach oben und setzte mich mit der Flasche Wodka und einer Menge übler Gedanken hin. Ich war müde und schmutzig, und es sah ganz danach aus, als hätte ich einen weiteren Tag vergeudet. Ich starrte durch die schmutzigen Fenster nach draußen und beobachtete, wie der Nachmittag langsam in den Abend überging. Schließlich trank ich den Rest der Flasche aus, und warf sie dann zu den Ascheresten in den Kamin.
Dann ging ich. Schloß das Cottage ab und fuhr in die Stadt zurück. Ich steuerte schnurstracks meine Stammkneipe an und riskierte einen Teller Chili, das ich mit einigen Bieren runterspülte. Bevor ich mich versah, machte der Laden zu, und ich wurde mit dem restlichen Pöbel vor die Tür gesetzt.
Als ich endlich nach Hause kam, war es fast Mitternacht. Cat wartete vor der Haustür und hielt mir eine ordentliche Standpauke darüber, daß ich ihn den ganzen Tag allein gelassen hatte. Ich ließ ihn rein, fütterte ihn und rief Fiona an. Sie kam sofort ans Telefon.
Es war gut, ihre Stimme zu hören. Und Judiths. Als könnte das Leben ganz normal sein, und nicht jeder Mensch wäre schmutzig. Ich sagte Judith, sie müßte eigentlich schon längst im Bett sein.
Das wäre sie auch, sie würde nur noch ein bißchen fernsehen. Ich freute mich viel zu sehr, ihre Stimme zu hören, um mich mit ihr zu streiten. Sie erzählte, daß sie mit Fiona einen tollen Tag verbracht hätte. Ich sagte ihr, das freute mich. Ich sagte nicht, wo ich gewesen war. Ich sagte ihr, daß ich sie lieb hatte, wünschte ihr eine gute Nacht und ließ Fiona grüßen.
Judith wünschte mir auch eine gute Nacht, sagte, daß sie mich lieb hatte und mein Frühstück um Punkt sieben fertig wäre. Wir verabschiedeten uns, und ich wartete, bis sie aufgelegt hatte, bevor ich es auch tat. Das ist so eine Angewohnheit von mir.
Inzwischen hatte ich fürchterliche Kopfschmerzen. Ich zog mich aus und ging ins Bett. Eine Stunde oder vielleicht auch länger lag ich wach, dachte nach und verschlimmerte dadurch meine Kopfschmerzen. Ich wußte, daß mit diesem Cottage irgend

etwas nicht stimmte, konnte aber einfach nicht meinen Finger drauflegen, was es war. Irgendwann muß ich dann wohl eingeschlafen sein.

26

Lange schlief ich nicht. Die Leuchtziffern der Uhr auf meinem Nachttisch sagten 4:35, als ich aufwachte. Wenigstens waren meine Kopfschmerzen fort.

Ich stand auf und duschte. Cat hatte schon wieder Hunger. In vieler Hinsicht erinnerte er mich an Judith. Ich fütterte das kleine Arschloch und setzte ihn vor die Tür. Dann ging ich wieder nach oben, machte mir einen Becher *Typhoo* mit viel zuviel Zucker und trank ihn, während ich mich anzog. Ich entschied mich für Jeans und Jeanshemd und mein Lieblingspaar abgewetzter alter *Doc Marten's*. Inzwischen war es schon nach sechs, und ich ging runter zu meinem Wagen und fuhr gemächlich zum *Oval*, wo mich mein Frühstück erwartete. Während ich durch die stillen Straßen kurvte, rauchte ich die erste Zigarette des Tages. Doch die ganze Zeit dachte ich über das Cottage in East Grinstead und die Geheimnisse nach, die dort bestimmt verborgen lagen.

Judith machte mir auf. Mir zog der Duft von gebratenem Frühstücksspeck in die Nase, während ich ihr die Treppe hinauf folgte. Fiona mußte meinen Rat beherzigt und Vorräte eingekauft haben. Wir gingen direkt in die Küche. Fiona war nicht da.

»Ich wußte, daß du früher kommst«, meinte Judith. »Also habe ich's auch früher gemacht.«

»Braves Mädchen«, sagte ich. »Hattest du Spaß?«

»Es war Wahnsinn«, erwiderte sie. »Aber viel Geld habe ich nicht ausgegeben.«

»Freut mich zu hören.«

»Noch nicht.«

Fiona mußte ihr ein paar Tips gegeben haben.

Dann hörte ich Schritte auf der Treppe, und Fiona kam in die Küche, bereit, das Haus zu verlassen.

Es verblüfft mich immer wieder, daß sie definitiv alltäglich aussieht, wenn sie zu einer ihrer Foto-Sessions loszieht. Falls sie je

alltäglich aussehen konnte. Ihre Haare waren unter einem Schal auf dicke Lockenwickler gedreht, und ihr Gesicht war absolut ungeschminkt. Sie trug eine riesige lederne Fliegerjacke und Leggings.
»Hi, Schöne«, sagte ich.
»Sag's nicht. Ich sehe aus wie eine Vogelscheuche.«
»Für mich siehst du okay aus. Fast zum Anbeißen.«
»Appetitlicher als mein Frühstücksspeck?« unterbrach Judith.
»Nichts sieht verlockender als der aus.«
»Möchtest du auch irgendwas?« erkundigte sich die Köchin.
»Oh, nein. Ist noch zu früh. Ich mache mich jetzt besser auf den Weg.«
»Keinen Kaffee?« fragte Judith dienstbeflissen.
»Nein. Ich kotze, wenn ich jetzt Kaffee trinke. Ich fühle mich besser, wenn ich an die frische Luft komme«, sagte sie. »Ruf mich an, und wir machen irgendwas aus.«
»Okay«, sagte Judith. Ich winkte ihr noch einmal kurz zu, und dann war Fiona verschwunden.
Judith tischte Sandwiches und Tee auf.
»Also, was machen wir heute morgen, Kid?« fragte ich.
»Ich denke, wir sollten für den Anfang mal aufhören, mich Kid zu nennen«, erwiderte sie bissig.
Ich starrte sie an. Sie erinnerte mich an ihre Mutter, als wir uns kennengelernt hatten. Als ich mich in sie verliebt hatte. »Okay«, sagte ich. »Das mit dem Kid lassen wir. Also, was unternehmen wir?«
»Können wir shoppen gehen?«
»Klar. Wo? Im West End?«
»Wie wär's mit irgendwo hier in der Gegend? Ich war gestern schon im West End.«
»Was willst du denn einkaufen?«
»Klamotten.«
»Was, noch mehr?«
»Gestern hab ich doch kaum was gekauft. Nur ein paar T-Shirts und meine neue Jeans. Du hast überhaupt nicht mitgekriegt, daß ich eine neue anhabe.«
Ich mußte zugeben, das hatte ich wirklich nicht. Mir gingen eine Menge Sachen durch den Kopf. »Tut mir leid, Schatz«, sagte ich. »Deine angeborene Schönheit hat mich viel zu sehr geblendet, um neue Jeans zu registrieren.« Sie errötete, aber ich

wußte genau, daß es ihr gefiel. »Hier gibt's keine besonders große Auswahl«, sagte ich.

»Wie wär's dann mit Croydon?«

»Du willst nach Croydon?« fragte ich ungläubig. Soweit es mich betraf, war das ein bißchen so, wie zu sagen, man wollte nach Middlesborough.

»Es soll doch ganz gut sein. Das haben wenigstens ein paar Mädchen auf der Schule erzählt.«

»Also gut. Dann auf nach Croydon.«

Wir machten uns fertig, gingen zum Wagen, und ich fuhr nach Süden. Unterwegs plapperte sie pausenlos. »Meinst du, ob Fiona mich wohl mal mit zur Arbeit nimmt, wenn ich sie frage?« sagte sie.

»Zu Fototerminen?«

»Ja.«

»Ist eine Überlegung wert«, sagte ich. »Willst du wirklich mitgehen?«

»Ja.«

Himmel, ich konnte mir das Gesicht ihrer Mutter lebhaft vorstellen. »Doch, ich denke schon«, meinte ich. »Aber du mußt mir versprechen, daß du deinen Sport-BH anbehältst.« Sie starrte mich so schockiert an, wie nur eine Zehnjährige, die hart auf die elf zumarschierte, starren kann. Dann hob sie die Hand vor ihren Mund und lachte. Ich auch. Nur, daß ich meinen Mund nicht bedeckte.

Bislang war es ein guter Morgen gewesen.

Was sich aber bald ändern sollte. Zum schlechteren.

Ich war auf den Hauptstraßen geblieben, und als ich mich Beulah Hill näherte, blickte ich in den Rückspiegel und sah hinter mir einen Wagen mit voll aufgeblendeten Scheinwerfern angerast kommen. Zuerst dachte ich noch, es wäre Polizei, bremste ab und fuhr rechts ran. Aber es war nicht die Polizei. Es war ein alter blauer Volvo, verbeult und stark angerostet. Er überholte mich und setzte sich direkt vor mich. Als er scharf abbremste, sah ich Rauch von seinen Reifen aufsteigen. Ich latschte so fest auf *meine* Bremse, daß der Sicherheitsgurt schmerzhaft in meine Schulter schnitt. Die Schnauze des Jaguars senkte sich, und ich hörte Metall über Asphalt kreischen. Der Jag brach zur Straßenmitte aus und der Motor würgte ab.

»Arschloch!« schimpfte ich und öffnete die Tür, um auszusteigen. Dann flogen beide Vordertüren des Volvo auf. Zwei Männer sprangen heraus und kamen auf uns zugerannt. Der Fahrer war eiireter Riese. Wabbelig, kurze Haare in der Farbe von Teppichstaub. Er trug eine Nylon-Bomberjacke und Jeans. In der Hand hielt er eine halbautomatische Schrotflinte. Der andere Mann war erheblich jünger, trug einen einreihigen Regenmantel. Er hatte nichts in der Hand.

Der Fahrer brüllte: »Raus aus dem Wagen. Beide.«

Ich warf Judith einen kurzen Blick zu. Sie sah genauso verängstigt aus, wie ich mich fühlte.

Dann war der Fahrer an meiner Tür. Er riß sie auf und stieß mir den Lauf seiner Flinte unter die Nase. »Raus, du Bastard. Raus! Raus! Raus! Schnapp dir das Mädchen«, brüllte er seinem Kumpel zu.

Ich gehorchte, und der andere öffnete Judiths Tür und zog sie heraus. »Tu's nicht!« sagte ich, und der Kerl mit der Flinte knallte mir den Lauf auf den Kopf. Nicht fest genug, um mich bewußtlos zu schlagen, aber fest genug, daß es weh tat.

Dann schob er die Mündung der Schrotflinte wieder in mein Gesicht. So nah, daß ich Metall und Waffenöl riechen konnte.

»Wo ist es?« schrie mich der Fahrer aus Leibeskräften an. Ich bemerkte, daß inzwischen andere Wagen gehalten hatten und Leute ausstiegen, um zu sehen, was hier los war. Auf dem Bürgersteig blieben Fußgänger stehen und gafften. Aber alle hielten sich klugerweise außer Reichweite.

»Was?« sagte ich.

»Wovon sie dir erzählt hat.«

»Wer?«

»Der beschissene Krüppel, du Arsch. Wo ist es?«

Natalie.

»Ich weiß nicht ...«

Er schlug mich wieder. In die Rippen diesmal. So fest, daß ich kein Wort mehr rausbrachte. »Wir bringen die Kleine um«, schrie er.

Ich sah ihn an, und ich wußte, wenn ich die nächsten paar Minuten überlebte, würde ich ihn fertigmachen. So standen wir ein paar Sekunden da, die mir wie Stunden vorkamen, dann richtete er die Flinte auf die Kühlerhaube des Jaguar und drückte ab. Die Wucht des Schusses schüttelte den Wagen, und die Windschutzscheibe implodierte. Irgendwer in der Zuschauer-

menge schrie, und plötzlich überholte ein weißer Rover-Streifenwagen mit Blaulicht die Schlange, die sich hinter uns gebildet hatte. Er kam über den weißen Mittelstreifen auf uns zugerast.
»Scheiße!« brüllte der Fahrer, zog den Ladehebel der Schrotflinte durch und feuerte auf den Polizeiwagen. Schleudernd kam er zum Stehen. Der Schütze stürmte auf ihn zu, schoß wieder. Der Beifahrer des Volvo ließ Judith los und rannte dem Fahrer nach.
»In den Wagen«, brüllte ich. Kopf und Bauch taten mir weh, aber ich würde es überleben. »Schnell, Judith, spring rein!«
Sie gehorchte, ich rutschte hinter das Steuer und drehte den Zündschlüssel. Die Vordersitze waren mit Glasscherben übersät, doch wir ignorierten es beide. Der Zwölfzylinder sprang beim ersten Versuch an. Ich riß einen Gang rein und raste mit kreischenden Reifen los. Ich überholte den Volvo und gab Richtung Beulah Hill Gas. Am Fernsehturm bog ich links ab und nahm die erste Seitenstraße, die ich sah, raste weiter über Nebenstraßen Richtung Upper Norwood. Judith saß mit kreidebleichem Gesicht neben mir.
»Mit dir alles okay?« fragte ich. Gott, laß mit ihr alles in Ordnung sein, dachte ich.
»Daddy, was ist passiert?« sagte sie. Ihre Lippen waren weiß, und ich wußte, daß sie einen Schock hatte. Ich hielt an, beugte mich zu ihr und streckte meine Hand aus. Sie klammerte sich an mich. Sie zitterte am ganzen Körper, war aber unverletzt.
»Alles in Ordnung«, sagte ich. »Alles ist gut.« Aber innerlich empfand ich eine eiskalte Angst. Für diese Angst würden die Dreckskerle bezahlen.
Ich schaute mich um, aber die Straße war leer. Ich lehnte mich zurück und atmete tief durch. Meine Rippen fühlten sich an, als wären sie gebrochen, doch das bezweifelte ich. Im Spiegel sah ich mir die Stelle an, wo der Schütze mir auf den Kopf geschlagen hatte. In meinen Haaren klebte etwas Blut, doch wie's aussah, war es nichts Ernstes. Hoffte ich jedenfalls.
»Haben Sie dir weh getan, Daddy?«
»Sie haben's zumindest versucht.«
»Aber mit dir ist doch alles in Ordnung, oder?«
»Ich werd's überleben«, sagte ich. »Damit du dich um mich kümmern kannst, wenn ich mal alt bin.«

Sie mußte lächeln. Sie glaubte, ich würde nur Scherze machen, aber da war sie wahrscheinlich die einzige.

Ich fuhr auf kürzestem Weg zur Werkstatt meines alten Kumpels Charlie in West Norwood. Er besitzt hinter der dortigen High Street einen legalen Autohandel mit Inspektion, Pannenhilfe und Reparaturwerkstatt nach Autounfällen. Ich habe oft vermutet, daß dort gestohlene Autos auseinandergenommen und verscherbelt werden, aber nie danach fragen wollen. Er kümmert sich um meine Wagen. Hat's schon immer getan. Tatsächlich hat er auch den E-Type aufgebaut, als ich ihn – damals war ich noch bei der Polizei – günstig kriegen konnte. Im Moment lagerte er einen Pontiac Trans-Am für mich, und ich brauchte einen fahrbaren Untersatz mit intakten Scheiben. Ich fuhr den Jaguar auf den Hof und stellte ihn direkt neben die Karosseriewerkstatt.

Charlie bemerkte mich durch das Fenster seines Büros und kam raus, um zu sehen, was los war. Er warf einen Blick auf den Wagen und schüttelte traurig den Kopf. »Was hast du jetzt wieder angestellt?«

»Ich brauchte frische Luft.«

»Aber sicher«, sagte Charlie.

Ich stieg aus. Meine Beine zitterten immer noch. Judith stieg ebenfalls aus, und ich legte meinen Arm um ihre Schultern. »Du erinnerst dich an meine Tochter Judith«, sagte ich.

»Natürlich erinnere ich mich. Hallo, Judith, Schatz. Du bist ganz schön groß geworden.«

Judith setzte ein tapferes Lächeln auf, sagte aber nichts. Ich drückte sie.

»Du machst dich aber auch ganz gut«, sagte ich, spielte auf den Bauch an, den zu kaschieren sich Charlies flotter Zweireiher alle Mühe gab. »Zu viele Geschäftsessen?«

»Lenk nicht ab, Nick.« Er berührte die Löcher in der Kühlerhaube des Jaguars. »Was zum Teufel ist passiert?«

»Materialermüdung«, sagte ich.

Wieder schüttelte er den Kopf. »Erzähl das bloß nicht Talulah.« Talulah war die Mechanikerin, die eigentlich an meinen Autos arbeitete. Sie war jung und wild und ließ sich von Männern keinen Scheiß erzählen. So wie sie sich immer aufführte, könnte man meinen, ihr gehörten die Autos und sie hätte sie mir nur widerwillig ausgeliehen.

»Ist sie in der Nähe?« fragte ich.
»Du hast Glück«, sagte er. »Sie ist gerade wegen einer Panne unterwegs.«
»Kann ich ihn dir zum Reparieren hier lassen?« Ich berührte das Dach des E-Type.
Er seufzte. »Ich würde einen Haufen Ärger kriegen, wenn ich jetzt nein sage.« Ich glaube, er nahm sich vor Talulah genauso in acht wie ich.
»Er hatte es sowieso mal wieder nötig. Eine Generalüberholung könnte nicht schaden.«
»Also, die Karosserie ist bei dir ganz bestimmt nicht besser geworden.«
»Ich dachte an eine Neulackierung. Rot wäre nicht schlecht.«
»Tja, wenigstens fallen dann die Blutflecken nicht mehr auf.«
»Haha, sehr komisch. Ich nehme den Tranny.«
»Nein, das wirst du nicht. Der Zylinderkopf ist runter. Die Ventile klappern.«
»Scheiße«, sagte ich.
»Bitte, nicht vor dem Kind«, sagte er vorwurfsvoll.
Judith warf ihm einen finsteren Blick zu.
»Und wo wir gerade von Köpfen reden, was ist mit deinem passiert?«
»Bin gegen eine Tür gerannt.«
»Heute ist nicht dein Tag.«
»Das könnte man so sagen. Und, wie sieht's aus? Hast du irgendeinen Leihwagen da?«
»Sicher. Aber ich werde dir keinen anständigen Wagen mitgeben, wenn er im gleichen Zustand wie der da zurückkommt. Ich habe hier immerhin eine Firma, weißt du.«
»Also, was dann?«
»Ich habe genau das Richtige für dich. Hier drüben.« Judith und ich folgten ihm um die Rückseite der Werkstatt. Vor der Wand stand ein dunkelblauer Ford Granada.
»Was, *diese* Karre?« sagte ich.
»Du kannst froh sein, daß du überhaupt eine kriegst. So, und nicht vergessen: die Karre hat keinen TÜV. Keine Steuer. Keine Versicherung. Die Karosserie hält nur noch mit Kitt zusammen, aber die Maschine bringt's locker noch mal hunderttausend Meilen.«
»Was anderes hast du nicht?« fragte ich hoffnungsvoll.

»Nein. Nimm's oder laß es bleiben. Und entscheide dich schnell. Ich habe noch zu tun.«
Ich öffnete die Fahrertür. Im Wageninneren roch es leicht nach Schimmel, und die Sitzpolster waren abgewetzt. Aber wenigstens war es sauber. Ich testete die Pedale. Auf dem Meilenzähler stand sechzigtausend. Ein bißchen arg optimistisch, selbst für Charlie, dachte ich. Das Gummi auf dem Gaspedal war bis aufs Metall abgetreten. Die Schlüssel steckten. Ich setzte mich hinters Steuer und startete. Die Maschine sprang beim ersten Mal an. Ich ließ den Motor im Leerlauf. So übel schien die Karre nicht zu sein. Der Öldruck war okay, und die Maschine lief auf allen Zylindern. Ich legte einen Gang ein, das Getriebe funktionierte einwandfrei.
»Danke, Charlie. Ich nehme ihn«, sagte ich. »Wieviel?«
»Wie lange?« fragte er.
»Wer weiß?«
»Vergiß es. Ich setze es mit auf die Rechnung für den Jag.«
»Vielen Dank«, sagte ich.
»Aber wenn du ihn kaputtfährst, berechne ich dir fünfhundert Mäuse.«
»Listenpreis?« fragte ich.
»Meine Liste.«
»Steig ein, Judith, bevor sich's Onkel Charlie noch anders überlegt«, sagte ich. Und bevor Talulah zurückkommt und mich wegen dem Jag zur Sau macht, dachte ich.
Judith gehorchte, und ich kurbelte die Seitenscheibe runter und schüttelte Charlie die Hand, dann fuhr ich los.

27

Ich fuhr nicht nach Hause. Noch nicht. Zu gefährlich. Ich fuhr zu meiner Stammkneipe und parkte den Granada außer Sichtweite hinter dem Gebäude. Judith und ich gingen durch den Hintereingang hinein. Zu dieser frühen Stunde war der Laden leer. Im hinteren Teil des Restaurants plazierte ich sie an einen Tisch, wo sie nicht durch die zur Straße liegenden Fenster gesehen werden konnte, und besorgte uns zwei Cappuccino. Dann setzte ich mich zu ihr. »Ist mit dir alles in Ordnung?« fragte ich.

Dumme Frage. Wie fühlt sich die durchschnittliche Zehnjährige wohl, nachdem irgendein Irrer mit einer halbautomatischen Schrotflinte auf sie geballert hat?

Sie nickte.

»Braves Mädchen«, sagte ich. Welche andere Antwort gab es schon? Sie hätte getötet werden können. Und es wäre allein meine Schuld gewesen. Bei dem Gedanken wurde mir wieder eiskalt. »Ich muß jetzt ein paar Anrufe machen. Es dauert bestimmt nicht lange.« Ich besorgte mir an der Theke etwas Kleingeld und ging zum Münzfernsprecher. Mein Notizbuch steckte in der Tasche der Lederjacke. Ich tippte Natalie Hoopers Nummer. Die Leitung war tot. Es ging nicht nur niemand ran, wie vorher. Kein Klingelzeichen. Kein Anrufbeantworter. Nur ein anhaltender Ton vor statischem Rauschen. Ein kleines Loch im System der Telecom. Die Vermittlung war auch keine große Hilfe. Der Anschluß funktionierte nicht. Ohne Grund. Sie würde es dem Stördienst durchgeben. Sie war nicht mal sonderlich interessiert, als ich ihr sagte, der Anschluß gehöre einem Behinderten.

Aber ich konnte mir genau vorstellen, was passiert war. So klar und deutlich, als wäre ich selbst dabei gewesen. Ich hätte die Polizei verständigen sollen. Vielleicht war sie verletzt. Doch das bezweifelte ich. So arbeiteten diese Typen nicht. Komm ihnen in die Quere, und schon bist du tot. Es sei denn, man hatte verdammt viel Glück. Was bei mir bislang der Fall gewesen war. Vielleicht ging mein Vorrat an Glück langsam zu Ende. Ich vermutete, für Natalie war das schon eingetroffen. Und falls dem so war, dann wollte ich derjenige sein, der sie fand. Aber wie waren sie nach all dieser Zeit noch auf ihre Spur gekommen?

In diesem Augenblick konnte ich darüber noch nicht nachdenken. Ich mußte mich zuerst um Judith kümmern. Ich mußte sie an irgendeinen sicheren Ort bringen. Und das schnell. Ich rief Fiona an. Sie war nicht zu Hause. Der Anrufbeantworter war an. Ich hinterließ keine Nachricht. Sinnlos.

Schließlich rief ich James Webb an. Er meldete sich beim dritten Klingeln. »Jim, ich bin's, Nick Sharman«, sagte ich.

»Hallo«, sagte er. »Ist irgendwas passiert?«

»Fragen Sie nicht. Ich will Sie sehen.«

»Wann?«

»Jetzt.«

»Warum?«
»Das ist eine lange Geschichte. Ich will am Telefon nicht drüber reden.«
»Klingt mysteriös.«
»Ist es auch. Sind Sie den ganzen Morgen zu Hause?«
»Den ganzen Tag«, sagte er.
»Also sehen wir uns gleich«, sagte ich und legte auf.
Dann dachte ich kurz daran, Robber anzurufen, überlegte es mir aber doch anders. Ich konnte immer noch mit ihm reden. Ich kehrte zu Judith zurück. Langsam bekam sie wieder etwas Farbe. Ich war stolz auf sie. Sie spielte mit dem Schaum auf ihrem Kaffee, sah aber zu mir auf, als ich mich setzte. Wieder erinnerte sie mich an ihre Mutter, als sie mich noch geliebt hatte.
»Hi, Babe«, sagte ich.
»Was machen wir jetzt?« fragte sie.
Ich werde mich mit jemandem treffen.«
Sie bemerkte die Betonung. »Und was ist mit mir?«
»Ich weiß nicht. Ich habe versucht, Fiona zu erreichen, aber sie ist nicht zu Hause. Was willst du denn tun?«
»Mitkommen.« Genau das hätte auch Laura unter den gegebenen Umständen gesagt. Es wurde allmählich gespenstisch.
»Ich weiß nicht, Honey. Es könnte gefährlich sein.« Was für ein blöder Satz. Es war schon gefährlich.
»Ist mir egal.«
»Mir aber nicht. Und der Himmel allein weiß, was deine Mutter sagen würde, wenn sie es wüßte.«
»Wir werden ihr einfach nichts davon erzählen.«
»Wie wär's, wenn ich dich zu Louis' Mutter bringe?« Ich weigerte mich, sie Judiths Granny zu nennen. Das war sie nicht. Genausowenig wie Louis ihr Vater war.
»Nein, Daddy. Die würde mich nur in einen Schrank einsperren und mit altem Kuchen füttern.«
»Ich bin sicher, das würde sie nicht tun«, sagte ich. Aber ich war's nicht. Jeder, der einen Zahnarzt zum Sohn hatte, war für mich verdächtig.
Judith dachte einen Moment nach. »Na, ja, also vielleicht nicht in einen Schrank. Aber alten Kuchen würde sie mir ganz bestimmt geben.«
»Warum?«
»Weil sie mich haßt. Sie liebt Joseph, aber mich haßt sie.«

Joseph ist, falls Sie es nicht schon erraten haben, Laura und Louis' Sohn.
»Ich bin sicher, das tut sie nicht«, sagte ich. Aber ich empfand einen stechenden Schmerz für meine Tochter.
»Tut sie wohl. Deshalb hat sie doch auch nicht gewollt, daß ich bei ihr bleibe. Sie sagt, ich wäre genau wie du.«
»Sie kennt mich doch gar nicht.«
»Sie hat von Mummy genug über dich gehört.«
»Nichts Schlechtes, hoffe ich.« Ja, wahrscheinlich.
»Hmh«, machte sie und steckte ihre Nase so tief in die Kaffeetasse, daß sie einen Schaumklecks auf der Nasenspitze hatte, als sie wieder hochkam, um Luft zu holen. Menschen, die man liebt, machen manchmal solche wunderbaren Sachen. Ich wischte den Schaum mit meinem Daumen weg, lehnte mich zurück und leckte ihn ab.
»Okay«, sagte ich. »Du kannst mitkommen. Aber du weißt, daß ich deshalb schreckliche Schwierigkeiten kriegen kann.«
»Ich hab dir doch gesagt, daß ich nichts verraten werde.«
»Dann trink aus. Wir gehen jemanden besuchen.«
»Wen?«
»Den Burschen, der mich engagiert hat.«
»Heißt das, ich bin jetzt auch Detektiv?«
»Wenn du einer sein willst.«
Wir tranken unseren Kaffee aus und gingen zu dem Granada. Wieder fuhr ich Richtung Crystal Palace. Ich hatte James Webbs Adresse auf der Visitenkarte, die er mir an dem Tag gegeben hatte, als wir uns das erste Mal begegnet waren. Ich ließ Judith die Straße im Stadtplan suchen. Sie fand sie sofort. Es war an der Grenze zu Dulwich. Auf der teuren Seite. Eine breite Allee mit großen Zweifamilienhäusern, alle mit weitläufigen Rasenflächen vor dem Haus und angebauten Garagen. Nicht so schick wie *Oakfield*, aber alles andere als schlecht.
Webbs Haus befand sich auf halber Höhe der Straße rechts. Ich parkte und stieg aus. Die Straße war still, und weit und breit war keine Menschenseele zu sehen. »Also komm, du Transuse«, sagte ich zu Judith. »Gehen wir den Mann besuchen.«
»Welchen Mann?« erwiderte sie, und wir zogen eine ihrer Lieblingsnummern ab.
»Den Mann mit der Macht.«
»Welcher Macht?«

»Der Macht des Voodoo.«
»Voodoo?« fragte sie mit einem breiten Grinsen, alle Sorgen anscheinend vergessen.
»Du«, sagte ich.
»Was meinst du damit?«
»Du erinnerst mich an einen Mann.«
»An welchen Mann?« kreischte sie. Diese Nummer konnte den ganzen Tag so weitergehen, und so war's auch oft gewesen, als sie noch jünger war.
»Komm schon, Doofi«, sagte ich. »Auf geht's. Das hier ist ernst.« Aber was will man machen? Was mache ich? Da, jetzt hatte sie mich. Wir stiegen aus. Ich nahm die Schlüssel mit, schloß aber nicht ab. Wer sollte die Kiste schon klauen? Vielleicht der Mann mit der Macht. Wir gingen nebeneinander den Weg hinauf. Judith hielt meine Hand. Himmel, sie war erst zehn. Ich klingelte, und Webb machte auf. »Treten Sie ein.« Er führte uns in ein großes Wohnzimmer auf der rechten Seite der Diele. Von seiner Frau war nichts zu sehen. Der Raum war einigermaßen okay eingerichtet. Vielleicht ein Tick zuviel »Erinnerungen an zwei Wochen an der Costa del Sol«. Aber ganz okay.
»Das ist meine Tochter«, stellte ich Judith vor. »Die familiären Verpflichtungen, die ich erwähnt habe. Judith ... Mr. Webb.«
»Jim«, sagte er. Sie schüttelten sich feierlich die Hand. »Setzen Sie sich«, sagte er. Wir setzten uns nebeneinander auf dicke Sofakissen. Jim blieb stehen.
»Was ist mit Ihrem Kopf passiert?« fragte er.
»Ein kleiner Unfall.«
»Ich verstehe«, sagte er, aber offensichtlich verstand er nicht.
»Möchten Sie etwas trinken?«
Ich sah Judith an. Nachdem sie jetzt Detektiv war, erwartete ich schon fast, daß sie einen Martini-Cocktail haben wollte. Gin. Fünf zu eins. Mit Olive. »Kann ich eine Coke bekommen?« fragte sie.
»Sicher«, sagte Jim. »Mit Eis?«
»Ja, bitte.«
»Nick?«
»Haben Sie ein Bier im Haus?«
»Sicher«, sagte er wieder, und verließ uns.
Ich schaute mich wieder um. »Nett hier«, sagte ich.
Judith rümpfte die Nase. »Ich find's eklig.«

»Wenn du das sagst«, erwiderte ich, und fragte mich, ob Jim wohl was dagegen hatte, wenn ich rauchte. Ja, vermutete ich, wo er doch selbst damit aufgehört hatte und alles.

Webb kam mit einer Dose Coke, einer Dose Heineken und zwei Gläsern auf einem Tablett zurück. Er stellte es auf den Couchtisch. Ein Glas war halbvoll mit Eis. Er schenkte ein und reichte uns die Gläser.

»Für Sie nichts?« fragte ich.

»Ich habe gerade Tee getrunken«, sagte er.

Interessante Unterhaltung bis jetzt, dachte ich. »Jim«, sagte ich, »ich habe da so etwas wie ein Problem.«

»Und das wäre?«

»Heute hätte uns jemand um ein Haar umgebracht. Mich und meine Tochter. Das war der kleine Unfall, den ich vorhin erwähnte.«

Er wurde blaß, sah zuerst Judith und dann wieder mich an.

»Was?« sagte er. »Wer?«

»Das würde ich gern von Ihnen wissen. Wissen Sie, Jim, jedesmal, wenn ich mit Ihnen zu tun habe, passiert irgendwas. Sie verstehen, was ich meine?«

Er sagte oder tat nichts.

»Also, Jim, wem haben Sie erzählt, daß ich wieder an dem Fall arbeite?«

Er sah perplex aus. »Ich weiß nicht, was Sie meinen.«

»Sicher wissen Sie das. Genaugenommen wissen nur Sie es.«

»Also, ich ...«

»Ganz ruhig«, sagte ich. »Fangen wir ganz von vorne an. Sie haben mir nie gesagt, wer Ihnen überhaupt von mir erzählt hat.«

»Was meinen Sie damit?«

»Als Sie das erste Mal in mein Büro gekommen sind, da sagten Sie, ich wäre allgemein bekannt. Wer hat mich Ihnen empfohlen?«

»Ein Kerl, den ich kenne.«

»Welcher Kerl?«

»Er heißt Keogan. Tony Keogan.«

»Sagt mir nichts. Wer ist das?«

»Er hat mal etwas für David erledigt.«

»Was genau hat er für ihn *erledigt*?« Es war wie beim Zähneziehen.

»Alles mögliche. Meistens ging es um irgendwelche juristischen Dinge.«
»Ist er vielleicht so was wie ein Anwalt?«
»Nein. Er hat zwar Jura studiert, das Examen aber nicht bestanden.«
»Und was genau macht er dann?«
»Er ist Ermittler.«
»Sie meinen: ein Detektiv?«
»Ja.«
»*Er* hat mich Ihnen also empfohlen. Und Sie haben großzügig Geld verteilt. Verdient er damit seine Brötchen?«
»Nein. Er hat gesagt, das wäre nicht seine Branche.«
»Jede Wette.«
»Es stimmt.«
»Wie sieht er aus?« fragte ich.
»Groß. Blond. Schütteres Haar.« Befangen berührte er sein eigenes sich lichtendes Haar. »Gepflegte Kleidung. Immer Anzüge, Mäntel, Hemden und Krawatten. Sie wissen, was ich meine?«
Ich nickte. Ich wußte es. Außerdem wußte ich, daß er keiner der Männer aus dem Volvo war. »Und hat er auch ein Büro?« fragte ich.
»Sicher.«
»Wo?«
»In Penge.«
»In Penge. Toll«, sagte ich. »Das ist genau die Gegend, in der der Wagen gestohlen wurde, der mir vor ein paar Wochen gefolgt ist. Der, in dem …« Ich sprach nicht weiter. Ich wollte den Mord an Stan McKilkenney nicht vor Judith erwähnen. Konnte ja sein, daß sie ganz schön zäh war, aber ich glaubte nicht, daß sie für so was schon bereit war. »Sie wissen schon, welches ich meine«, sagte ich. Und er nickte.
»Also statten wir diesem Mr. Keogan doch mal einen Besuch ab«, sagte ich.
»Was? Jetzt?«
»Warum Zeit verplempern? Sie haben doch nichts Besseres vor, oder?«
Er schüttelte den Kopf.
»Wir nehmen meinen Wagen«, sagte ich.
Was wir dann auch machten. Von Crystal Palace nach Penge

sind es nur ein paar Minuten. Keogans Büro befand sich über einem Wettbüro und war sogar noch schäbiger als meines, falls das überhaupt möglich ist. Es war geschlossen. Ich warf einen Blick durch die mit abblätternden Buchstaben beschriftete Glasscheibe der Tür: »Anthony Keogan – Ermittler.«

»Sieht so aus, als wäre unser Vogel ausgeflogen.«

»Aber ich habe erst kürzlich mit ihm gesprochen«, sagte Webb.

»Wann?«

»Letzten Freitag.«

»Wo?«

»Wir haben zusammen zu Mittag gegessen.«

»Wie reizend. Wessen Idee war das?«

»Seine.«

»Und ich nehme an, Sie haben über den Fall gesprochen?«

»Ja. Habe ich irgend etwas falsch gemacht?«

»Nur, wenn Sie ihm von dem alten Knaben erzählt haben, mit dem ich gesprochen hatte.«

Er machte ein betretenes Gesicht.

»Sie haben also, richtig?« fragte ich.

Er nickte.

»Himmel, Jim«, sagte ich, »das hätten Sie nicht tun sollen.« Aber zu spät. Was passiert ist, ist passiert.

»Wissen Sie, wo er wohnt?«

Er zuckte mit den Achseln. »Irgendwo hier in der Nähe. Aber seine Adresse kenne ich nicht.«

»Haben Sie seine private Telefonnummer?«

»Nein, nur die von seinem Büro. Wir sind nicht befreundet. Ich kannte ihn wirklich nur durch David.«

»Aber gut genug, um mit ihm zu Mittag zu essen.«

Er nickte.

»Sehen wir im Telefonbuch nach«, schlug ich vor. Wir gingen wieder hinaus und fanden eine Telefonzelle mit einem intakten Telefonbuch. Es gab ein paar Keogans. Nur einer hatte die Initiale »A.« Aber das war das Büro, bei dem wir gerade gewesen waren. Da war einer mit einem »T«. Ich notierte mir die wenigen, die aufgelistet waren, dann kehrten wir zu Webbs Haus zurück, von wo aus ich alle anrief. Ohne Erfolg. Niemand kannte einen Tony Keogan.

Wieder versuchte ich es mit Natalie Hoopers Nummer, nur in der unbestimmten Hoffnung, daß sie vielleicht doch da war.

Immer noch das Brummen in der Leitung. Ich mußte rüberfahren. Und das schnell.
Aber vorher mußte ich eine Entscheidung treffen, was ich mit Judith machen sollte.
Wie üblich machte ich genau das Falsche.

28

Schnell wählte ich wieder Fionas Nummer. Zum Glück war sie zurück. »Du mußt mir einen Gefallen tun«, sagte ich.
»Was?«
»Wir müssen irgendwo übernachten.«
»Warum?« Die unvermeidliche Frage.
»Das ist eine lange Geschichte. Können wir rüberkommen? Dann erzähl ich dir alles.«
»Steckst du schon wieder in Schwierigkeiten?«
»Könnte sein.«
»Du *und* Judith?«
»Genau.«
»Was ist es dieses Mal?«
»Nicht am Telefon. Können wir jetzt rüberkommen oder nicht?«
»Ja, ich denke schon.« Ich hatte schon herzlichere Einladungen.
Wir verließen Webb und fuhren zum *Oval*. Ich parkte den Granada hinter dem Haus, und wir fuhren mit dem Fahrstuhl nach oben. Fiona kam zur Tür und sah aus, als hätte sie ihre Chance auf Ruhm und Ehre verspielt und den Kopf eines toten Hundes im Kühlschrank gefunden. So schlimm war es, glauben Sie mir. Wir gingen zusammen nach oben ins Wohnzimmer.
»Darf ich mal kurz telefonieren?« fragte ich.
»Zuerst erzählst du mir, was passiert ist«, sagte Fiona.
»Irgendwer hätte uns heute morgen um ein Haar umgebracht«, sagte ich. »Also, darf ich jetzt mal dein Telefon benutzen, oder muß ich erst siebenundzwanzig Etagen runter und mir eine funktionierende Telefonzelle suchen?«
»Dann benutz doch das gottverdammte Telefon!«
Judith sah wie ein Zuschauer bei einem Tennis-Match von ei-

nem zum anderen. »Kannst du dich um Judith kümmern?« sagte ich.
»Aha, wir wollen ein vertrauliches Gespräch führen, was?« meinte Fiona sarkastisch.
»Nein, eigentlich nicht. Aber ich denke, es wäre gut, wenn sich jemand um sie kümmert.«
»*Du* bist doch ihr Vater.«
»Fiona, bitte!«
»Okay«, sagte sie, dann zu Judith: »Komm mit in die Küche und leiste mir Gesellschaft. Wollen mal sehen, ob wir für dich was zu trinken finden.«
Als sie hinausgingen, zwinkerte ich Judith zu. Sie zwinkerte nicht zurück. Fiona hatte keine Silbe über die Wunde an meinem Kopf verloren. Sie war die erste, die nichts dazu sagte.
Ich setzte mich in den Sessel und zog das Telefon zu mir rüber. Ich rief Robber an. Wie gewöhnlich war er in seinem Büro. »Ja«, meldete er sich. Ich erkannte seine Stimme.
»Sharman«, sagte ich.
Er machte sich nicht die Mühe, Hallo zu sagen. »Waren Sie heute morgen in Beulah Hill?« wollte er sofort wissen.
»Sie haben's also schon gehört«, sagte ich.
»Konnte nichts dagegen tun. Schüsse auf ein Polizeifahrzeug. Es hätten Menschen dabei sterben können.«
»Sie erstaunen mich. Einer der Schüsse wurde auf meinen Wagen abgefeuert. Wenn Ihre Kumpel nicht vorbeigekommen wären, wäre ich das nächste Ziel gewesen. Oder meine Tochter.«
Er schwieg. »Mit Ihnen alles in Ordnung?« fragte er schließlich.
»Nett, daß Sie fragen. Ja, sind wir. Aber der Wagen ist hin. Ist sonst noch jemand verletzt worden?«
»Nein. Keine Verletzten. Aber es war verdammt knapp. Kannten Sie die Kerle?«
»Nein. Aber ich würde sie jederzeit wiedererkennen.« Ich gab Robber ihre Personenbeschreibung durch. Ich wußte, daß er bereits Dutzende von Personenbeschreibungen hatte, aber ich war ihnen am nächsten gewesen, und jede noch so kleine Information hilft.
»Um was ging es dabei?« wollte er wissen.
»Dreimal dürfen Sie raten.«
»Die Kellermans?«

»Was anderes mache ich zur Zeit nicht. Und Schrotflinten scheinen für sie ziemlich typisch zu sein.« Ich sagte ihm nicht, was der große, schwere Bursche über Natalie Hooper gesagt hatte. Das konnte ich mir für später aufheben. Falls überhaupt.
»Und, was ist passiert, nachdem die Polizei kam?« fragte ich.
»Ihre Kumpel haben ein paar Schüsse auf den Streifenwagen abgefeuert. Einer der Vorderreifen ist dabei draufgegangen. Dann sind sie abgehauen.«
»Haben Sie den Volvo schon gefunden?«
»Er ist eine halbe Stunde später in Crystal Palace aufgetaucht.«
»So schnell?«
»Irgendwer hat ihn angesteckt.«
»Leer, vermute ich?«
»Was glauben Sie?«
»Schön. Hören Sie zu, Mr. Robber. Als Sie damals mit den Ermittlungen im Fall Kellerman beschäftigt waren, haben Sie da zufälligerweise mit jemandem namens Tony Keogan gesprochen? Er nennt sich selbst ›Ermittler.‹ Er hat ein Büro in Penge.«
»Da klingelt irgendwas«, sagte Robber. »Blond? Sieht aus wie ein beschissener Bestattungsunternehmer?«
»Hört sich ganz nach ihm an. Ich glaube, er steckt mit in dieser Sache.«
»Wie das?«
»Er hat mich Webb empfohlen. Hat den Job selbst abgelehnt. Webb hat ihn auf dem laufenden gehalten. Und jetzt das. Der Beschreibung nach war er heute morgen ganz sicher nicht dabei. Was aber nicht bedeutet, daß er nichts damit zu tun hat. Ach, und sein Büro sieht ziemlich geschlossen aus und macht auch nicht den Eindruck, als wäre es in letzter Zeit benutzt worden.«
»Ich habe Ihnen doch gesagt, daß dieses Webb-Arschloch Dreck am Stecken hat.«
»Nein, das glaube ich nicht. Ich glaube wirklich, daß er davon ausgegangen ist, dieser Keogan wollte nur helfen. Haben Sie eine Privatadresse von dem Kerl?«
»Die dürfte im Computer sein.«
»Dann graben Sie sie aus und statten Sie ihm einen Besuch ab.«
»Haben Sie irgendeinen Beweis?«
»Nein. Aber seit wann braucht die *Metropolitan Police Force* Beweise, um einen Bürger einzuschüchtern?«

»Werden Sie nicht frech. Ich werde ihn überprüfen. Aber wenn er dazu gehört, bedeutet es, daß wir es wenigstens mit drei Gangstern zu tun haben. Himmel, wann hört das endlich auf?«
Ich gab ihm keine Antwort. Ich wußte es nicht. Aber ich wußte, daß uns vorher noch eine ganze Menge Kummer ins Haus stand.
»Was machen Sie jetzt?« wollte Robber nach einem Augenblick wissen.
»Ich muß ein paar Spuren nachgehen.«
»Wie zum Beispiel?«
»Ich gebe niemals Berufsgeheimnisse preis.«
»Sharman!« In seiner Stimme schwang ein eindeutig warnender Unterton.
»Vertrauen Sie mir.«
»Sind Sie zu Hause?«
»Nein.«
»Wo?«
»Noch ein Berufsgeheimnis, fürchte ich.«
»Ich will Sie sehen. Heute noch. Sofort.« Die Warnung war schon deutlicher. Schon eher wie der Robber, den ich kannte.
»Ich melde mich«, sagte ich. »Tony Keogan. Überprüfen Sie ihn.« Und ich legte auf.

29

Ich ging runter und fand Fiona und Judith in der Küche. Beide saßen am Tisch. Fiona trank ein *Steinlager* aus der Flasche. Judith hatte Orangensaft.
Mir wurde nichts angeboten. Fiona sah mich an, als wäre ich ein Bazillenmutterschiff. Was ich vermutlich auch war – auf eine Art.
Es machte mir nichts aus. Ich wollte sowieso nicht bleiben. »Ich muß jetzt los«, sagte ich.
»Ach, wirklich?« meinte Fiona. Auf diese eisige Art, die manche Frauen haben, wenn sie *wirklich* stocksauer auf einen sind und gerade ausbrüten, an welcher Stelle sie einem das Messer am besten reinrammen.
»Wirklich«, erwiderte ich. »Kann Judith bei dir bleiben?«

»Natürlich kann sie.« Sie zögerte. »Du arbeitest wieder an diesem Fall, stimmt's?«
Ich nickte.
»Warum? Nach allem, was du gesagt hast.«
»Wer weiß das schon?«
»Mehr hast du dazu nicht zu sagen?«
Ich schüttelte den Kopf. Es war dieser verzweifelte Augenblick, wenn alle Einsätze gemacht sind. Wenn alles, was in der Vergangenheit gesagt wurde – jedes Versprechen, jeder Schwur –, völlig wertlos wird. Es war aus. Ich wußte, daß zwischen uns nichts mehr sein konnte wie früher. Ich fühlte mich, als hätte ich wieder einen Schlag in die Rippen bekommen. Nur fester.
»Dann gehst du jetzt wohl besser.« Weil Judith dabei war, sagte sie nicht mehr. Und dafür dankte ich Gott. Es war auch ohnehin alles schon schlimm genug.
Ich verabschiedete mich, doch nur Judith nahm es überhaupt zur Kenntnis. Dann ging ich und fuhr wieder nach Epsom.
Die Straße mit den Bungalows war so ruhig und still wie bei meinem letzten Besuch. Ich fuhr zu ihrem Haus. Sämtliche Vorhänge waren zugezogen, und das Haus machte einen verlassenen Eindruck. Aber der Mini stand immer noch vor der Garage. Die ganze Sache stank zum Himmel.
Ich hielt nicht an. Fuhr einfach vorbei, bog am Ende der Straße in eine Querstraße ab und ließ den Wagen in einem Wendehammer stehen. Die Bauarbeiten waren noch nicht so weit gekommen, doch im Matsch waren die abgesteckten Grundrisse zu erkennen. Zu Fuß kehrte ich zu Natalies Gartentörchen zurück und ging zur Haustür. Ich klingelte. Keine Reaktion. Ich klingelte wieder. Und wieder keine Antwort.
Ich nahm den Weg, der hinter das Haus führte. Die Küchentür war abgeschlossen, die Jalousien vor der Tür und dem Küchenfenster heruntergelassen. Ich ging weiter. Die Vorhänge vor dem großen Wohnzimmerfenster waren ebenfalls zugezogen. Ich ging zur Küchentür zurück. Da es das letzte Haus direkt neben dem verlassenen Baugrundstück war, konnte es auch von niemandem eingesehen werden. Ich hob einen halben Ziegel auf, der zur Dekoration des Weges gehörte, hielt eine Hand schützend vor die Augen und schlug mit der anderen den Ziegel in die Glasscheibe der Tür. Die Scheibe zersplitterte. Ein oder zwei Augenblicke stand ich bewegungslos da, wartete und

lauschte, falls jemand durch den Lärm alarmiert worden war. Nichts.
Ich zog den Ziegel über die Innenseite des Fensterrahmens, um lockere Glassplitter zu entfernen, und griff hinein. Der Schlüssel steckte. Ich drehte zuerst ihn und dann außen den Türknauf, und schon war ich drin.
Im Haus war es dunkel und still. Ich schloß die Tür und zog die Jalousien hoch, um etwas mehr Licht zu haben. Alles war auf den Kopf gestellt worden. Nicht besonders vorsichtig. Die Küche war das reinste Trümmerfeld. Unter meinen Schuhen knackte zerbrochenes Glas und Porzellan. Auch das Wohnzimmer war ein Chaos. Das Telefon war mitsamt Anrufbeantworter, Anschlußdose und allem aus der Wand gerissen worden. Die Schubladen des Schrankes waren ausgekippt und ihr Inhalt überall verstreut worden. Sämtliche Bücher waren von den Regalen gerissen worden. Das übliche eben. Ich hatte so was auch früher schon gesehen.
Ich rief ihren Namen. Meine Stimme hallte durch die Stille. Keine Antwort. Ich ging in die Diele. Ich sah, daß eine der Türen eingetreten worden war. Sie führte ins Bad. Dort war Natalie. In ihrem Rollstuhl. Starrte die Wand an. Tot. Sie hatte sich die Pulsader aufgeschnitten. Das hatte gereicht. Die Rasierklinge lag immer noch in ihrer anderen Hand. Blut war in einem fast perfekten Kreis um ein Rad des Rollstuhles in den Vorleger gesickert. Es war braun und verkrustet. Ich berührte ihr Gesicht. Eiskalt.
»Oh, Baby, tut mir leid«, sagte ich.
Ich fragte mich, was sie ihnen erzählt hatte. Nicht soviel, wie sie hatten wissen wollen, da machte ich jede Wette. Andernfalls hätten sie es an diesem Morgen nicht auf mich und Judith abgesehen.
Sie mußte es getan haben, als sie noch im Haus waren, denn sonst hätte ich die Badezimmertür selbst eintreten müssen. Ich schloß ihre Augen. Ihre Lider waren kalt und steif unter meinen Fingern. Ich ging und sah mir die Haustür an. Riegel und Sicherheitskette waren nicht vorgelegt. Kein Hinweis auf ein gewaltsames Eindringen. Sie mußte denjenigen gekannt haben, der vor ihrer Tür aufgetaucht war. Jemand aus ihrer Vergangenheit. Ich würde mein Leben darauf wetten, daß es Keogan gewesen war. Natalie hatte ihr Leben verwettet. Ich freute mich

immer mehr darauf, den Kerl kennnenzulernen. Ich kehrte in die Küche zurück und verließ das Haus durch den Hinterausgang. Ich wischte meine Fingerabdrücke auf dem Türknauf ab und warf den Ziegel auf das Baugrundstück nebenan.

Ich verständigte niemanden. Es konnte sowieso keiner mehr etwas für sie tun. Irgendwann während der nächsten paar Tage würde ihre Leiche anfangen zu stinken. Vielleicht würde das jemanden alarmieren. Oder jemand würde sehen, daß der Hintereingang aufgebrochen worden war. Ab und zu mußte auch sie Besucher haben. Abgesehen von mir und wer auch immer sie dazu gebracht hatte, sich umzubringen.

Ich fragte mich, was die Polizei wohl daraus machen würde. Das war allerdings im Moment nicht mein Problem. Irgendein anderer würde die Schweinerei saubermachen müssen, die ich hinterlassen hatte. Es wäre nicht das erste Mal, und, so vermutete ich, auch ganz sicher nicht das letzte Mal.

Sie haben recht. Ich benahm mich wie das letzte Arschloch, indem ich sie einfach so zurückließ. Aber ich wollte die Sache allein zu Ende bringen. Hätte ich zu diesem Zeitpunkt die Polizei eingeschaltet, wäre alles nur noch verworrener geworden. Die würden sich nicht dafür interessieren, wie tapfer sie gewesen war. Ich schon. Und irgendwo da draußen in der Welt würden ein paar Leute schon sehr bald noch herausfinden, wie sehr.

Ich ging schnell zurück die Straße hinunter. Ich hoffte, daß mich niemand beobachtete. Ich erreichte den Wagen, stieg ein, lehnte mich zurück und atmete tief durch. Herr im Himmel. Schon wieder ein grandioser Pfusch in meiner glanzvollen Karriere.

Ich saß da, kaute auf der Unterlippe und versuchte mir darüber klarzuwerden, was genau passiert war. Wie waren sie auf Natalie gekommen? Wie kam es, daß sie immer nur einen Schritt hinter mir waren? Niemand war mir gefolgt, da war ich absolut sicher. Und ich hatte keinem Menschen erzählt, daß ich Natalie Hooper besucht hatte. Wenn sie mir nach Epsom gefolgt waren, dann waren sie mir auch nach East Grinstead gefolgt. Ja, vielleicht waren sie wirklich. Was ich allerdings bezweifelte. Ich war fast den ganzen Tag dort, und es wäre der ideale Ort gewesen, mich endgültig aus dem Rennen zu nehmen. Ruhig, einsam und Platz genug, um ein Dutzend Leichen unauffällig verschwinden zu lassen.

Wie auch immer, ich hatte aufgepaßt. Es gab nur eine einzige

Möglichkeit – dieser alte Knabe, der mir von ihr erzählt hatte. Sie mußten ihn gefunden haben. Ich mußte noch mal raus zum Cottage, aber vor allem anderen mußte ich wissen, wie dieser Jemand auf Natalie gekommen war.

Also richtete ich die Schnauze des Wagens noch einmal in Richtung der kleinen Straße, in der die Kellermans so brutal ermordet worden waren. Ich hielt direkt vor der Haustür von Southfork, stieg aus und klingelte. Mrs. Conway, Babs, machte mir auf.

»Hallo«, sagte sie. »Sie schon wieder? Wie geht's?«

»Bestens«, erwiderte ich. »Ihr Gärtner ... ist er in der Nähe?«

»Nein. Er ist heute nicht zur Arbeit erschienen.«

»Haben Sie ihn erwartet?«

»Ja. Auf dem Rasen hinter dem Haus wartet jede Menge Arbeit auf ihn.«

Ich hatte also recht gehabt. Jesus, noch eine Leiche. Ich beschloß, daß wir ein anderes Mal über das Thema Gartengestaltung diskutieren sollten. »Haben Sie versucht, ihn telefonisch zu erreichen?«

»Er hat kein Telefon. Wer sollte ihn auch schon anrufen?«

»Haben Sie seine Adresse?«

»Ja. Aber ...«

»Kann ich sie haben?« unterbrach ich.

»Ich kann sie Ihnen nicht geben. Ich kenne Sie doch gar nicht.«

Ja, dachte ich. Aber ich wette, wir hätten neulich nachmittags wunderbar bumsen können. »Babs«, sagte ich, »glauben Sie mir, ich will ihm nichts Böses. Aber es gibt einige andere Leute, die könnten das durchaus anders sehen. Er hat mir neulich etwas erzählt. Etwas, das im Zusammenhang mit den Kellerman-Morden von Bedeutung sein könnte. Ich glaube, diese Leute sind schon bei ihm gewesen. Ich will nur zu ihm und mich vergewissern, daß mit ihm alles in Ordnung ist.«

»Woher weiß ich denn ...?«

»Sie wissen nicht. Vertrauen Sie mir einfach. Geben Sie mir seine Adresse. Bitte.«

Ich glaube, es war das »Bitte«, das entscheidend war. »Die steht in meinem Buch«, sagte sie. »Warten Sie hier.« Zwei Minuten später kam sie mit einem Zettel in der Hand zurück. »Ich habe sie Ihnen aufgeschrieben.«

»Danke«, sagte ich. »Wie heißt er überhaupt?«

»John. John der Gärtner.«
»Ist das alles?«
»Ja.«
»Seinen Nachnamen kennen Sie nicht?«
»Ich habe nie danach gefragt.«
»Okay, Babs.«
»Ich hoffe, mit ihm ist alles in Ordnung.«
»Ja, ich auch.«
Ich kehrte zum Wagen zurück und fuhr Richtung South Norwood. Mit Hilfe des Stadtplanes fand ich die gesuchte Straße innerhalb von knapp zwanzig Minuten. Johns Wohnung befand sich an der Ecke gegenüber einem großen Pub. Ich ging die drei steinernen Stufen vor der Haustür hoch und klopfte energisch mit dem Türklopfer an.
Eine Frau mittleren Alters in einer geblümten Schürze öffnete die Tür.
»Was soll der Lärm?« wollte sie verärgert wissen.
»Ich suche John. John, den Gärtner«, sagte ich.
»Sie haben's aber eilig«, sagte sie bissig. »Sind Sie spät dran, Ihre winterfesten Pflanzen zu setzen?«
Ich überhörte ihren Sarkasmus. »Ist er zu Hause?«
»Nein.«
Mir rutschte das Herz in die Hose. »Wissen Sie, wo er ist?«
»Wenn er nicht hier ist, ist er arbeiten. Wenn er weder hier noch auf der Arbeit ist, ist er in dem Pub da drüben.« Sie deutete auf die andere Straßenseite. »Bei den anderen Tagedieben. In der PUBLIC BAR.«
»Danke«, sagte ich, ging die Stufen wieder hinunter und überquerte die Straße. Es war eine altmodische Kneipe, immer noch aufgeteilt in »Public«, »Saloon« und »Lounge Bar«. Ich drückte die Tür mit dem in die Glasscheibe eingeätzten Public Bar auf. Der Raum war klein, schmuddelig und fast leer. John der Gärtner saß auf einem Barhocker an der Theke. Er sah aus, als hätte er schon ein paar über den Durst getrunken. Ich war schon sehr lange nicht mehr so erleichtert gewesen, jemanden zu sehen. Ich ging zu ihm und tippte ihm auf die Schulter. Er schaute sich um und sah mit trüben Augen zu mir auf. Vor ihm stand, was von zwei Pints und anscheinend einem großen Scotch übrig geblieben war. »Was ist?« sagte er.
»Hallo, John«, sagte ich. »Sie erinnern sich an mich?«

Ich sah die Birne über seinem Kopf angehen. »Hallo, mein Junge«, sagte er, plötzlich total freundlich. »Trink einen mit.«
»Nein, danke«, sagte ich. »Arbeiten Sie heute nicht?«
»Nein«, sagte er und hauchte mir seine Alkoholfahne ins Gesicht. »Ich hab mit deinem Kumpel gesprochen. Er war großzügiger als du.«
»Mein Kumpel?« sagte ich.
»Ja, er ist neulich morgens vorbeigekommen. Hat mir gesagt, du hättest ihn geschickt. Hat mir einen Hunderter gegeben.«
»Was haben Sie ihm gesagt?«
»Was ich dir gesagt habe.«
»Über das Mädchen in dem Auto mit dem Aufkleber?«
»Genau. War doch in Ordnung, oder nicht?«
Ich wollte ihm nicht sagen, was mit Natalie passiert war. Es war nicht seine Schuld. Genausowenig, wie es Jims Schuld war. Oder meine. Oder vielleicht doch eher noch meine als die von irgendeinem anderen. Wer weiß? »Es war schon okay«, sagte ich.
»Hundert Mäuse«, sagte John, beinahe ungläubig. »Das ist mehr, als ich bei dieser dummen Kuh in zwei Wochen verdiene. Die kann sich ihren beschissenen Garten sonstwohin schieben.«
»Wie hat er ausgesehen?«
»Wer?«
»Mein Kumpel.«
»Blonde Haare. Groß. Blauer Mantel. Kennen Sie ihn denn nicht?«
»'Türlich kenne ich ihn. Wollte nur sichergehen.«
»Er ist doch Ihr Kumpel, oder nicht?«
»'Türlich ist er. Er hat Ihnen nicht zufälligerweise auch noch seinen Namen genannt?«
»Nein, ich glaube nicht, daß er das gemacht hat. Sind Sie sicher, daß Sie keinen mittrinken wollen?«
»Also gut«, sagte ich. »Ich nehme einen Halben.«
Hinter der Theke war niemand. John ließ seine Faust auf den Tresen knallen. »Bedienung«, brüllte er. Nichts. »Dreckskerle«, knurrte er und schlug wieder zu.
Eine Minute später tauchte mit besorgtem Blick eine Frau mittleren Alters auf. »Bedient dich keiner, John? Tut mir leid. Wo ist Alfred?«

»In seinem beschissenen Keller, wo sonst?« sagte John.
»Ich schwöre, er ist die halbe Zeit da unten«, sagte die Frau.
»Ich schätze, er hat da unten einen Geheimgang ins Haus von irgendso einer Nutte«, brummte John.
Und plötzlich wußte ich, was mit dem Cottage in East Grinstead nicht stimmte. »Vergessen Sie den Drink, John«, sagte ich. »Mir ist gerade eingefallen, daß ich jetzt eigentlich woanders sein sollte.«
»Sind Sie sicher, mein Junge?«
»Ja«, erwiderte ich. »Und ich glaube, Mrs. Conway macht sich Sorgen um ihren Rasen.«
»Scheiß auf ihren Rasen«, sagte er.
»Ist vielleicht eine ganz gute Idee«, sagte ich und ging.

30

Ich stieg in den Wagen und fuhr wieder nach East Grinstead. Langsam kam ich mir vor wie ein Pendler.
Der Feierabendverkehr war die ganze Strecke über zähflüssig, und der Granada lief allmählich heiß. Typisch für eine von Charlies Klapperkisten. Doch schließlich bog ich von der Hauptstraße ab und fuhr an dem Cottage vorbei.
Ich parkte ein gutes Stück weiter weg, nur für den Fall, daß es während meiner Abwesenheit irgendeinen anderen Besucher gegeben hatte. Ich nahm den Weg über die Obstplantage zu dem kleinen Feldweg neben dem Haus. Keine frischen Reifenspuren in der feuchten Erde.
Gutes Zeichen.
Ich ging zur Vorderseite des Hauses und ließ mich lautlos hinein. Im Inneren wirkte alles einsam und leer. Genau, wie ich es verlassen hatte. Ich brauchte keine Minute für einen schnellen Rundgang durchs Cottage. In den letzten Tagen war niemand hier gewesen. Dessen war ich absolut sicher. Nichts war angerührt worden, das ich nicht auch angerührt hatte. Also hatte Natalie nichts gesagt. Vorher hatte sie sich umgebracht. Ich fragte mich, ob ich so tapfer gewesen wäre. Oder vielleicht war es für sie auch einfach nur der Tropfen gewesen, der das Faß zum Überlaufen gebracht hatte. Die letzte Demütigung in einem Leben voller Demütigungen.

Ich sah immer noch, wie sie mit leblosen Augen an die Wand starrte.

Wo immer sie auch sein mochte, ich hoffte, daß sie jetzt frei war. Frei zu gehen. Frei zu laufen.

Ich ging zu dem Gartenhäuschen hinaus. Wie ich mich erinnerte, befand sich in einem Lederkoffer auf einem der Regalböden ein aufrollbares Meßband. Ich kehrte zum Haus zurück und maß Küche und Keller aus.

Das war's.

Der Keller, der sich anscheinend über die gesamte Länge und Breite des Cottage erstreckte, war im hinteren Teil ungefähr einen Meter zwanzig kürzer. Unter dem Wohnzimmer.

Wieder klopfte ich die Wände ab. Sie klangen immer noch massiv. Dann sah ich genauer hin. Ich untersuchte jeden einzelnen Zentimeter. Jeden Quadratzentimeter Putz und Ziegel.

Ich brauchte Stunden, bis ich es gefunden hatte. Ich drückte, zog, drehte an allem, an dem man drücken, ziehen und drehen konnte, bis ich mir drei Nägel abgebrochen hatte und meine Fingerkuppen wie Schmirgelpapier waren.

Es mußte dort sein, und es mußte einfach sein. Man mußte eben nur wissen, wo.

Ich ging zum Lichtschalter am Kopfende der Treppe und spielte damit herum. Ich ging sogar nach oben ins Wohnzimmer, um mich zu vergewissern, ob nicht vielleicht eine Falltür in den Boden eingelassen war.

Als ich schon drauf und dran war aufzugeben, versuchte ich es schließlich mit der Rosette unter der Decke, wo die einzelne nackte Glühbirne angebracht war.

Das war's. Ich drehte sie einmal nach rechts, dann nach links und wieder nach rechts, und lautlos glitt ein Teil der vor mir liegenden Wand zurück. Raffiniert, David, dachte ich. Wirklich raffiniert. Und ich ging zu der Tür hinüber, die ich gefunden hatte, und warf einen Blick hinein.

Es war dunkel, doch ich entdeckte einen Lichtschalter und drehte. Eine weitere Glühbirne flammte auf und brachte ein kleines Vermögen zum Vorschein.

Dieser Raum war der Traum eines jeden Diebes. Das Paradies eines jeden Diebes.

Überall Geld. Stapelweise. Dicke Bündel von Fünfern, Zehnern, Zwanzigern, Fünfzigern, alle ordentlich banderoliert und an einer Wand aufgestapelt, so hoch wie ein großer Mann und gut einen halben Meter tief. Kartons mit Münzgeld. Kartons für Baked Beans, Bier und Chips. In einer Ecke lag ein Berg Münzen, der fast bis zur Decke reichte. Manche in beigen Säcken, andere in transparenten Plastikbeuteln. Alle beschriftet mit der darin enthaltenen Summe und dem Nennbetrag der jeweiligen Münzsorte. Es lagen auch Münzen unverpackt herum. Als wäre das Geld achtlos dorthin geschaufelt worden, da es zuviel Mühe war, es zu zählen.

Der Boden war übersät mit leeren Geldsäcken. Von *Barclay's*, der *Nat West*, *Lloyds* und den meisten anderen großen Banken und Bausparkassen. Da waren Nachttresorbeutel, Kassetten mit den Namen von Geldtransportfirmen, Auslagekästen für Schmuck. Ganze Kartons voll Schmuck. Ringe, Halsketten, Armbänder, ein Durcheinander aus Gold, Silber, Platin und Edelsteinen. In einer Schachtel lagen Uhren von *Rolex* und *Cartier*. Keine Blender aus Taiwan. Alle Uhren befanden sich noch in ihren niedlichen kleinen, mit Samt ausgeschlagenen Schatullen inklusive der unausgefüllten Garantiekarten. Ich vergrub meine Hände in einen der Schmuckkartons. Alles schimmerte und glitzerte im Licht der nackten Glühbirne unter der Decke. Das Zeug war schwer und kalt und glatt, als ich beide Hände voll heraushob.

Ich fand die Übertragungsurkunde des Cottage. Sie lag in einem alten Aktenhefter aus Pappe auf einem Karton voll Geld. Zusammen mit Schecks und Einzahlungsscheinen auf den Namen Donald King. Und *Access*-, *Visa*- und *American Express*-Karten auf den gleichen Namen. In einer Tasche des Aktenhefters lag ein britischer Pass. Nur einer. Name: Donald King. Foto: David Kellerman.

In einer anderen Ecke vor der Wand stand ein Gewehrfutteral aus Baumwolle. Daneben eine lederne Reisetasche. Ich zog den Reißverschluß des Gewehrfutterals auf. Darin eine vierschüssige, halbautomatische *Savage*-Schrotflinte vom Kaliber 20. Ich bediente den Lademechanismus. Funktionierte wie geschmiert. Der Traum eines jeden Ganoven. Ich öffnete die Reisetasche und fand einen *Colt Detective Special* in der Originalverpackung, eine Schachtel .38er-Munition, eine weitere Schachtel mit Patronen für die *Savage*, sowie alles, was man zur Waffenpflege so braucht.

Also hatte Robber doch recht gehabt. Kellerman/King hatte Dreck am Stecken. Sehr viel Dreck. Aber auch Webb? Ich hatte keine Ahnung. Und die anderen? Die mysteriösen Männer, die mir gefolgt waren? Waren sie der Rest einer Gang, angeführt von Kellerman? Fast mit Sicherheit. Ein Teil dieser Beute gehörte ihnen, und genau das war es, was sie gesucht hatten.

Himmel, aber langsam bekam ich wieder Kopfschmerzen.

Ich nahm den Colt aus seiner Schatulle, wischte das überschüssige Waffenöl mit einem weichen Lappen aus dem Reinigungsset ab. Dann lud ich sowohl die Pistole als auch die Schrotflinte und stopfte zusätzliche Munition in die Jackentasche. Mit den Waffen ging ich nach oben, setzte mich in der kalten Dunkelheit des Wohnzimmers aufs Sofa und versuchte nachzudenken. Versuchte mit Hilfe einer Zweidrittel vollen Flasche Scotch und dem Rest meines Päckchens *Silk Cut* alle Steinchen des Puzzle zusammenzufügen.

Inzwischen war es spät geworden. Sehr spät. Zu spät für manche, aber genau die richtige Zeit für andere.

Mit den Informationen, die ich jetzt besaß, plus einigen Spekulationen meinerseits hatte ich am Ende genau so viele Fragen wie Antworten. Aber folgendes legte ich mir zurecht: James Webb bittet um meine Hilfe, weil er wissen will, wer die Familie seiner Schwester umgebracht hat. Er ist deswegen fix und fertig. Oder nicht? Hatte er mich wirklich engagiert, um die Mörder zu finden oder wollte er nur die Beute einträglicher Raubüberfälle aufspüren, die sein Schwager versteckt hatte?

Nicht, daß es die gesamte Beute gewesen wäre. Konnte es gar nicht sein. Andrew Cunningham, Kellermans Steuerberater, hatte gesagt, daß über einen langen Zeitraum viel zuviel Geld in der Firma gesteckt hätte. Und plötzlich war es zuwenig. Also hatte Kellerman eine ganze Weile Geld gewaschen. Das Bargeld und der Schmuck im Keller mußte die Sahne gewesen sein, die er sich für eigene Verwendung abgezweigt hatte. Das war ein bißchen wie der Versuch, ein Filetsteak aus dem Rachen des Hais zu stehlen.

Während Kellerman sein gefährliches Spiel spielte, baute er sich eine falsche Identität auf. Nur für sich allein. Dann kauft er ein abgelegenes Cottage, um dort mit seiner Geliebten zu wohnen, und benutzt seine handwerklichen Fähigkeiten, um ein Versteck für die abgeschöpfte Sahne zu bauen. Wegen eines un-

glücklichen Versehens war das Cottage nicht für die Geliebte geeignet, die zufälligerweise an einen Rollstuhl gefesselt ist.
Also kauft Kellerman ein anderes Haus, verkauft das Cottage jedoch nicht und sagt seiner Geliebten, es wäre »eine Kapitalanlage für die Zukunft«. Tolle Kapitalanlage. Ein echter Schutz gegen die Inflation.
Im Keller mußte Zeug im Wert von ungefähr einer Million liegen.
Er läßt das Haus in Epson auf Natalie Hoopers Namen laufen und überschreibt ihr einen großen Geldbetrag. Beinahe, als wüßte er, daß er möglicherweise nicht mehr lange da ist. Entweder ist er im Begriff, die Fliege zu machen *oder* er ahnt, daß ihm das Große Au Revoir kurz bevorsteht. Vielleicht wird ihm auch klar, daß die Gang früher oder später für lange Zeit den Bach runtergehen wird und ihn dabei mitreißt oder daß sie langsam dahinterkommen, daß er falsches Spiel mit ihnen getrieben hat.
Nun weiß aber niemand, argwöhnt es nicht einmal, daß Kellerman eine Geliebte hat. Die beiden schaffen es, ihr Verhältnis jahrelang geheimzuhalten. Hauptsächlich, weil Natalie Hooper an den Rollstuhl gefesselt ist. Und wie sie schon sagte, die meisten sehen nur den Rollstuhl und nicht den Menschen darin. Daher denkt nach Kellermans Tod niemand daran, daß sie wissen könnte, wo die Bonbons versteckt sind.
Und was ist mit ihr? Wußte sie oder hat sie erraten, was wirklich los war? Hatte sie mich durch einen faulen Trick dazu gebracht herzukommen? Nein, ich glaubte es eigentlich nicht. Mein Bauch sagte mir, daß sie ehrlich gewesen war, als sie mir ihre Geschichte erzählte. Sie liebte den Burschen, das war alles. Wenn sie wußte, wo das Zeug war, oder auch nur meinte, es zu wissen, und wollte, daß ich es fand, wieso hatte sie es mir dann nicht einfach gesagt? Wenn sie etwas mit dem Zeug anfangen wollte, mußte sie früher oder später jemandem davon erzählen. Allein kam sie nicht ran. Sie konnte nicht mal selbst ins Haus. Nein, ich blieb bei meinem ersten Gefühl. Sie war ehrlich.
Aber *irgendwer* wurde hier verarscht, und das gefiel mir gar nicht.
Der gesunde Menschenverstand sagte mir, die Polizei einzuschalten, ihnen alles, was ich gefunden hatte, zu übergeben und mich sauber aus der Geschichte zu verabschieden.

Aber andererseits – wann hörte ich schon mal auf den gesunden Menschenverstand?
Ich leerte die Flasche und warf sie in den Kamin zu der leeren Wodkaflasche von neulich und den Kippen, die ich geraucht hatte. Ich hatte einen absolut beschissenen Geschmack im Mund, und die Kopfschmerzen waren inzwischen auch voll da. Schließlich mußte ich in einen unruhigen Schlaf gesunken sein. Als ich aufwachte, fühlte ich mich schmutzig und unausgeschlafen. Ich konnte mich nicht erinnern, wann ich mich das letzte Mal gewaschen oder meine Kleider gewechselt hatte. Es war fünf Uhr morgens und schon hell.
Ich ging nach oben und machte im Bad mit kaltem Wasser eine kurze Katzenwäsche. Dann ging ich wieder in den Keller und schloß die Geheimtür. Das Geld rührte ich nicht an. Wie Kellerman und seine Gang war es schmutzig. Zuviel Blut klebte daran. Ich wollte nichts damit zu tun haben. Ich schloß hinter mir ab und kehrte zum Wagen zurück.
Ich nahm die Rückbank heraus und versteckte Waffen und Munition darunter. Ich hatte so die dunkle Ahnung, daß ich sie in nicht allzu ferner Zukunft gut gebrauchen könnte.

31

Bei einem *Little Chef* an der Hauptstraße hielt ich kurz, um einen Happen zu essen. Sie hatten gerade erst aufgemacht. Ich war der erste Gast.
Ich bestellte ein großes Frühstück mit Toast und trank dazu drei Becher Kaffee. Gar nicht mal so übel. Die Kellnerinnen auch nicht. Aber sie achteten darauf, mir nicht zu nahe zu kommen. Ich hatte offenbar meinen Sex-Appeal verloren. Oh, wie wahr. Als ich auf die Toilette ging und einen Blick in den Spiegel warf, überraschte mich ihre Zurückhaltung nicht mehr. Manche überfahrenen Tiere am Straßenrand hatten besser ausgesehen als ich jetzt. Der Fall begann an meine Substanz zu gehen.
Als Ausgleich für meinen miesen Anblick ließ ich ein anständiges Trinkgeld springen und fuhr weiter in die Stadt.
Schnurstracks nach Hause. Sie wissen ja, was man so sagt. Das ist dort, wo man einen immer reinlassen muß.

Ich hoffte nur, daß die indische Familie Cats Kalorienspiegel oben gehalten hatte. Ich hätte mir keine Sorgen machen müssen. Er wartete vor der Haustür, als ich den Granada vor dem Haus abstellte. Fett wie eine Ratte und hocherfreut, mich zu sehen.

Ich ging meine Post durch. Nur Rechnungen. Die Wohnung selbst war sicher, und ich machte ein Fenster auf, um frische Luft hereinzulassen. In der Straße standen keine fremden Autos, und niemand hatte ein totes Hühnchen an meine Tür genagelt.

Ich duschte und zog frische Klamotten und mein zweites Paar *Doc Marten's* an. Ich machte mir Tee. Während der Kessel kochte, versuchte ich Fionas Nummer. Ihr Anrufbeantworter war an. Wahrscheinlich schlief sie noch. Ich hinterließ eine Nachricht, bat sie, mich sofort zurückzurufen, wenn sie aufgestanden war.

Ich setzte mich mit meinem Tee aufs Bett. Ich war völlig kaputt. Ich stellte den Becher auf den Nachttisch, lehnte mich zurück und machte eine Sekunde die Augen zu.

Das Klingeln des Telefons riß mich aus dem Schlaf. Die Sonne stand inzwischen hoch am Himmel. Der Tee war eiskalt, und Cat schlief auf meiner Brust und blies mir seine Curry-Fahne ins Gesicht.

Ich sah auf die Uhr. Es war schon nach zwölf.

Ausgesucht höflich, der Anrufer.

Ich nahm den Hörer ab. »Sharman«, sagte ich.

»Tony Keogan«, sagte eine Männerstimme.

Plötzlich war ich hellwach. »Was? Woher zum Teufel haben Sie diese Nummer?«

»Es war nicht direkt schwierig«, sagte er. »Ich habe mich schon lange darauf gefreut, mit Ihnen zu sprechen, Mr. Sharman.« Seine Stimme war sanft und kultiviert. Wie man es auch von einem Anwalt erwarten würde. Selbst von einem durchgefallenen.

»Ich kann nicht behaupten, daß dieses Gefühl auf Gegenseitigkeit beruht.«

»Ich bedaure, das zu hören. Und ich verstehe, daß Sie kein Mann sind, der seine kostbare Zeit mit müßigem Gerede verplempert. Also kommen wir direkt zur Sache. Ich glaube, Sie kennen den Verbleib von – wie soll ich sagen? – gewissen Vermögenswerten, die meinen Geschäftspartnern und mir gehören.«

»Und wie kommen Sie darauf?«

»Ist nur so ein Gefühl.«

»Ich hoffe, Sie und ihr Gefühl sind glücklich miteinander.«

Er überhörte meine Bemerkung. »Was hat Natalie Ihnen erzählt?« fragte er.

»Das möchten Sie wohl gerne wissen, was?«

»Natürlich möchte ich. Das ist exakt der Grund, warum ich frage.«

»Aber ich sage es Ihnen nicht.«

»Ich fürchte, ich werde leider darauf bestehen müssen.«

»Fahren Sie zur Hölle.«

»Ich werde diese Nachricht Judith und Fiona weitergeben.«

Schlagartig wurde mir eiskalt. Ich spürte buchstäblich, wie ich eine Gänsehaut bekam. »Was haben Sie da gerade gesagt?« fragte ich.

»Judith und Fiona. Sie kennen doch ihre Namen, oder nicht? Zwei wunderbare junge Frauen. Sie müssen sehr stolz auf sie sein.«

»Ich weiß nicht, wovon zum Teufel Sie da reden.«

Seine Stimme wurde hart. »Sie hätten sie nicht allein lassen dürfen. Aber sie haben. Und jetzt sind die zwei bei uns. Und hier werden sie auch bleiben, bis wir unser Geld bekommen.«

»Wo sind sie?« wollte ich wissen.

»In Sicherheit. Vorläufig. Doch je mehr Zeit verstreicht, desto weniger sicher sind sie. *Capisce*?«

»Woher weiß ich denn …?«

»Bleiben Sie dran«, sagte er. Nur noch Rauschen.

Meine Hand zitterte. Ich starrte sie an, als gehörte sie jemand anderem. »Nick!« Fionas Stimme. Sie nannte mich fast nie Nick. »Um Himmels willen, mach, was er sagt. Wenn du es nicht tust, bringt er uns um.« Und Rauschen.

Dann war wieder Keogan in der Leitung. »Na, jetzt zufrieden?« fragte er.

»Wenn Sie einer von ihnen auch nur ein Haar krümmen, bringe ich Sie um, das verspreche ich Ihnen«, zischte ich.

»Sie sind wohl kaum in der Position, Drohungen auszustoßen, Mr. Sharman, daher würde ich vorschlagen: sparen Sie sich die Puste. Allerdings kann ich Ihnen versichern, daß sich beide im

Augenblick in ausgezeichnetem Zustand befinden. So, und nun denke ich, daß wir uns treffen sollten, meinen Sie nicht auch?«
»Ja«, sagte ich. »Es wäre mir ein Vergnügen.«
»Allein und unbewaffnet, Mr. Sharman. Keine Tricks. Keine Spielchen. Keine Polizei. Oder es heißt: keine Tochter und keine Freundin mehr. Habe ich mich klar genug ausgedrückt?«
»Absolut.«
»Parken Sie Ihren Wagen in einer halben Stunde vor der U-Bahnstation Brixton«, sagte er. »Und kommen Sie nicht zu spät. Vergessen Sie nicht, Pünktlichkeit ist die Höflichkeit der Könige.« Und er legte auf.

32

Um zehn vor eins parkte ich im Halteverbot direkt vor der U-Bahnstation in Brixton. Der Eingang erinnerte mich an einen Ameisenhaufen, auf den jemand getrampelt war. Menschenmassen strömten hinein und hinaus und zerstreuten sich in alle Richtungen. Niemand sah aus, als würde es ihm Spaß machen. Die weißen Gesichter waren gespenstisch blaß, und selbst die Schwarzen wirkten grau im trüben Nachmittagslicht.
Auf dem Bürgersteig außerhalb des Bahnhofes verkauften *Socialist Workers* Zeitungen, verkauften *Militants* Zeitungen, verkauften Marxisten ihre Käseblätter, verkauften Rastas Poster von Haile Selassie und Bob Marley, verkauften New Age-Hippies Räucherstäbchen und bunte Perlenkettchen, verscherbelten vergammelt aussehende Stände überteuerte Hamburger und Eis. Blumenverkäufer, ein Zeitungsmann. Leute verteilten Handzettel für Konzerte oder Gratis-Haarschnitte. Bettler, Penner, alle möglichen Typen. Es war gottverdammt wie in Delhi. Wenigstens zeigte keiner seine Schwären oder Amputationen. Noch nicht. Aber soweit kommt es bestimmt auch noch.
Ich beobachtete einen Burschen, der auf und ab ging, auf und ab, als sei er an einer Leine festgebunden. Er trug schmutzige Jeans. Seine Haare waren steif vor Dreck und seine Haut so schmierig, daß es wie eine Tarnfarbe aussah. Er umklammerte eine Bierdose und schrie und brüllte irgendein zusammenhangloses Zeug. Seine Koordination war völlig daneben. Immer

wieder stieg er über eingebildete Hindernisse zwischen den Steinplatten des Bürgersteiges. Das sollte wohl »Offene Psychiatrie« sein, überlegte ich mir. Meine Fresse! Er befand sich im Instrumentenanflug und suchte nach einer Stelle für eine Bruchlandung. Die Leute, die aus der U-Bahn strömten, warfen ihm nervöse Blicke zu, und jeder hoffte, daß er sie nicht aussuchte, wenn er aus der Umlaufbahn kam.

Ich war so mit dem armen Kerl beschäftigt, daß ich beinahe vergaß, warum ich dort war, und nicht sah, wie sich jemand von hinten dem Wagen näherte, in die Hocke ging und an die Scheibe auf meiner Seite klopfte. Himmel, ich zuckte vielleicht zusammen! Ich drehte mich um, und sein Kopf war keine dreißig Zentimeter von meinem entfernt. Ausgesprochen beunruhigend. Der Klopfer hatte ein rattiges Gesicht mit dünnen blonden Haaren, die nicht aussahen, als hätte er noch lange Freude daran. Von seinen Kleidern konnte ich – da er ja neben dem Wagen hockte, um zu mir hereinzusehen – nur ein sauberes weißes Hemd, eine schmale, schwarze Krawatte und einen dunkelblauen Mantel mit halb aufgestelltem Kragen sehen.

Keogan, ohne Zweifel. Ich kurbelte die Scheibe runter. »Sharman?« vergewisserte er sich.

Ich nickte.

»Ganz ruhig bleiben«, sagte er. Er öffnete den Mantel und schob seine Hand darunter auf den Knauf einer Kanone in einem Schulterhalfter. »Beide sind wohlauf.« Er ging um den Wagen und setzte sich auf den Beifahrersitz. Während er einstieg, zog er die Kanone. Es war eine *Ruger Standard Auto*. Nur eine .22er, aber reichen würde das auch. Von dort, wo er jetzt saß, konnte er kaum danebenschießen. Er achtete darauf, daß die Waffe von der Straße aus nicht zu sehen war, hielt sie aber in meine Richtung. »Ich nehme an, Sie waren nicht so dumm, bewaffnet zu kommen?« sagte er.

»Nein«, erwiderte ich. Die Waffen, die ich aus dem Cottage mitgenommen hatte, befanden sich immer noch unter der Rückbank. Alles andere als ideal, um schnell zu ziehen.

»Oder haben der Polizei was gesagt.«

»Nein«, sagte ich wieder.

»Ich hoffe doch sehr, daß Sie mir die Wahrheit sagen.«

»Das tue ich. Mir ist klar, daß Sie die meisten Trümpfe in der Hand halten.«

»Aber nicht alle«, sagte er.
»Nein«, stimmte ich zu. »Nicht alle.«
»Und was, schlagen Sie vor, könnte man dagegen unternehmen?«
»Sagen Sie's mir.«
»Das werde ich«, meinte er. »Sie geben mir, was ich haben will. Ich gebe Ihnen, was Sie haben wollen. Wir werden alle glücklich und zufrieden sein.«
Ich konnte mich nicht erinnern, wann ich das letzte Mal glücklich gewesen war. »Und was passiert dann?« fragte ich.
»Fahren Sie«, sagte er.
»Wohin?«
»Fahren Sie einfach. Und immer schön langsam.«
Ich drehte den Zündschlüssel, und der Wagen sprang an. Ich legte einen Gang ein, blinkte, warf einen Blick in den Rückspiegel, und als eine Lücke im Verkehr entstand, drehte ich das Lenkrad und gab Gas. Ich fuhr Richtung Town Hall.
»Was haben Sie mit ihnen gemacht?« sagte ich. Ich versuchte, ruhig zu bleiben, aber ich zitterte immer noch, und während ich das Steuer umklammerte, stachen meine Knöchel weiß ab. Der Tag entwickelte sich zu einem der schwärzesten meines Lebens.
»Nichts«, sagte Keogan.
Ich überquerte die Ampel beim *Ritzy*. »Wohin jetzt?«
»Tulse Hill.«
Ich blieb auf der linken Spur und beschleunigte an der alten Synagoge, wo sich heute ein Schrottplatz befindet. »Ich sagte doch, langsam fahren«, fauchte er.
»Wenn Sie mir nicht sagen, was ich wissen will, fahre ich diese Karre hier zu Schrott und sie gleich mit«, preßte ich durch zusammengebissene Zähne.
Ich spürte das kalte Metall der Kanone auf meinem Hals dicht oberhalb des Hemdkragens. »Versuchen Sie's ruhig, und Sie sterben auf der Stelle«, sagte er. »Dann sehen Sie sie nie wieder. Ich lasse es drauf ankommen. Wenn mir irgendwas zustößt, sind die zwei tot. So, und jetzt wieder langsamer.«
Widerwillig gehorchte ich.
Ich überquerte die nächste Ampel bei The George Canning und fuhr die Tulse Hill hinauf. Er drehte sich um und schaute hinter uns. Ich warf einen Blick in den Rückspiegel. Die Straße war leer. »Biegen Sie links in die Siedlung ein«, sagte er.

Ich bremste ab und gehorchte.
»Parken Sie da drüben.« Er deutete auf die Stelle, die er meinte. Ich hielt in einer Lücke zwischen zwei Blocks, die an den Brockwell Park grenzten. Die Siedlung war um diese Uhrzeit wie menschenleer. »Machen Sie den Motor aus und geben Sie mir die Schlüssel.«
Ich gehorchte. »Und jetzt steigen Sie aus und bleiben stehen, wo ich Sie sehen kann.« Ich öffnete die Tür, stieg aus und ging vor den Kühler des Wagens. Durch die Windschutzscheibe sah ich, wie er das Handschuhfach öffnete, unter dem Armaturenbrett und dem Sitz fühlte und sogar die Sonnenblenden runterklappte. Hinten sah er nicht nach. Gut, gut. Er stieg aus, kam zu mir und tastete mich ab. »Schön«, sagte er. Wir stiegen wieder ein. »Fahren Sie einfach ein bißchen in der Gegend rum«, sagte er. »Genau wie vorher. Und immer schön langsam, damit wir uns unterhalten können.« Er gab mir die Wagenschlüssel zurück. Ich ließ den Motor an, verließ die Siedlung und fuhr weiter die Tulse Hill hoch.
»Was genau wollen Sie von mir?« fragte ich.
»Unser Geld.«
»Wieso sind Sie so sicher, daß es überhaupt welches gibt?«
»Wir wissen es. Und wir haben recht, stimmt's?«
Was sollte's? »Ja«, sagte ich.
Ich sah sein breites Grinsen. Wie ein Hai. »Viel?«
»Ja«, sagte ich wieder.
»Ich wußte es.«
»Und wenn Sie es zurückbekommen, was dann?«
»Dann kriegen Sie Ihre Freundin und ihre Tochter zurück.«
»So einfach ist das?« sagte ich.
»Natürlich.«
»Und wenn ich Ihnen gebe, was Sie haben wollen, bringen Sie uns alle drei um. Genau wie Sie auch die Kellermans umgebracht haben. Das waren Sie doch, oder?«
»Er war ein verdammter Narr«, meinte Keogan wegwerfend. »Sie nicht. Wir hatten ein gutes Ding laufen, aber er wollte mehr.«
»Aber warum alle umbringen? Warum soweit gehen? Sie hätten das Geld für immer verlieren können.«
»So was passiert. So was ist nicht immer geplant. Ein Mitglied unserer kleinen Clique hat durchgedreht. Lenny. Ein großer,

schwerer Bursche. Ziemlich überwältigend. Ich denke, Sie sind sich schon begegnet.«

»Er hat den Volvo gefahren?«

»Genau. Er ist ziemlich schießwütig. Wir konnten ihn nicht bremsen. Es war höchst bedauerlich. Es ist immer riskant, es drauf ankommen zu lassen. David Kellerman hat's eine Idee zu weit getrieben. Er hat nicht geglaubt, daß Lenny wirklich schießt. Er hat sich leider geirrt.«

»Und jetzt hat er meine Tochter.«

»Ja. Aber sie ist wohlauf, das sagte ich ja schon. Reizen Sie uns nicht, und es wird auch so bleiben. Beruhigen Sie sich, und fahren Sie weiter.« Er schien sich bestens zu amüsieren. »So, wo waren wir stehengeblieben?«

»Wie haben Sie herausgefunden, daß er Sie über den Tisch gezogen hat?« fragte ich. Es interessierte mich, ob meine Vermutungen richtig gewesen waren. Vielleicht war dazu jetzt weder der richtige Augenblick noch der richtige Ort, aber wir schienen kein bestimmtes Ziel zu haben, und solange wir redeten, würde er niemanden umbringen.

»Wir hatten ihn schon lange unter Verdacht.«

»Wie lange ist die Sache denn gelaufen?«

»Was? Daß er uns aufs Kreuz gelegt hat?«

»Nein. Die Diebstähle. Die Raubüberfälle.«

»Woher wissen Sie davon?«

»Ich hab's erraten«, sagte ich. Und ich hatte ins Schwarze getroffen. »Also, wie lange?« wiederholte ich.

»Jahre«, antwortete er. »Er war ein aalglattes kleines Schwein. Aber, bei Gott, seinen Job hat er ausgezeichnet erledigt.«

»Und das war?«

»Er war unser Geldwäscher. Organisator. Schieber. Planer. Architekt. Nennen Sie es, wie Sie wollen. Er hat arrangiert, und wir haben geerntet. Himmel, was hatten wir für einen Spaß. Dreist, das war David. Wirklich dreist. Sie würden es nicht glauben, wenn ich Ihnen ein paar von den Dingern erzähle, die wir gedreht haben.«

»Und er hat die Kohle dann in seiner Firma gewaschen?« fragte ich.

»Genau. Und den Rest der Beute hat er vertickt. Er war ziemlich brillant. Ein wirklich großer Verlust.«

»Aber dann hat er angefangen, die Räuber zu berauben?«

»Er mußte alles verderben. Ist schon kriminell, was manche Leute tun.«
Dem konnte ich nur zustimmen.
»Und wir haben ihm gesagt, daß wir Bescheid wüßten. Wir haben's ihm klipp und klar gesagt. Aber er hat einfach nicht kapiert. Faselte immer weiter davon, daß sich unvorhergesehene Unkosten ergeben hätten, quatschte von Liquiditätsschwierigkeiten und von der Rezession im Einzelhandel. Als wenn uns das einen Scheißdreck interessierte. Wenn uns der Einzelhandel am Herz gelegen hätte, hätten wir uns schon lange Jobs bei *Safeway's* gesucht, oder?«
Und wieder mußte ich zustimmen.
»Aber *er* war nie knapp bei Kasse. Seine Frau hatte nie irgendwelche ›Liquiditätsschwierigkeiten‹. Sie hat immer bekommen, was sie haben wollte. Alle sechs Monate ein neues Auto. Für manche ist das okay, oder? *Wir* wollten nichts anderes als nur unseren Anteil.«
»Und?«
»Und er ließ es nicht rüberwachsen. Ausreden waren alles, was wir zu hören kriegten, immer nur Ausreden. Also haben wir was unternommen. Wir haben ihn gewarnt. Wir haben ihm glasklar gesagt, was passieren würde, wenn er nicht mit dem Zeug rausrückte. Aber wollte er hören? Nein, er wollte nicht. Und Ihnen sage ich jetzt genau das gleiche. Also kommen Sie später nicht und behaupten, ich hätte's nicht getan.«
Gott bewahre! »Aber es war schon ein bißchen drastisch, finden Sie nicht?« fragte ich.
»Was?«
»Was Sie getan haben.«
Keogan dachte einen Moment darüber nach. »Könnte sein, ja«, sagte er. »Aber manchmal läuft's eben so.«
»Wissen Sie«, sagte ich, »ich denke gerade, wenn ich etwas habe, das Sie gerne hätten, könnte es doch gut sein, daß Sie auch bei mir und meiner Tochter und meiner Freundin anschließend etwas drastisch reagieren könnten, oder?«
»Nein. Nicht, wenn Sie damit rüberkommen. Sagen Sie uns einfach, wo es ist, und wir gehen als Freunde auseinander.«
»Das sagen Sie jetzt.«
»Hören Sie, ich gebe Ihnen mein Wort. Geben Sie uns das Geld, und wir verschwinden aus Ihrem Leben. Da sind wir doch bloß

dankbar für. Wir sind schließlich nicht herzlos. Wir wollen Ihrem kleinen Mädchen oder Ihrer Freundin kein Haar krümmen. Aber nur für den Fall, daß Sie einer von der nachtragenden Sorte sind, und nur für den Fall, daß *Sie* auf irgendwelche dummen Ideen kommen, haben wir ein paar von unseren Freunden von Ihnen erzählt. Falls uns irgendwas zustoßen sollte, oder unseren Familien, wird sich schon jemand um Sie kümmern. Geben Sie uns einfach, was Sie haben, und wir alle können die ganze leidige Geschichte vergessen. Verbuchen Sie's unter dem Posten Erfahrungen.«

Mit seinem Wort und ein paar Pennies konnte ich mir eine Tasse Kaffee kaufen.

»Klingt reizend«, meinte ich.

»Hören Sie, Sharman«, sagte er, beugte sich vor, bis sein Mund ganz dicht an meinem Ohr war und die Kanone meine Nieren streichelte. »Die meisten von uns sind Familienväter, und keiner von uns wird jünger. Wir wollen keinen Ärger. Wir haben hart für dieses Geld gearbeitet, und wir wollen es haben. Wir wissen, es ist irgendwo, und Sie wissen, wo dieses Irgendwo ist. Sagen Sie's uns einfach, und wir gehen alle unserer Wege.«

»Das war Kellerman auch«, sagte ich.

»Was?«

»Familienvater.«

»Er hat uns verarscht«, sagte Keogan. »Er hat's nicht anders gewollt. Die anderen sind uns leider in die Quere gekommen. Legen Sie's nicht auch drauf an. Alles klar?«

»Was war mit Natalie Hooper?« fragte ich. »Hat die Sie auch verarscht?«

»Das war äußerst bedauerlich«, sagte Keogan traurig. »Sie hatte eine falsch verstandene Vorstellung von Loyalität. Wir wollten ihr nichts tun. Wir haben sie sogar auf die Toilette gehen lassen, als sie sagte, sie müßte mal. Dann hat sie sich eingeschlossen, und als wir endlich zu ihr reingekommen waren, da war sie bereits tot. Es war schrecklich. Das hätte sie nicht tun müssen.« Er klang ausgesprochen gekränkt.

»Was jedoch zählt, ist, daß sie uns gesagt hat, sie hätte Sie auf eine Spur gebracht. Etwas, von dem wir bislang nichts wußten. Ein Ort, zu dem sie immer gegangen waren. Das ist doch so, oder?«

Es hatte keinen Sinn, es abzustreiten. »Ja, das ist richtig.«

»Aber sie wollte uns nicht sagen, wo. Warum hat sie es Ihnen gesagt, was meinen Sie?«
»Ich habe die richtigen Fragen gestellt«, erwiderte ich.
»Ja, das müssen Sie wohl.«
»Wußte sie über Kellerman Bescheid?«
»Was soll sie von ihm gewußt haben?«
»Was er so trieb?«
»Nein.«
»Aber Sie haben es ihr gesagt, stimmt's? Sie mußten es ihr sagen.«
»Ja.«
»Und dann hat sie sich umgebracht.«
»Das ist richtig. Ich meine, wer hätte damit gerechnet? Sie und David. Ist schon komisch, was Menschen manchmal so tun.«
»Und was ist mit Webb?« fragte ich.
»Was soll mit ihm sein?«
»War er auch beteiligt? Bei den Raubüberfällen?«
»Jimmy?« sagte Keogan. »Wohl kaum. Dazu hatte der viel zu wenig Mumm. Ich glaube, der ist im Ring ein paarmal zu oft auf die Bretter gegangen.«
»Wieso haben Sie mich ihm empfohlen?«
»Entschuldigen Sie?«
»Ganz am Anfang. Warum sollte er mich engagieren?«
»Weil er wie ein Verrückter in der Gegend herumgerannt ist. Als immer mehr Zeit verstrich und die Polizei nicht weiterkam, war er fest entschlossen, jemand anderen auf den Fall anzusetzen.«
»Aber er hat Ihnen den Job angeboten. Warum haben Sie ihn nicht einfach übernommen? Sie sind doch Ermittler, oder nicht? Sie hätten ihm was vormachen und gleichzeitig nach dem Geld suchen können.«
»Nein, nicht wirklich. Ich habe den Laden nur, damit das Finanzamt glücklich ist. Mein eigentliches Einkommen beziehe ich aus anderen Quellen. Quellen, die nichts mit meinem Geschäft zu tun haben.«
Das konnte ich mir vorstellen.
»Natürlich habe ich die ganze Zeit gesucht. Aber es war einfach zu gefährlich. Ich wollte nicht zuviel mit der Polizei zu tun haben. Ich dachte, wenn ich anfange, meine Nase in ihre Angelegenheiten zu stecken, dann stecken sie ihre womöglich in mei-

ne. Und das ging nicht. Außerdem hätte er nie aufgegeben. Niemals.«

»Aber wieso ausgerechnet ich?«

»Warum nicht? Sie sind aus der Gegend. Sie haben auch früher schon Sachen für Leute aufgeklärt. Und Sie haben gute Arbeit geleistet. Sie haben exakt das gefunden, was wir wollten.«

Tolle Referenz, dachte ich. Wieder ein Pluspunkt in meinem hervorragenden Lebenslauf. »Und warum Stan McKilkenney umbringen?«

»Ich fürchte, da wurden alte Rechnungen beglichen. Sie sollten nur unsere Kohle finden und nicht etwa einen Mordfall lösen. Lenny kannte Stan von früher. Sie wissen ja selbst, daß wir in diesem Teil der Welt eine recht verschworene Gemeinde sind. Spitzel kann keiner leiden.« Mit der Andeutung eines Lächelns sah er mich an. Ich würde ihm dieses Lächeln noch aus dem Gesicht schlagen. Schon sehr bald. »Wir sind Ihnen an diesem Tag gefolgt«, sagte er.

»Ich weiß.«

»Und wir dachten, wir hätten es diskret gemacht.«

»Sie sagten, es wäre nicht Ihr Ding«, sagte ich. »Ermittlungen, meine ich. Und damit hatten Sie recht. Ich habe Sie schon sehr früh bemerkt.«

»Und warum haben Sie nichts dagegen unternommen?«

»Weil ich Sie für jemand anderen gehalten habe.«

»Zu dumm.«

»Zu dumm für Stan.«

»Wie wahr. Zuerst haben wir ja noch gedacht, es wäre ein Witz, als Sie sich mit ihm getroffen haben. Dann hat er angefangen, Fragen zu stellen. Bedauerlicherweise konnten wir das nicht zulassen. Lenny vermutete, daß Stan daran beteiligt gewesen war, einen seiner Cousins in den Knast zu bringen. Er beschloß, zwei Fliegen mit einer Klappe zu schlagen. Ich sagte ja bereits, daß er unberechenbar ist.«

»Sie erzählen mir eine ganze Menge«, sagte ich.

»Und Sie können damit überhaupt nichts anfangen. Sie müssen an Frau und Kind denken. Falls uns irgend etwas zustößt, das von Ihnen auszugehen scheint, wird ihr kleines Mädchen dafür bezahlen. Vielleicht nicht sofort, aber früher oder später. Ich hasse es, solche Drohungen auszusprechen, aber ich fürchte, es geht nicht anders. Ich kann gar nicht genug betonen, wie ge-

fährlich es wäre, zu singen. Geben Sie uns einfach, was wir wollen, und vergessen Sie die ganze Sache. Glauben Sie mir, es lohnt den Aufstand nicht. Am Ende müssen Sie doch damit rausrücken. Sie ersparen sich eine Menge Kummer.«
Ich saugte an meinen Zähnen, sagte dann: »Okay. Bringen wir's hinter uns.«
»Ich wußte doch, daß Sie ein vernünftiger Mann sind«, sagte Keogan.
»Der Austausch könnte schwierig sein«, sagte ich.
»Nein. Nicht, wenn uns allen unsere jeweiligen Interessen am Herzen liegen. Und wir uns gegenseitig vertrauen.«
Vertrauen. Das ist mal ein Wort. »Wo und wann?« fragte ich.
»Irgendwann heute. Natürlich müssen wir sicher sein, daß das, von dem Sie sagen, es wäre da, auch *wirklich* da *ist.*«
»Es ist da«, sagte ich.
»Wo bitte genau?«
»In einem Cottage in der Nähe von Eastf Grinstead. Die genauen Einzelheiten erfahren Sie, wenn ich Fiona und Judith sehe und weiß, daß sie wohlauf sind. Dann werde ich Ihnen die Adresse geben und Ihnen sagen, wie Sie fahren müssen.«
»Wir könnten alle zusammen hinfahren.«
»Nein, das glaube ich nicht. Es ist für meinen Geschmack ein wenig zu abgelegen. Wenn wir den Austausch durchführen, möchte ich in der Öffentlichkeit sein.«
»Wo dann?«
Ich dachte einen Augenblick nach. »Sie werden jemanden runterschicken müssen.«
»Kein Problem«, sagte er.
»Und wenn sie sich überzeugt haben, daß es koscher ist, werden sie sich melden müssen. Aber ich warne sie, das Telefon dort unten ist nicht angeschlossen.«
»Wieder kein Problem«, sagte er und zog ein Funktelefon aus einer Tasche seines Mantels. »Wir haben mehrere davon.«
Jede Wette, er hatte auch ein Fax.
»Gut«, sagte ich. »Das erleichtert vieles.« Ich bremste ab, nahm eine Hand vom Lenkrad, suchte in meiner Jackentasche nach dem Schlüssel des Cottage und gab ihn Keogan. »Sorgen Sie dafür, daß jemand um sechs in East Grinstead ist. Wenn er auf der A22 auf der anderen Seite der Stadt ist, soll er Sie anrufen. Bringen Sie Fiona und Judith mit. Wenn ich sehe, daß sie in Si-

cherheit sind, gebe ich Ihnen die Adresse und die Wegbeschreibung. Ihr Mann wird in ein paar Minuten dort sein. Sobald er zufrieden ist, ruft er zurück, und das war's dann. Okay?«
»Klingt annehmbar. Wo treffen wir uns?«
»In der Eingangshalle der Waterloo Station. Unter der Uhr.«
»Sind Sie verrückt?«
»Nein. Wie ich schon sagte, irgendwo in der Öffentlichkeit.«
»Ich werde drüber nachdenken.«
»Lassen Sie sich nicht zu lange Zeit. Wie Sie schon sagten, wir müssen uns gegenseitig vertrauen.«
»Ich rufe Sie nach vier an«, sagte er.
»Tun Sie das.«
»Und jetzt fahren Sie mich zurück nach Brixton.«
Was ich dann auch tat. Als ich an der Ampel gegenüber der U-Bahn hielt, sprang er raus und tauchte in der Menge unter. Ich sah auf meine Uhr. Es war fast zwei.

33

Ich fuhr direkt zu James Webbs Haus in Crystal Palace. Ich hatte nicht besonders viel Zeit, aber ich wollte ihn sprechen. Außerdem würde ich so nicht dauernd an Fiona und Judith denken. Er war zu Hause. Wie es schien, war er überhaupt immer zu Hause. Er ließ mich hinein und führte mich in den gleichen Raum, in dem Judith und ich am vorausgegangenen Tag auch schon gewesen waren.
»Sie sehen mitgenommen aus«, sagte er. »Wo waren Sie? Ich habe schon den ganzen Tag versucht, Sie zu erreichen.«
Das hätte er nicht sagen sollen. »Mitgenommen?« sagte ich. »Sie würden sich auch gottverdammt mitgenommen fühlen, Jim, wenn Sie an meiner Stelle wären. Seien Sie einfach froh, daß es nicht so ist.«
»Ich weiß nicht, was Sie meinen.«
Also erzählte ich ihm, daß Judith und Fiona gekidnappt worden waren. Als ich zum Ende kam, war sein Gesicht aschfahl, und er setzte sich aufs Sofa. »Oh, Himmel, das tut mir leid«, sagte er. »Ich hatte ja keine Ahnung.«
»Was für eine Ahnung hatten Sie überhaupt, Jim?« fragte ich.

»Was soll ich haben?«

»Kommen Sie mir nicht so«, sagte ich. »Nähme ich an, Sie wußten, was hier gespielt wird, würde ich Sie jetzt und hier umbringen.«

»Ich weiß nicht, wovon Sie reden, ich schwöre es.«

Jesus, dachte ich. Er weiß nicht, wovon ich rede. »Haben Sie was zu trinken da, Jim?« fragte ich.

»Was? Ach, ja. Was hätten Sie denn gern?«

»Ein Brandy wäre jetzt gut.«

Er stand auf, ging zum Schrank und schenkte mir einen ordentlichen Schluck VSOP ein. Ich nahm das Glas, und er setzte sich. Dann erklärte ich ihm genau, wovon ich geredet hatte. Ich erklärte es ihm haarklein, während ich auf seinem dicken kastanienbraunen Teppich in diesem gemütlichen Zimmer in diesem komfortablen Haus in diesem angenehmen Vorort auf und ab ging.

»Ihr Schwager war Schieber für eine Diebesbande, Jim«, sagte ich. »Unterbrechen Sie mich, falls Sie nicht wissen, was ich meine.« Er sagte nichts. »Er hat das Geld für bewaffnete Raubüberfälle im gesamten Südosten vorgestreckt. Und das schon seit Jahren. Er ist nicht selbst losgezogen, aber er hat die Überfälle ausbaldowert, geplant und organisiert. Und dann, wenn es sich bei der Beute um Bargeld handelte, hat er es in seiner Teppich-Firma gewaschen. Alles andere hat er vertickt. Damit hat er sein reizendes Haus finanziert, die Spülmaschine Ihrer Schwester, und hat die Jungs auf eine Privatschule geschickt. Es war eine saubere Sache. Es hätte noch Ewigkeiten so weitergehen können. Es lief seit Jahren so. Aber zwei Dinge haben ihm seine Suppe gründlich versalzen. Ich weiß nicht, was zuerst passiert ist, und es spielt auch wirklich keine Rolle. Erstens: er fing ein Verhältnis mit einer Frau an.«

»Was?« sagte Webb.

»Er hatte ein Verhältnis.«

»Mit wem?« unterbrach Webb.

Ich lächelte. Aber irgendwie kam mir das Lächeln nicht angebracht vor, also hörte ich damit auf. »Natalie Hooper. Seine Sekretärin, persönliche Assistentin, was auch immer sie nun tatsächlich war.«

»Natalie!« wiederholte er. Ich wußte, daß es eine große Überraschung sein würde.

Ich nickte.

»Aber ...«

»Geschenkt, Jim«, sagte ich. »Nennen Sie mir jetzt keine Gründe, warum es nicht sein konnte. Glauben Sie mir, es war so. Diese Geschichte lief schon seit zwei oder drei Jahren.«

»Aber ich hatte ja keine Ahnung.«

»Das sollten Sie auch nicht.«

»Und was war das andere?«

»Was?« sagte ich. Ich hatte den Faden verloren. »Ach, ja.« Ich erinnerte mich wieder. »Zweitens, er wurde ein wenig zu gierig. Er fing an, einen Teil des gestohlenen Geldes, Schmucks, was auch immer, beiseite zu schaffen. Einen Teil davon verwendete er dazu, ein Cottage auf dem Land zu kaufen. Angeblich für sich und Natalie, um dort glücklich und zufrieden bis an ihr Lebensende zu wohnen. Er hatte etwas von einem Heimwerker, stimmt's?«

Webb nickte.

»Er baute einen geheimen Raum in den Keller ein, um das Geld und den anderen Kram zu verstecken. Aber Natalie konnte in dem Cottage nicht wohnen. Nichts war richtig für sie, wo sie doch an den Rollstuhl gefesselt war und alles. Also kaufte er ihr ein anderes Haus. Einen Bungalow in Epsom. Dort hatte er nicht selbst Hand angelegt. War auch gar nicht nötig. Er überschrieb ihr das Haus in Epsom und gab ihr einen Haufen Geld, von dem sie leben konnte. Wieder Erlöse von den Raubüberfällen, vermute ich. Auch wenn die Überfälle recht ordentlich gelaufen sein mußten, stiegen seine Unkosten beträchtlich an, und ich glaube, er hatte vor, sich irgendwohin abzusetzen. Dazu brauchte er alles an Bargeld, das er in die Finger kriegen konnte.«

»Ich wußte nichts davon, daß er noch andere Häuser hatte«, sagte Webb.

»Und wieder: das sollten Sie auch nicht wissen. Niemand sollte das wissen. Nur er und Natalie. Ach, ich hab's Ihnen noch nicht gesagt, oder? Das Cottage hat er unter einem falschen Namen gekauft. Donald King. Kommt Ihnen das bekannt vor?«

Er schüttelte den Kopf.

»Er hat sich unter diesem Namen eine komplette Identität aufgebaut. Ich habe in dem Geheimzimmer Sparbücher, Kreditkarten und einen Pass auf den Namen King gefunden.«

»Ist es immer noch dort?« fragte er. Er klang überrascht. Ich schätze, das wäre ich unter den gegebenen Umständen auch gewesen.
Ich nickte. »Unberührt seit irgendwann, bevor er ermordet wurde, bis ich es gestern entdeckt habe.«
»Mein Gott! Wie haben Sie es gefunden?«
»Natalie Hooper hat mir davon erzählt.«
»Sie wußte es?«
»Sie wußte von dem Cottage. Von seinen kleinen Nebenbeschäftigungen wußte sie nichts.«
»Warten Sie nur, bis ich sie sehe.«
»Nein, das werden Sie nicht wollen, Jim, glauben Sie mir.«
»Was meinen Sie damit?«
»Sie ist tot.«
»Was? Wie?«
»Sie hat sich umgebracht. Hat sich die Pulsadern aufgeschnitten.«
»Wo? Wann?«
Seine Fragen kamen immer im Gespann. Ich sah ihn an. Als ich das Haus betrat, hatte er gesagt, ich sähe mitgenommen aus. Er sollte jetzt mal einen Blick in den Spiegel werfen. Er sah selbst fürchterlich aus. Um zehn Jahre gealtert, seit ich ihm vor einigen Wochen zum ersten Mal begegnet war.
»In Epsom«, sagte ich. »Im Badezimmer des Bungalows, den David Kellerman für sie gekauft hat. Vor zwei Tagen.«
»Warum? Nach all der Zeit.«
»Sie hatte noch andere Besucher.«
»Wen?«
»Den Rest der kleinen Firma Ihres Schwagers. Die Männer, die ihn und seine Familie umgebracht haben.«
Webb sah mich verstört an. »Sie wissen, wer sie sind?«
»Ich kenne ein paar. Keogan ist einer von ihnen. Ihr alter Freund.«
Er schüttelte den Kopf. »Ich kann es einfach nicht glauben ...«
»Glauben Sie's ruhig. Dann ist da noch ein großer, kräftiger Kerl namens Lenny, und mindestens noch ein weiterer Mann. Na, klingelt's irgendwo?«
Er schüttelte den Kopf.
»Lenny war derjenige, der gestern auf Judith und mich geschossen hat.«

»Wie sind sie auf Natalie gekommen?«
»Ich bitte Sie, Jim. Sie waren es doch, der Keogan bei Mousse von geräuchertem Lachs erzählt hat, daß ich einen alten Knaben gefunden hätte, der sich bei dem Haus direkt gegenüber dem Ihres Schwagers um die Gartenarbeit kümmert. Ein alter Knabe, der mir einen wichtigen Hinweis geliefert hätte. Die Spur führte zu Natalie. Das hat besagter alter Knabe ihm ebenfalls erzählt. Keogan sagte ihm, er wäre ein Freund von mir. Sie haben sie auf Natalie gebracht.«
Es war schon gut, daß er saß, denn andernfalls wäre er jetzt umgekippt. Das Blut verschwand aus seinem Gesicht, und er vergrub den Kopf in den Händen.
Er tat mir kein bißchen leid. Nicht in diesem Moment.
»Oh, mein Gott«, flüsterte er. »Das wußte ich nicht. Sie müssen mir glauben. Ich wußte es nicht.«
Ich glaubte ihm.
»Und der Bastard hat jetzt Ihre Tochter?«
Ich nickte.
»Warum?«
»Was glauben Sie denn? Er möchte einen Tausch mit mir machen.«
»Ihre Tochter gegen das Geld, das Sie gefunden haben?«
»Sicher.«
»Und dann werden die Sie in Ruhe lassen?«
»Das sagen sie wenigstens im Augenblick. Allerdings glaube ich, daß sie womöglich zu dem Schluß gelangen könnten, es wäre besser, wenn keiner, der etwas weiß, mehr unter den Lebenden weilt.«
»Das heißt?«
»Das heißt, ich stecke in einer Zwickmühle, Jim. Zwei unschuldige Menschen sind in die Geschichte hineingezogen worden. Ich kann sie nicht pausenlos beschützen. Jeden Morgen, wenn ich aufwache, werde ich mich fragen müssen: Ist heute der Tag? Der Tag, an dem sie kommen, um dafür zu sorgen, daß wir niemals reden?«
»Was werden Sie also tun?«
»Ich werde ihnen geben, was sie haben wollen. Und dann werde ich eingreifen und sie wegpusten.«
»Haben Sie eine Waffe?«
»Zwei. Im Wagen. Sie waren im Cottage.«

Er ging zu dem Sekretär an einer Wand und öffnete eine Schublade. Als er sich umdrehte, lag eine Kanone in seiner Hand.
»Himmel!« sagte ich. »Woher zum Teufel haben Sie die denn?«
»Ich bin in der Sport-Branche, Nick. Das erwähnte ich ja bereits, oder?« Ich nickte.
»Ich importiere eine Menge Zeug aus den Staaten.«
»Auch das haben Sie erzählt, ja.«
»Manchmal importiere ich auch Waffen. Mit Genehmigung.«
»Zeigen Sie mal«, sagte ich und streckte die Hand aus.
Er gab mir die Kanone. Sie wog eine Tonne. Es war eine *Iver Johnson Cattleman*. Aussehen tat sie wie ein *Colt Peacemaker*. Ich drückte auf die Ladeklappe, zog den Hahn ein Stück zurück und überprüfte die Trommel. Voll geladen.
»Eine Vierundvierziger?« fragte ich.
»Ja.«
»Der Revolver, der den Westen erobert hat. Was hatten Sie damit vor? Büffel abknallen?« Ich gab ihm die Waffe zurück, und er legte sie wieder in die Schublade.
»Wenn Sie herausgefunden hätten, wer Sandy umgebracht hat, wollte ich die Dreckskerle selbst töten«, sagte er, als er sich wieder vom Sekretär zu mir umdrehte.
Ich sah ihm direkt in die Augen. »Hätten Sie das, Jim? Hätten Sie das wirklich getan?«
»Vielleicht. Sicher bin ich nicht.«
»Dann hätten Sie auch nicht.«
»Ich weiß nicht.« Er sah mich an. »Ich habe keine Angst davor, ins Gefängnis zu gehen.«
»Ich aber.«
»Ich nicht.«
»Warum nicht?«
»Weil ich sterbe.«
»Wer nicht?« Ich hatte in letzter Zeit den Eindruck, daß jeder entweder starb oder schon tot war.
»Sie verstehen nicht. Ich sterbe *jetzt*.«
»Was haben Sie denn?«
»Krebs«, sagte er. »Deshalb wollte ich sie erschießen. Ich habe nichts mehr zu verlieren.« Er klopfte auf seine Brust. »Hier drin tickt eine Zeitbombe. Sie kann jeden Moment hochgehen. Deshalb wollte ich auch, daß sich ein Privatdetektiv um den Fall kümmert. Selbst wenn die Polizei *tatsächlich* noch daran arbei-

tete, diese Dreckskerle zu finden, hatte ich keine Zeit mehr, noch länger zu warten. Ich mußte handeln, bevor es zu spät war.«

»Tja, das haben Sie ja nun.«

»Ich wußte, daß Sie meine letzte Chance waren.«

»Ich freue mich, daß ich Sie nicht enttäuscht habe.«

»Das haben Sie nicht.«

»Ich wünschte, Sie hätten alles auf sich beruhen lassen.«

»Ich konnte nicht.«

»Warum nicht? Was hatte es für einen Sinn? Wegen Ihnen sind noch mehr Menschen gestorben. Und bevor die Sache vorbei ist, werden weitere sterben.«

»Ich konnte nicht anders«, wiederholte er.

»Aber warum?«

»Glauben Sie an ein Leben nach dem Tod?« fragte er.

»Nein«, antwortete ich.

»Ich schon. Ich konnte Sandy und David und den Jungs nicht gegenübertreten, ohne zuvor wenigstens versucht zu haben, ihnen Gerechtigkeit zu verschaffen.«

Menschen reden immer über Gerechtigkeit für die Toten. Ich machte mir Gedanken über Gerechtigkeit für die Lebenden.

»Wenn ich die Mörder erschossen hätte, wäre ich dafür nicht mehr ins Gefängnis gekommen«, sagte er.

Während er das sagte, sah er so traurig und krank aus, daß er mir tatsächlich leid tat. »Wie lange haben Sie noch?« fragte ich.

»Ein paar Monate. Vielleicht auch nur noch ein paar Wochen.«

Dazu gab es nichts zu sagen. Ich steckte mir eine Zigarette an und suchte nach einem Aschenbecher. Es gab keinen. Ich ließ die Asche auf den Teppich fallen.

»Wann werden Sie es tun?« fragte er.

»Heute abend. Nach dem Austausch. Es muß sein. Es ist der einzige Zeitpunkt, von dem ich weiß, daß alle zusammen sein werden. Und wo.«

»Warum nicht die Polizei einsetzen?«

»So läuft das nicht, Jim«, sagte ich. »Wenn sie eingelocht werden und es mir zu verdanken ist, werden sie trotzdem noch hinter mir her sein. Ich muß es so machen. Was danach passiert, passiert eben. Vielleicht hat Keogan gelogen. Vielleicht wird auch alles vorbei sein. Aber wenn nicht ...« Ich beendete den Satz nicht.

»Ich werde Sie fahren«, erwiderte er. »Ich werde Ihnen helfen.«
Ich dachte kurz darüber nach. »In Ordnung, Jim. Sie können mitkommen. Aber lassen Sie Ihre Haubitze zu Hause.«
»Okay.«
»Ich warne Sie, es wird ziemlich übel werden.«
Darauf antwortete er nichts, und ich ließ es dabei bewenden. Ich erklärte, was ich mit Keogan ausgemacht hatte, um Fiona und Judith zurückzubekommen, und daß ich auf seine Bestätigung wartete. Ich sagte, daß ich ihn anrufen würde, nachdem ich in der Waterloo Station gewesen und falls alles nach Plan gelaufen war. Als ich fertig war, sagte ich: »Sie sind sicher, daß Sie immer noch mitkommen wollen?«
»Natürlich. Geben Sie mir bitte auch eine.«
»Was?«
»Eine Zigarette.«
»Ich dachte, Sie rauchen nicht.«
»Das spielt jetzt auch keine Rolle mehr.«
Ich steckte ihm eine Zigarette an, und er nahm einen tiefen Zug.
»Die erste seit sechs Jahren«, sagte er.
»Rauchen kann tödliche Krankheiten verursachen«, meinte ich. Er bellte ein hohles Lachen. »Ein bißchen spät, sich darüber noch Sorgen zu machen.«
Es ist schon komisch. Man mag jemanden nicht besonders. Und dann sagt dieser jemand etwas. Und vielleicht ist es das, was gesagt wird, oder vielleicht ist es auch nur die Art und Weise, wie es gesagt wird. Jedenfalls erkennt man plötzlich, daß man sich geirrt hat. Genau das empfand ich in diesem Augenblick Webb gegenüber. Ich wünschte, ich hätte noch Gelegenheit, ihn besser kennenzulernen. Aber ich wußte, das war unmöglich. Ich ließ ihm einfach ein paar Zigaretten da und verabschiedete mich.

34

Ich verließ Jim und fuhr nach Hause, um auf den Anruf von Keogan zu warten. Lange mußte ich nicht warten. Er rief um halb fünf an. »Die Sache läuft«, sagte er. »Wir treffen uns um sechs unter der Uhr. Aber ich warne Sie – keine Tricks, andernfalls sind die zwei tot.«
»Ich mache keine Tricks«, erwiderte ich. »Ich will sie einfach

zurückhaben. Sie kriegen ihr beschissenes Geld. Aber ich will sie sehen, bevor ich Ihnen sage, wo es ist.«

»Sie werden sie sehen«, sagte er und unterbrach die Verbindung.

Kurz vor fünf ging ich hinaus zu dem Granada, holte den Colt unter der Rückbank heraus und steckte ihn in die Tasche meiner Lederjacke. Es lag nicht außerhalb des Möglichen, daß Keogan derjenige sein würde, der Tricks versuchte, und ich wollte wenigstens einen Trumpf im Ärmel haben. Ich fuhr nach Waterloo, wartete, daß ein Parkplatz in der Kurzparkerzone auf der überdachten Rampe frei wurde, die zur York Road hinabführte, setzte den Wagen rückwärts in die Lücke und betrat den Bahnhof. Um diese Uhrzeit an einem Wochentag war es das reinste Chaos. Was mir nur recht sein sollte.

Ich schlenderte am Rand der Eingangshalle entlang und hielt die Augen nach verdächtigen Typen auf. Nach zehn Metern hatte ich schon ein gutes Dutzend ausgemacht. Ich sah auf meine Uhr. Fünf nach halb sechs. Ich ging zu einem der Fast Food-Stände, von wo aus ich den Bereich unterhalb der Uhr einsehen konnte, und kaufte mir einen Kaffee. Ich lehnte mich gegen die Theke, trank und rauchte eine Zigarette, behielt dabei immer alles aufmerksam im Auge.

Keogan tauchte wie eine dunkle Rauchwolke exakt um fünf Uhr neunundfünfzig auf. Ich warf den Styroporbecher in einen Mülleimer und ging zu ihm. Er drehte sich auf der Stelle und wirkte nervös. Was ich ihm nicht vorwerfen konnte. Im Umkreis von zwanzig Metern hätten hundert bewaffnete Polizisten lauern können, und er hätte nichts davon bemerkt. Er sah mich kommen und entspannte sich. Ich hielt die Hände vom Körper entfernt, falls er einen Leibwächter in der Nähe hatte. Einen bewaffneten. »Wo sind sie?« fragte ich, sobald ich bei ihm war.

»In der Nähe.«

»Ich will sie sehen.«

Er ging auf den hinteren Teil des Bahnhofes zu. Ich folgte ihm. Er ging durch den Ausgang, der auf den offenen Parkplatz unten bei der Lower Marsh führte. Er nahm sein Funktelefon aus dem Mantel und tippte eine Nummer ein. Es meldete sich sofort jemand. Er flüsterte etwas und unterbrach die Verbindung. Dreißig Sekunden später kam ein roter *Sierra-Kombi* vom Parkplatz hoch, hielt ungefähr hundert Meter von uns entfernt, und beide Vordertüren wurden geöffnet. Lenny und ein anderer Kerl, den ich nicht kannte, stiegen aus und öffneten die hinteren Türen. Judith und Fiona stiegen aus dem Fond des Wagens, standen da und starrten mich an.

»Zufrieden?« sagte Keogan.

»Okay«, erwiderte ich und sagte ihm, was er wissen wollte: die genau Lage des Cottage und wie man in den versteckten Raum gelangte.

Er tippte eine andere Nummer in sein Telefon und gab die Information weiter.

Dann warteten wir.

Die Minuten zogen sich in die Länge. Fünf. Zehn. Wir sechs standen wie ein Tableau da, während die Welt an uns vorüberzog, ohne zu registrieren, was wir da taten.

Ich schob meine Hand in die Tasche und auf den Knauf des Colt. Ich schaute auf. Der Himmel war wieder lavendelfarben und lastete schwer wie Eisen auf mir.

Das Telefon in Keogans Hand surrte. Er meldete sich mit einem knappen »Ja«, hörte dann zu. Als er es ausschaltete, sah er mich triumphierend an. »Gut«, sagte er. »Sehr gut.«

»Haben Sie jetzt, was Sie wollten?« fragte ich.

»Absolut.«

»Dann lassen Sie sie gehen.«

»Das habe ich doch versprochen, oder nicht? Aber vergessen Sie nicht: irgendwelche Tricks, und Sie werden in Ihrem Leben keinen einzigen friedlichen Tag mehr haben.«

»Das ist mir klar«, sagte ich.

»Okay, Sharman«, sagte er. »Warten Sie hier.«

Er ging zu dem *Sierra* und sprach mit den beiden Männern. Die drei stiegen ein und fuhren los, ließen Fiona und Judith auf der Fahrbahn stehen.

Ich drehte mich um und schaute dem Wagen nach, ging dann dorthin, wo sie auf mich warteten.

35

Beide sahen abgespannt aus, müde und schmutzig. Judiths Augen waren rot vom Weinen. Der Blick in Fionas Augen war wieder etwas ganz anderes. Als ich näher war, kam sie mir entgegen und schlug mir mit der geballten rechten Faust so fest ins Gesicht, daß es sich anfühlte, als wäre mein Wangenknochen gebrochen. Dann schlug sie mich mit der anderen Hand. Ich umklammerte ihre Handgelenke, und sie versuchte meinen Griff abzuschütteln. »Fiona, nein!« sagte ich.

Leute blieben stehen und starrten uns an. Wir beachteten sie nicht. »Nicht hier«, sagte ich.

»Du Bastard«, zischte sie durch blutleere Lippen.

Ich ließ sie los und ging zu Judith. Ich kniete mich vor sie und umarmte sie. Sie fühlte sich in meinen Armen so steif an, daß es mir vorkam, eine Statue zu halten. Ich blickte über ihre Schulter und schloß die Augen. Als ich sie wieder öffnete, war die Welt immer noch schwarz. So schwarz, wie ich sie noch nie erlebt hatte.

Ich stand auf und nahm Judiths Hand. »Der Wagen steht um die Ecke«, sagte ich zu Fiona.

Schweigend gingen wir.

Ich schloß die Türen auf und ließ Judith auf den Rücksitz. Fiona stieg auf der Beifahrerseite ein. Ich setzte mich hinter das Steuer, drehte mich auf dem Sitz zur Seite und sah die beiden an. Dort, wo Fiona mich geschlagen hatte, tat mein Gesicht weh.

Ich war der erste, der etwas sagte. »Ist mit euch beiden alles in Ordnung?« fragte ich.

Fiona warf mir einen vernichtenden Blick zu. »Ja, aber das haben wir nicht dir zu verdanken, du dummer Dreckskerl. Du konntest deine Finger ja nicht von der Sache lassen, was?«

Ich antwortete nichts, sondern schaute nur Judith an, die bewegungslos auf der Rückbank saß. Sie starrte stur geradeaus auf etwas, das außer ihr niemand sehen konnte, und mir wurde klar, daß das, was ich hatte geschehen lassen, weit über den Punkt hinausgegangen war, an dem ich noch Verzeihung erwarten konnte. Ich war einen Schritt zu weit gegangen und fiel jetzt taumelnd ins Nichts.

»Um Himmels willen, warum? War dir nicht klar, mit was für Leuten du dich eingelassen hast?« wollte Fiona wissen.

»Es war wegen Wanda. Sie hat mir was gesagt.«

»Scheiß auf Wanda! Sie ist tot. Was hat sie überhaupt damit zu tun?«

»Das würdest du nicht verstehen.«

»Natürlich würde ich nicht«, sagte sie. »Ich bin ja auch gottverdammt blöd, oder? Aber ich verstehe dafür um so besser, was mit uns passiert ist. Ich verstehe sehr wohl, wie dicht wir davor gestanden haben, umgebracht zu werden. Ich weiß ja, daß du dir selbst scheißegal bist, Sharman. Und ehrlich gesagt, es ist mir inzwischen auch scheißegal, ob ich dir etwas bedeute. Aber was ist mit Judith? Sie hatte schreckliche Angst.«

»Haben Sie euch irgendwas angetan?« fragte ich.

»Was denn zum Beispiel?« sagte Fiona.

»Du weißt schon.«

»Spuck's aus, Nick«, sagte sie, und in ihrer Stimme lag eine Wut und eine Härte, wie ich sie noch nie zuvor gehört hatte. »Ob sie uns vergewaltigt haben? Ist es das, was du wissen willst? Ob sie sich an unserer jungfräulichen Ehre vergangen haben? Ist es das, was dich so beunruhigt?«

»Ja«, sagte ich.

»Nein. Aber einer von ihnen hat darüber geredet. Falls du nicht mit dem rausrückst, was sie haben wollten.«

»Welcher?« fragte ich.

»Du bist einfach nur jämmerlich«, zischte sie verächtlich.

»Welcher?« wiederholte ich. »Sag es mir einfach.«

»Ich verstehe«, sagte sie. »Du hast dir schon alles sauber zurechtgelegt, stimmt's? Du wirst losziehen und ihn fertigmachen. Scheiß auf das, was mit deiner Tochter passiert ist. Nur damit deine männliche Ehre wiederhergestellt wird. Dein jämmerliches kleines Macho-Gehabe ist die perfekte Rüstung. Erbärmlich! Jesus, ich weiß wirklich nicht, wieso ich mich je mit dir abgeben konnte.«

»Sag's mir einfach, Fiona«, sagte ich. »Ich will es wissen.«

Sie seufzte. »Der Kleine in dem Wagen gerade, der mit dem Kapuzen-Sweatshirt«, sagte sie. »Zufrieden?«

»Schön«, sagte ich. Ich drehte mich um und beugte mich über die Rücklehne. »Hattest du Angst?« fragte ich Judith. Dumme Frage.

»Ja, hatte ich.«

»Tut mir leid. Es war allein meine Schuld.«

Zum ersten Mal sah sie mich jetzt an. »Nein, war es nicht, Daddy.«

Himmel! Nach allem, was sie durchgemacht hatte, konnte sie das immer noch sagen. Ich schämte mich; eine große Scham,

wie ein Schmerz in meinen Eingeweiden, und eine sengende Wut auf die Männer, die ihr ein solches Martyrium zugemutet hatten, durchzuckte mich.
»Es war nur wegen mir«, sagte ich.
»Deshalb ist es noch lange nicht deine Schuld.«
»Das ist Ansichtssache, Schatz.«
»Das kannst du laut sagen«, meinte Fiona.
Ich ließ den Wagen an. »Ich bringe euch nach Hause.«
»Und?« fragte Fiona.
»Ich komme mit rein und vergewissere mich, daß ihr in Sicherheit seid. Dann gehe ich wieder eine Weile fort.«
»Ist das dein gottverdammter Ernst?« sagte Fiona.
»Ja.«
»Bleibst du nicht bei uns?« fragte sie.
»Nein.«
»Du läßt uns einfach wieder allein?«
Ich sagte nichts.
»Sharman, du bist ein Bastard. Wir brauchen dich. Judith braucht dich.«
»Ich weiß. Ich bin später wieder zurück.«
»Später ist mir zu spät.«
»Judith?« sagte ich, warf einen Blick über meine Schulter.
Sie saß hinten, klein und bleich und zusammengesunken wie eine alte Frau. Wieder spürte ich den stechenden Schmerz in meinen Eingeweiden. »Judith?« sagte ich wieder.
Sie sah mich an. »Du kommst bestimmt?«
»Natürlich«, sagte ich.
»Ich werde schon klarkommen«, sagte sie.
»Braves Mädchen«, sagte ich. Gönnerhafter Idiot.
Fiona flüsterte etwas Häßliches. Ich konnte es ihr nicht verübeln.
»Ich bin heute abend zurück«, sagte ich. Oder nie, dachte ich. Vielleicht wäre das für alle Beteiligten sogar das Beste.
»Wann?« fragte Fiona.
»Wer weiß?« erwiderte ich. »Ich werde nur ein paar Stunden weg sein. Nicht länger.«
»Was hast du vor?«
»Ich werde mich mit Webb treffen. Der Kerl, der mich engagiert hat.«
»Und dann?«

»Wer weiß?« log ich.
»Du hast es auf diese Männer abgesehen, stimmt's?«
Ich zuckte mit den Achseln.
»Du schaffst es noch, daß wir alle umgebracht werden.«
Wieder zuckte ich nur mit den Achseln, legte einen Gang ein und verließ die Parklücke, fuhr den Hang hinunter und auf die Hauptstraße. Innerhalb von zehn Minuten waren wir wieder im *Oval.*
Ich begleitete sie in die Wohnung. Ich fragte, was passiert war, wie Keogan und seine Truppe sie in die Gewalt bekommen hatten, doch keiner gab mir eine Antwort, also ließ ich es dabei bewenden.
Die Wohnung war aufgeräumt und ordentlich, daher vermutete ich, daß es irgendwo draußen passiert sein mußte. Ich sinnierte darüber, wo Fionas Wagen war, fragte aber nicht. Mit der Zeit würde alles noch rauskommen – oder auch nicht.
Sie konnten mir nur sagen, daß es vier gewesen waren: Keogan, Lenny, Kapuzen-Sweatshirt und der Beifahrer des Volvo. Mehr mußte ich auch wirklich nicht wissen. Wir gingen in die Küche, ich setzte den Kessel auf und machte Tee. Keiner trank.
So eine Situation war das.
Ich fragte Judith, ob sie ins Bett wollte.
»Nein«, sagte sie. »Ich will bei dir bleiben.«
»Willst du vielleicht baden?«
Sie schüttelte den Kopf. »Jetzt nicht.«
Ich holte zwei Bier aus dem Kühlschrank und gab eines davon Fiona. Judith bot ich Orangensaft an. Wieder schüttelte sie nur den Kopf. Eine Stunde saßen wir zusammen in dieser stillen Küche. Dann ging Fiona und ließ die Badewanne einlaufen.
»Wann gehst du?« fragte Judith, sobald sie fort war.
Ich sah auf die Uhr. Es war fast acht. »Bald«, sagte ich.
»Du versprichst, daß du zurückkommst?«
»Das werde ich«, sagte ich.
Fiona blieb eine halbe Stunde im Bad. Sie trug einen Bademantel, als sie wieder hereinkam. »Du bist dran«, sagte sie zu Judith. »Das Wasser ist genau, wie du's magst. Jede Menge Schaum.«
Judith sah uns beide an. »Du wirst doch nicht gehen, bis ich wieder da bin, Daddy, oder?«
»Natürlich nicht.«

Sie verließ den Raum.
»Noch ein Bier?« fragte ich Fiona.
»Warum nicht?«
Ich holte noch zwei aus dem Kühlschrank. Ich wußte nicht, was ich sagen sollte. »Ich habe Scheiß gebaut«, sagte ich.
»Das ist nichts Neues.«
»Ich werde versuchen, es wiedergutzumachen.«
»Sag das nicht mir. Sag's Judith.«
»Es macht dir nichts aus, wenn sie noch etwas hierbleibt?«
»Sie wird heute abend auf keinen Fall mit dir gehen, das ist mal sicher.«
»Ich komme wieder.«
»Ganz ehrlich, Nick – es ist mir scheißegal.« Sie nannte mich wieder Nick.
Wir sprachen nicht mehr.
Zwanzig Minuten später kam Judith zurück.
»Ich gehe jetzt besser bald«, sagte ich.
»Laß dich von uns nicht aufhalten«, meinte Fiona.
Ich stand auf und ging zu Judith. Diesmal umklammerte sie mich fest. »Es wird nicht lange dauern, Liebling«, sagte ich.
Dann brach ich auf. Ich war länger geblieben, als ich beabsichtigt hatte. Tatsache ist, ich wollte überhaupt nicht gehen. Wär's bei Ihnen anders?
Um Viertel vor zehn erreichte ich James Webbs Haus und berichtete, was passiert war. Alles, was ich wußte. Um elf brachen wir auf. Ich holte die Schrotflinte unter der Rückbank des Granada heraus. Wir nahmen seinen Daimler.

36

Direkt hinter East Grinstead bogen wir von der A22 auf die B2110 ab. Inzwischen hätte ich die Strecke mit verbundenen Augen fahren können. Ich zeigte Webb die Einmündung des Feldweges. Er fuhr ein paar hundert Meter weiter, bis er eine Stelle erreichte, an der man von der Straße abbiegen konnte. Er löschte die Scheinwerfer und machte den Motor aus. Ich nahm die Schrotflinte und stieg aus. Es war frisch und ruhig. Auf der Nebenstraße war kein Mensch unterwegs.

»Kommen Sie«, sagte ich. »Es liegt direkt hinter dem Feld dort. Und verhalten Sie sich ruhig. Es könnte sein, daß sie eine Wache aufgestellt haben.«
»In Ordnung«, sagte er. »Ich will diese Dreckskerle genauso wie Sie, wissen Sie.«
»Tut mir leid, Jim«, sagte ich. »Ich hab's vergessen.« Während wir den feuchten Asphalt überquerten, über den Zaun kletterten und durch die Bäume gingen, lud ich die Schrotflinte durch. Der Boden unter unseren Füßen war aufgeweicht, aber der Mond stand hoch am Himmel, und der Weg war frei. Nach wenigen Minuten hatten wir den Gartenzaun erreicht. Die Vorderseite des Cottage war dunkel. Wir gingen nach hinten und sahen einen dünnen Lichtstrahl aus der Verandatür fallen. Wir stiegen über den niedrigen Zaun, schlichen am Schuppen vorbei und weiter durch den vernachlässigten Garten. Draußen war niemand zu sehen. Vertrauen, alles klar? Oder, wahrscheinlicher, blanke Habgier.
Unsere Schritte auf den Fliesen der Terrasse machten keinen Laut, und ich warf einen vorsichtigen Blick durch die Scheibe. Dort, wo die Vorhänge nicht richtig zugezogen waren, befand sich eine schmale Lücke, durch die ich in eine Ecke des Wohnzimmers sehen konnte. Keogan saß auf einem der Stühle und war damit beschäftigt, auf dem Couchtisch vor dem Kamin einen großen Geldstapel zu zählen. Die Waffe, die er im Wagen dabei gehabt hatte, lag auf dem Tisch vor ihm. Hinter ihm stand Lenny.
Sonst konnte ich niemanden im Zimmer sehen. Die beiden anderen mußten irgendwo anders sein.
»Ich gehe rein«, zischte ich Webb ins Ohr. »Ganz ruhig bleiben, Jim.«
Er wollte noch etwas sagen, aber ich hatte jetzt keine Zeit, eine Unterhaltung anzufangen. Ich legte einen Finger an die Lippen, schüttelte den Kopf und schob ihn vom Fenster fort. Dazu war's jetzt zu spät. Ich lehnte den Rücken gegen die Wand, zählte bis drei und versuchte, mich in die richtige Stimmung zu versetzen. Ich dachte an Wanda und an das, was sie mir auf dem Sterbebett gesagt hatte. Ich dachte an die Kellermans, die in ihrem hübschen Haus in Fetzen geballert worden waren. Ich dachte an Stan McKilkenney und daran, wie er sich mit der Mündung einer Zwillingsschrotflinte im Mund gefühlt haben mußte, als

Lenny die Abzüge durchzog. Und ich dachte an Natalie Hooper, als sie die scharfe, kalte Klinge des Rasiermessers in das weiche, warme Fleisch ihres Handgelenkes gedrückt hatte.
Ich dachte an Fiona und Judith, die in einen Alptraum geraten waren, der nicht ihr eigener war, und ich konzentrierte meine gesamte Existenz auf die Flinte in meinen Händen.
Ich wirbelte herum und schoß die Verandatür zur Hölle.
Mit befriedigendem Krachen flog das Glas nach innen. Die Vorhänge bauschten sich auf, wurden zerfetzt und fingen Feuer. Ich trat durch den Türrahmen und schlug die Stoffetzen aus dem Weg.
Lenny stand wie zu einer Salzsäule erstarrt mitten im Raum, die Hände voll Banknoten. Ich lud die *Savage* nach und fetzte ihm ein klaffendes Loch in den Bauch. Er schlug hart gegen die Wand, starrte auf seine Innereien, die rauchend und wie feuchte, scharlachrote Schlangen seine Hose hinunterrutschten. Er ließ das Geld fallen und versuchte, etwas von den blutigen Fetzen zurückzuschieben, verlor aber das Gleichgewicht, fiel kopfüber nach vorn und blieb bewegungslos liegen. Ich pumpte eine weitere Patrone in die Kammer der Schrotflinte. Keogan starrte die Kanone auf dem Tisch an.
»Na, los«, forderte ich ihn auf. Meine Stimme klang fremd in meinen klingelnden Ohren. Er zögerte. »Oder laß es bleiben«, sagte ich. Und ich schoß ihm so oder so in die Brust und schleuderte ihn mitsamt seinem Stuhl quer durch das Zimmer. Im Raum roch es nach Rauch und Schießpulver und dem Gestank von Fleisch und Blut, das plötzlich und brutal der Luft ausgesetzt worden war. Ich sah mich schnell um. James Webb stand in den Trümmern des Türrahmens. Ich lud nach, nahm eine Handvoll Patronen aus der Tasche und ersetzte die verschossene Munition. Dann machte ich mich auf die Suche nach den beiden anderen.
Einer kam gerade die Treppe aus dem Keller hoch. Es war der Beifahrer aus dem Volvo. Er war jung und sah dumm aus, aber nicht mehr lange. Er sah schon tot aus, bevor er überhaupt etwas mitkriegte. Sofort lud ich die Schrotflinte durch und schaute die Treppe hinunter nach dem letzten der Bande, der mit dem Kapuzen-Sweatshirt, der Judith eine solche Angst eingejagt hatte. Nichts. Und dann hörte ich plötzlich Schritte auf der Treppe und den Lärm eines Kampfes aus dem hinteren Teil des Hauses.

Ich drehte mich um, verließ die Küche und rannte den Flur hinunter. Ich hörte Webb brüllen: »Ich hab' ihn«, und ich stürmte ins Wohnzimmer zurück. Es war das reinste Blutbad. Webb hielt den letzten Mann im Polizeigriff. »Lassen Sie ihn los«, sagte ich.

Er gehorchte. »Treten Sie zurück«, befahl ich. Webb gehorchte. Ich hielt die *Savage* in einer Hand und drückte die Mündung unter das Kinn des vierten Mannes. Er schwitzte und zitterte.

»Hören Sie auf«, keuchte er beinahe erstickt.

»Nein«, antwortete ich. »*Du* hörst auf.«

»Was meinen Sie?«

»Du bist doch derjenige, der gern kleine Jungs umbringt und es kleinen Mädchen besorgt«, sagte ich.

»Nein! Das war ich nicht. Das haben die gemacht«, sagte er verzweifelt, zeigte auf die Leichen auf dem Boden.

»Doch, du warst es«, sagte ich kühl. »Und jetzt besorge ich's dir. Na, wie fühlt sich das an?«

Er versuchte, den Kopf fortzudrehen, doch mit der freien Hand schlug ich ihn zurück. »Wie fühlt sich das an?« fragte ich wieder.

»Ich hab's nicht so gemeint«, sagte er. »Ich hab' doch nur Spaß gemacht, ich schwör's.«

»Du bist ein richtiger kleiner Komiker, was?« sagte ich. »Und jetzt wirst du lachend sterben.« Und ich zog den Abzug und blies ihm seinen Kopf sauber von den Schultern. Blut und Knochen und Hirnmasse und Haare und Knorpel spritzten über die Wände wie impressionistische Kunst, und sein kopfloser Torso stolperte noch zwei oder drei Schritte rückwärts und fiel quer über das Sofa.

»Jesus«, keuchte Webb. »Allmächtiger.«

Ich warf die Schrotflinte durch die Tür nach draußen und starrte auf das Geld, das überall herumlag. »Der Sünde Lohn«, sagte ich.

»Was tun wir jetzt?« fragte Webb.

»Wir haben's gemacht«, sagte ich. Und es fühlte sich gut an. Aber es war noch nicht vorbei.

»Gehen Sie in den Schuppen im Garten. Neben dem Generator steht ein Benzinkanister. Bringen Sie ihn her«, sagte ich zu Webb.

»Was?«

»Ein Benzinkanister«, sagte ich geduldig. »Draußen, im Schuppen. Holen Sie ihn.«
»Warum?«
»Denken Sie mal nach.«
Er gehorchte. Ich stand einfach in dem stinkenden Zimmer, zitterte, als hätte ich eine Tropenkrankheit, und wartete. Ich schaute an mir runter. Meine Schuhe waren blutüberströmt, und der untere Teil meiner ausgewaschenen Jeans schimmerte dunkel von dem Zeug. James Webb kam mit dem Kanister zurück und gab ihn mir. Ich schraubte den Verschluß ab und spritzte das Benzin über Wände und Möbel, über die drei toten Männer im Wohnzimmer, dann den Flur hinunter und in die Küche zu der vierten Leiche vor der Kellertür. Ich kehrte in den Raum zurück, in dem Webb wartete und kippte das restliche Benzin auf die zerfetzten Vorhänge und zog eine Spur nach draußen auf die Terrasse. Dann nahm ich mein Feuerzeug und drehte mit dem Daumen das Reibrad. »Verabschieden Sie sich, Jim«, sagte ich.
Er sagte nichts, und ich bückte mich und hielt die Flamme des Feuerzeuges an die Benzinlache auf der Terrasse. Es entzündete sich sofort und die Flammen tanzten die Flüssigkeit entlang, die Vorhänge hinauf und ins Zimmer.
»Kommen Sie«, sagte ich. »Verschwinden wir von hier.«
Wir liefen den Feldweg entlang und dann über die Straße zum Wagen. Als Webb losfuhr, warf ich einen kurzen Blick zurück und sah einen orangefarbenen Schein durch die Bäume. Ich machte mir nicht die Mühe, ein zweites Mal zurückzuschauen. Über einsame, von Neonlampen erhellte Straßen fuhren wir Richtung Tunbridge Wells und erreichten am Ortsausgang die Straße nach London. Keiner von uns sagte auch nur ein Wort, bis wir sicher auf der A21 waren und Richtung Norden fuhren. Ich war es, der schließlich das Schweigen brach. »Sie können mich absetzen«, sagte ich.
»Wo?«
»Das *Oval* ist okay.«
Er nickte. »Haben Sie noch eine Zigarette?« fragte er. Ich steckte zwei an und ließ das Päckchen auf dem Armaturenbrett liegen. Während der restlichen Fahrt sprachen wir nicht mehr.
Er hielt an der Ecke vor dem U-Bahneingang. »Ist das in Ordnung so?« fragte er.

»Bestens.«
»Sie brauchen sich keine Sorgen machen, wissen Sie«, sagte er. »Wegen Ihrer Tochter und Ihrer Freundin oder auch um sich selbst. Ich werde mich um alles kümmern.«
»Ist das so, Jim?« sagte ich müde.
Er nickte.
»Wir sehen uns dann«, sagte ich, stieg aus und schloß hinter mir die Tür. Ich schaute ihm noch nach, bis seine Rücklichter Richtung Clapham verschwunden waren, bevor ich zu Fionas Block ging. Es war zwei Uhr morgens.
Der Lift funktionierte, und Fiona machte die Tür auf, nachdem ich mich ein paar Minuten auf die Klingel gelegt hatte. »Ach, du bist's nur«, sagte sie.
Ich fühlte mich ungefähr so willkommen wie Kopfläuse. »Wen hast du denn erwartet?« fragte ich.
Sie gab mir keine Antwort. Sie hatte im großen Bett zusammen mit Judith gelegen, die noch schlief. Sie musterte meine Kleidung.
»Du hattest eine arbeitsreiche Nacht«, sagte sie kalt.
Ich nickte. »Habe ich irgendwelche sauberen Klamotten hier?« fragte ich.
»Im Schrank im Schlafzimmer. Weck Judith nicht.« Ich ging nach oben, fand eine saubere Jeans und ein Hemd. Als ich das Zimmer verließ, warf ich noch einen Blick auf das Gesicht meiner Tochter, deren Kopf in Fionas Bett auf dem Kopfkissen ruhte. Sie schlief und träumte. Es sah nicht nach angenehmen Träumen aus. Es war meine Schuld. Ich ging hinaus und zog mich auf dem Treppenabsatz um. Die blutbeschmierten Sachen nahm ich mit nach unten und stopfte sie in den Müll. Fiona machte mir einen Kaffee, dann ging sie ohne ein weiteres Wort wieder ins Bett. Ich saß im Wohnzimmer und schaute mit dem Colt in der Hand zu, wie ein neuer Tag über London anbrach. Ich schlief nicht.

37

Der Brand im Cottage war die letzte Meldung in den Fünf-Uhr-Nachrichten und danach stündlich in jeder Sendung auf LBC. Fiona und Judith standen gegen neun Uhr auf. Ich schaltete das

Radio aus. Wir sprachen nicht viel. Fiona machte Eier und Toast zum Frühstück. Ich aß nichts. Ich war hundemüde, konnte aber immer noch nicht schlafen. Gegen Mittag verließ ich das Haus, um eine Zeitung zu kaufen. Einiges hatte sich verändert, seit ich das letzte Mal Radio gehört hatte. Die Schlagzeile im *Standard* lautete:

BRUDER VON OPFER DES SCHROTFLINTEN-MASSAKERS
BEGING SELBSTMORD
Mann tötet vier und dann sich selbst

Ich ging mit der Zeitung in einen Pub, bestellte eine Flasche Lager und setzte mich an einen freien Tisch in der fast leeren Saloon Bar und las den ganzen Artikel.

Das fünfzehn Monate alte Rätsel um einen grausamen Mord in South London hat eine erstaunliche neue Wende genommen. Der Unternehmer James Webb (43), wohnhaft Cambridge Road in Crystal Palace, wurde heute morgen sterbend in seinem Luxuswagen auf dem Treidelpfad am Themseufer in der Nähe der Barnes Bridge aufgefunden. Allem Anschein nach erlag er einer selbst beigefügten Schußverletzung.
Webb war der Bruder von Sandra Kellerman (36), Mutter zweier Kinder, die vergangenen März zusammen mit ihrem Ehemann, Teppich-Tycoon David Kellerman (45), und ihren Kindern Toby (9) und Brian (6) in der Millionenvilla der Familie in Crown Point, South London, erschossen worden war.
Webb wurde noch ins Queen Mary's Hospital, Roehampton, gebracht, war aber, wie uns ein Sprecher des Krankenhauses mitteilte, bei der Einlieferung bereits tot. Auf dem Beifahrersitz des Wagens fand man einen Abschiedsbrief. Die Polizei hat den Inhalt bislang noch nicht im vollen Wortlaut bekanntgegeben, aber aus gutunterrichteten Kreisen war zu erfahren, daß Webb darin die Namen von vier Männern nennt, die für die Morde an seiner Schwester und deren Familie verantwortlich sein sollen. Außerdem gesteht er darin, vergangene Nacht zuerst diese Männer in einem abgelegenen Cottage in der Nähe von East Grinstead erschossen und anschließend das Gebäude in Brand gesetzt zu haben. Ferner deutet er an, daß die Männer einer Bande angehörten, die über einen Zeitraum von mehreren Jahren bis zum Tod seines Schwagers, den er als Kopf der Gang be-

zeichnete, eine Serie von dreisten Raubüberfällen auf Banken, Juweliere und andere Geschäfte in den Home Counties durchgeführt hätten.
Die Polizei hat bislang abgelehnt, den Zwischenfall zu bestätigen oder zu dementieren, aber Berichten aus East Grinstead zufolge wurde die Feuerwehr zu einem Einsatz gerufen, bei dem heute in den frühen Morgenstunden ein Gebäude am Rande der Ortschaft Coleman's Hatch bis auf die Grundmauern niederbrannte. Das Gelände um das Gebäude wurde weiträumig abgesperrt, und Experten der Spurensicherung warten darauf, daß die Asche abkühlt, bevor sie eine genaue Untersuchung der Ruine durchführen können. James Webbs Frau, Mrs. Doreen Webb (39), befand sich heute morgen nicht in der 500 000 £ teuren Luxusvilla der Familie. Laut Informationen der Polizei hält sie sich zur Zeit an einem nicht näher genannten Ort bei Angehörigen auf. Nachbarn in der ruhigen Allee haben ihre Erschütterung und ihr Erstaunen über Webbs mutmaßlichen Selbstmord zum Ausdruck gebracht.

Der Artikel fuhr mit einer Zusammenfassung der Geschichte des Mordes in Crown Point fort. Ich faltete die Zeitung zusammen, steckte mir eine Zigarette an und trank aus. Jim hatte für ein gutes Ende gesorgt, genau wie er es versprochen hatte. Er hatte die ganze Zeit seine Waffe bei sich gehabt und keine Silbe darüber verloren. Ich ging an die Theke, bestellte mir einen dreifachen Brandy und trank auf Jim.
Falls es ein Leben nach dem Tod gab, wie er es glaubte, dann würde er jetzt bei denen sein, die er liebte. Ich hoffte, er war glücklich. Grüß Wanda und Natalie und Stan von mir, dachte ich.
Ich trank den Brandy aus, kehrte in die Wohnung zurück und zeigte Fiona die Zeitung. »Sieht aus, als wärst du aus dem Schneider«, meinte sie.
»Sieht aus, als wären wir alle aus dem Schneider.«
»Dann bringst du Judith jetzt besser nach Hause«, sagte sie.
»Ja, das sollte ich wohl besser«, sagte ich.
Und wir gingen.

KRIMIS IM ROTBUCH VERLAG

LIA MATERA · STUDENTENFUTTER

Willa Jansson studiert in San Francisco und ist auf dem Weg zu einem ausgezeichneten Examen. Die Jagd der Studenten auf die Jobs ist gnadenlos. Es winken karriereträchtige Wallstreetangebote oder fette Regierungsposten, selbst die liberalen Kanzleien wollen ein Sternchen im Abschluß. Eine Mordserie unter den Jahrgangsbesten erschüttert die Fakultät und hetzt Althippies, Karriereanwälte, Penner und zerstreute Professoren aufeinander. Willa Jansson sitzt im Auge des Taifuns als mögliches Opfer und Hauptverdächtige. Und dann verliebt sie sich auch noch in den politischen Gegner... Sara Paretzky und Sue Grafton haben Gesellschaft bekommen: »Lia Matera hat die Gabe für den ganz großen Durchbruch.« *Newsweek*

Rotbuch Krimi Taschenbuch 63

LARS BECKER · KALTE SONNE

Ein paar junge schwarze Südafrikaner schlagen sich als Kellner und Musiker in Hamburg durch: im Kleinkrieg mit dem Ausländeramt, auf Konzerten oder bei öden Putzjobs. Eines Tages werden zwei von ihnen tot aufgefunden. Alte Rechnungen vom Kap oder neudeutsches Unheil? »Lars Becker erzeugt Spannung, ohne die Blutorgel anzuwerfen. Solche Autoren braucht die deutsche Kriminalliteratur. *Kalte Sonne* ist zweifellos der herausragende Krimi der Saison.«

Sky Nonhoff, *Die Westfälische*

Rotbuch Krimi Taschenbuch 81